DIRETO DE WASHINGTON

DIRETO DE WASHINGTON

W. Olivetto por ele mesmo

ESTAÇÃO BRASIL

edição: Pascoal Soto
revisão: Hermínia Totti e Luis Américo Costa
projeto gráfico e diagramação: Natali Nabekura
capa: Guime Davidson
foto de capa: Sebastião Salgado (feita em 30 de novembro de 2017,
no Quai de Valmy, em Paris)
texto de orelha: Luis Fernando Silva Pinto
impressão e acabamento: Associação Religiosa Imprensa da Fé

CIP-BRASIL. CATALOGAÇÃO NA PUBLICAÇÃO
SINDICATO NACIONAL DOS EDITORES DE LIVROS, RJ

O53d Olivetto, Washington, 1951
Direto de Washington/ Washington Olivetto; Rio de Janeiro:
Estação Brasil, 2018.
400p.; 16 x 23cm.

ISBN 978-85-5608-033-2

1. Olivetto, Washington, 1951-. 2. Publicitários – Brasil –
Biografia. I. Título.

18-47703 CDD: 926.591
CDU: 929:659.1

Rua Voluntários da Pátria, 45 – Gr. 1.404 – Botafogo
22270-000 – Rio de Janeiro – RJ
Tel.: (21) 2538-4100 – Fax: (21) 2286-9244
E-mail: atendimento@sextante.com.br
www.sextante.com.br

Esta é a minha primeira
e penúltima autobiografia.

ABERTURA

A MAIOR PARTE DAS MULHERES do mundo gostaria de namorar um homem bonito, inteligente, rico e charmoso.

Mas, se um rapaz convidar uma moça para jantar e depois da segunda taça de vinho disser a ela “Você já reparou como eu sou bonito, inteligente, rico e charmoso?”, a moça vai no mínimo pensar que ele é um idiota.

Se o mesmo rapaz, sem precisar dizer nenhuma dessas palavras, conseguir fazer a moça imaginar que ele é tudo aquilo e mais um pouco, certamente a chance de acontecer algo entre eles se torna bastante grande.

Este é o trabalho de um criador de publicidade: seduzir com inteligência. Mas em condições mais difíceis que as de um rapaz num jantar, porque não seduzimos ao vivo. Seduzimos através da mídia, usando diferentes meios de comunicação.

Desde aqueles da idade do layout lascado, como os folhetinhos para distribuir nas esquinas e nos pedágios, até os da geração pós-digital, como os YouTube Bumper Ads e os NoBeta.

Falamos simultaneamente com milhões de pessoas como se estivéssemos falando com uma só, olhando no fundo dos seus olhos.

Seduzimos não somente as mulheres, que sempre foram as grandes líderes do universo de consumo, como também os homens e as crianças, respeitando os limites e a inteligência de cada um.

Por acreditar plenamente nisso, pensei em chamar este livro de "Memórias de um sedutor de homens, mulheres e crianças", mas acabei optando por um título menos pretensioso e mais direto, apesar de continuar achando o exemplo da sedução amorosa perfeito para ilustrar a atividade de um publicitário.

Já havia usado esse exemplo anos atrás, quando disse uma frase que ficou famosa: "O cartão é mais importante do que as flores." Para justificar essa frase, eu argumentava que dois rapazes parecidos podiam mandar flores iguais para uma mesma moça, mas que certamente faria mais sucesso aquele que escrevesse o melhor cartão.

Assim como escrever bons cartões, criar boa publicidade pode ser absolutamente fácil ou totalmente impossível.

No mundo inteiro existem poucos para quem essa tarefa é fácil. Essa meia dúzia de privilegiados tem uma característica em comum: são pessoas com algum talento que tiveram a esperteza de aprender mais sobre a vida do que sobre publicidade.

A maior parte dos publicitários anda com publicitários, conversa com publicitários, namora com publicitários, se casa com publicitários e acaba fazendo a publicidade que já foi feita.

É bastante comum dois casais de publicitários saírem para jantar e passarem a noite inteira falando dos seus trabalhos.

Costumo dizer que isso não é coisa de gente normal e, para dramatizar o fato, sugiro que imaginem dois casais de ortopedistas saindo para jantar e conversando o tempo todo sobre tíbias, perônios e rótulas.

Dos publicitários da minha geração, sou certamente o mais apaixonado pela publicidade. Mas sempre me realimentei de outras coisas, como a literatura, a música, as artes plásticas, o cinema, a fotografia, o teatro, o esporte, a arquitetura, o design.

Sempre tive o mesmo interesse por aquilo que é considerado intelectualizado e por aquilo que é tido como vulgar. Sempre fui do útil ao fútil, porque sei que nada é inútil para quem precisa conhecer todas as linguagens.

Essa postura desde o início da minha vida profissional me levou ao sucesso ainda bem jovem e me permitiu sobreviver com a mesma energia durante todos esses anos. Costumo dizer que trabalho nisso porque sou assim, não que sou assim porque trabalho nisso.

Este livro é uma tentativa de contar um pouco da minha trajetória e das influências e circunstâncias que me ajudaram, direta ou indiretamente, a realizar o que tenho feito.

Quando minha mulher me perguntou por que eu finalmente tinha decidido aceitar o convite para escrever essas histórias, respondi com uma frase de efeito: "Cansei de ler inverdades a meu respeito; agora resolvi contar as minhas próprias mentiras."

A frase é divertida; parece do Grouxo Marx, mas é minha. E não é verdade. Não cansei de ler inverdades a meu respeito, até porque não li muitas, e posso garantir que estas páginas não contêm mentiras.

O livro é composto de várias histórias de sucesso e outras de fracassos e frustrações.

É evidente que, nesses anos todos, não tive só sucessos, assim como não criei absolutamente nada sozinho, porque, no meu ofício, ninguém faz nada sozinho. Pelo contrário, sempre contei com a colaboração de brilhantes profissionais e, na maioria dos casos, aprendi mais com eles do que eles comigo.

Alguns desses profissionais são citados em momentos que considerei fundamentais para a narrativa e o entendimento da história. Mas muitos que me ajudaram tanto – ou até mais do que esses – não estão citados.

Como peças publicitárias são exaustivamente divulgadas pelas agências, com fichas técnicas cada vez mais detalhadas, fico com a consciência tranquila de que os profissionais aqui citados e os não citados já foram anteriormente credenciados.

Já entraram para a história, quando algum trabalho mereceu virar história.

Propositalmente – e devido a essa preocupação de não transformar o livro num catálogo de nomes –, optei também por não fazer um índice onomástico, até porque índices onamásticos acabam desagradando mais do que agradando.

Os não citados ficam aborrecidos porque não foram citados e os citados ficam aborrecidos por se considerarem pouco citados.

Este é um livro de histórias verdadeiras sem ordem cronológica. Fui escrevendo de acordo com o que fui lembrando e, meio que sem querer, acabei criando pequenos ganchos entre um capítulo e outro.

Começa com esta abertura que é uma espécie de bula, continua com 21 capítulos que, espero, não sejam pesados de ler nem de carregar e termina com algumas páginas recheadas de curiosidades que deixei de contar ou comentar aqui e nos capítulos que seguem. Resolvi fazer isso devido a minha deformação profissional de publicitário, que me faz viver preocupado com que as pessoas memorizem tudo o tempo todo. Lendo o que eu esqueci de contar ou comentar, acredito que o leitor acabará relembrando um pouco do que leu e guardando um pouco mais da história como um todo.

Achei essa ideia um fecho útil e original, mas talvez nem seja tão original assim. Às vezes a gente acha que algo é novo apenas por não saber que já foi feito.

Quando eu tinha 19 anos, no final de 1970, frequentava a casa do jornalista, escritor e crítico de arte Geraldo Ferraz, homem que possuía uma enorme biblioteca. Ele era uma espécie de precursor do José Mindlin.

Geraldo Ferraz era pai do meu amigo Kiko, o Geraldo Galvão Ferraz, que teve como mãe ninguém menos do que a revolucionária Patrícia Galvão, a Pagu.

Eu adorava conversar com o pai do meu amigo, aprendia muito com ele, e naquele dia comentei, do alto dos meus 19 anos de idade, que um cara genial que eu havia acabado de conhecer estava planejando publicar um livro de poemas. O livro viria com uma lente de aumento encartada, que seria usada pelo leitor para aumentar o tamanho de determinadas palavras, interferindo assim no sentido original das frases.

Como quem conhece profundamente um assunto nunca se entedia, mas também nunca se extasia, Geraldo Ferraz não me disse nada. Em silêncio, me pegou pelo braço e me levou até a sua enorme biblioteca abarrotada de livros e decorada com coisas que ele havia ganho ao longo da vida, como móveis desenhados por John Graz e Gregori Warchavchic para a Semana de 22, um retrato da Pagu pintado por Candido Portinari e um busto dele próprio feito por Victor Brecheret.

No meio daquela quantidade impressionante de livros e obras de arte, Geraldo Ferraz encontrou sem maior esforço e me mostrou um livro com uma lente encartada, fazendo exatamente aquilo que o meu recém-conhecido "cara genial" tinha imaginado. Mas com uma diferença: o livro havia sido publicado 47 anos antes, em 1923, por um dos russos da turma do Vladimir Maiakovski.

Minhas últimas observações:

Este *Direto de Washington* foi escrito entre outubro de 2016 e dezembro de 2017, durante várias noites e fins de semana que passei entre São Paulo, Rio de Janeiro e Londres.

Com a nobre missão de acompanhar os estudos dos meus filhos adolescentes, Antônia e Theo, tenho dividido o meu tempo entre o Brasil e a Inglaterra.

Como viajar, para mim, nunca foi nenhum sacrifício, até porque considero check-ins tão importantes para a saúde física e mental quanto check-ups, essa nova vida só tem me feito bem.

Curiosamente – e por coincidência verbal e geográfica –, ela combina com meu atual momento brasileiro, em que, na WMcCann, faço o papel de Rainha da Inglaterra, que só aparece quando convocada. E com este meu novo momento inglês, em que atuo como consultor criativo da McCann Europa.

Passar boa parte do tempo em Londres, cidade que considero a melhor Nova York do mundo, tem sido muito agradável. As horas que tenho vivido entre a agência na Russel Square, pertinho da School of Life, do Alain de Botton, e a *townhouse* onde moro, em Belgravia, juntinho da Sloane Square, só tem me realimentado.

Na McCann London trabalho com calma, das 9 da manhã às 5 da tarde, num ritmo que passei muitos anos sem saber que existia.

Em casa vivo cercado da minha mulher, Patrícia, dos meus filhos, da nossa cadela Rosinha, de uma biblioteca variada e de algumas obras de arte que refletem e sintetizam diferentes momentos da minha vida: um bicho da Lygia Clark, um óleo do Ancelm Kiefer, uma escultura do Jesús Soto, uma prova de artista do quadro *Lindonéia*, do Rubens Gerchman, um Diego Rivera que encontrei no Novo México, uma foto do Sebastião Salgado que só eu possuo, um Robert Rauschenberg que comprei em Nova York e dois desenhos ilustrando as canções "Corcovado", do Tom Jobim, e "Partido alto", do Chico Buarque, que ganhei do arquiteto Oscar Niemeyer e do cartunista Jaguar.

Como sempre, continuo acompanhando o Corinthians, só que agora pela Globo Internacional e pela internet; indo a grandes jogos de futebol em Wembley, como Tottenham x Real Madrid; frequentando exposições de artistas clássicos, como Henri Matisse, e contemporâneos, como David Hockney; assistindo a shows do Gilberto Gil no Barbican Centre e da Dee Dee Bridgewater no Cadogan Hall; ouvindo muita bossa nova, MPB, jazz, rock and roll e qualquer novidade musical que apareça.

O que, em resumo, significa que sou o mesmo cara que sempre fui, só que agora um pouquinho anglo-saxão, morando na cidade do Corinthians-Casuals sem deixar de ser brasileiro.

Esse sentimento, que defino como o de um apátrida patriota, pesou na minha decisão de aceitar o convite da Estação Brasil/Sextante para publicar essas lembranças.

Uma coisa que busquei em cada página, já a partir do título, foi a simplicidade, porque acredito que na comunicação o simples é sempre melhor. De complicada e cheia de discussões inúteis basta a vida.

Existe uma história inspirada no típico humor londrino que ilustra bem esse fato. Vamos imaginar que são 6 da tarde, no bar do hotel The Connaught, em Mayfair.

Um homem de 50 e poucos anos vestindo um terno da Savile Row, com cabelos grisalhos azulados, relógio Patek Philippe no pulso, aparência física que lembra o Sean Connery e postura de bilionário, encosta no balcão do bar e pede um dry martini.

Um minuto depois, uma mulher de uns 38 anos trajando um vestido assimétrico da Jil Sander, com um rosto que lembra o da Vivien Leigh, relógio da Van Cleef & Arpels no pulso e jeito de quem poderia ser a acionista majoritária da Selfridges, encosta no mesmo balcão e também pede um dry martini.

Eles nunca se viram antes. Ele olha para ela, ela olha para ele:

– Quer ir pra cama comigo? – ele pergunta.

– Na minha casa ou na sua? – ela rebate.

– Se é pra começar a discutir, não quero mais – responde ele.

1.

EM 1996, AS SANDÁLIAS RIDER, da Grendene, vendiam mais de 8 milhões de pares por mês, produziam a cada seis meses um novo grande hit musical para a trilha sonora dos seus comerciais, como a canção "Descobridor dos sete mares", interpretada por Lulu Santos, e se davam ao luxo de comprar uma das cotas do patrocínio mais caro da televisão brasileira, o futebol da Rede Globo, algo que anteriormente só era possível para anunciantes do tamanho da Souza Cruz ou da Coca-Cola.

A Rider tinha sido cotista da transmissão da Copa de 1994 vencida pelo Brasil, nos Estados Unidos, e se preparava para ser novamente um dos patrocinadores do mundial de 1998.

No comercial da Copa dos Estados Unidos, filmado em São Francisco, relançamos a gravação de "Brasil pandeiro", canção de Assis Valente, do antológico disco *Acabou chorare*, dos Novos Baianos. Para o mundial da França planejávamos filmar em Paris e gravar como trilha sonora "Paris Je t'aime", sucesso de Carmen Miranda em 1938 reinterpretado por Elba Ramalho.

A verdade é que podíamos pensar sem limites.

Naquele momento, as sandálias Havaianas, que tinham tido o seu auge quando o Chico Anysio era o garoto-propaganda da marca com o tema "Havaianas, as legítimas", viviam um momento difícil de imagem e vendas e ainda não tinham encontrado o caminho da recuperação, que acabaria acontecendo anos depois, consagrando o produto no mundo inteiro.

Quem mandava no mercado naquela altura do campeonato era a Rider. Lançada em 1988 com a campanha "Dê férias para seus pés", estrelada inicialmente pelo "Rei de Roma", Paulo Roberto Falcão, e depois pelo tricampeão mundial de Fórmula 1 Nelson Piquet, a Rider se transformara num fenômeno nacional.

O produto era calçado pelos ricos frequentadores do Club Athletico Paulistano, mas também pelos criminosos que apareciam nas fotos do jornal *Notícias Populares*, numa amostragem de consumidores excessivamente ampla. E isso preocupava todos os que pensavam no futuro da marca.

Para neutralizar esse desgaste de imagem que o inacreditável volume de vendas provocava, criamos a campanha com as releituras, feitas por artistas consagrados, dos clássicos da música popular brasileira.

A intenção era mostrar que as sandálias Rider não eram para ricos ou pobres, cultos ou analfabetos, honestos ou ladrões. A Rider era para todos. A Rider era pop.

Ser pop foi a fórmula que a Coca-Cola adotou antes mesmo de o Andy Warhol popularizar o termo – e não preciso contar o quanto deu certo.

Assim como tinha dado certo para a Coca-Cola, o posiciomento pop deu certo para a Rider, que ampliou ainda mais sua liderança e passou a ser um produto literalmente cantado em verso e música no Brasil inteiro.

Sim, no Brasil inteiro, com uma única exceção, o Rio de Janeiro, onde a Rider era bastante comprada, mas pouco amada.

Odeio bairrismos. Nasci em São Paulo, mas acabei recebendo o título de cidadão carioca. Não tenho sotaque nem de São Paulo nem do Rio, porque circulo desde muito jovem pelas duas cidades. Já falei que o único defeito do Rio de Janeiro é não ter o Corinthians e já escrevi que, das três maiores cidades do mundo, São Paulo é a mais próxima da beleza, porque é a única que fica a apenas 45 minutos de avião do Rio de Janeiro.

Mas, apesar de todas essas coisas que percebo como nada antogônicas – e até mesmo complementares –, sei reconhecer algumas sutis diferenças que marcam o comportamento dos habitantes das duas cidades. E elas não vêm de hoje.

Vamos lembrar que, nos anos 60 do século passado, mesmo tendo o ícone de São Paulo Adoriran Barbosa como seu parceiro na belíssima canção "Bom dia, tristeza", o poeta Vinicius de Moraes chamou a cidade de "O túmulo do samba".

Não dá pra esquecer também que, quando surgiram os primeiros motéis no Brasil, filhos da geração pós-pílula, o motel que ficou imediatamente famoso em todo o país foi o Vips, da avenida Niemeyer, no Rio, devido a sua privilegiada localização geográfica, que oferecia aos casais uma espetacular vista para o mar. Enquanto isso, em São Paulo os primeiros motéis optaram por se instalar na rodovia Raposo Tavares, famosa pelo tráfego intenso e barulhento de caminhões em direção a Curitiba.

Ainda nessa mesma época, os drive-ins do Rio de Janeiro tinham telões para exibição de filmes, ofereciam cachorro-quente, refrigerante e pipoca, e eram programa de domingo de famílias inteiras que iam assistir às comédias românticas dentro dos seus automóveis. Os drive-ins de São Paulo, por sua vez, eram instalados em terrenos baldios, sem telões nem filmes, apenas uma sequência de baias de madeira cobertas por toldos que separavam um automóvel do outro e abrigavam garçonetes de plantão, sempre a postos para servir bebidas vagabundas aos casais que não tinham dinheiro para pagar um motel e optavam por fazer sexo dentro do carro.

Ainda hoje essas sutis diferenças de comportamento e até mesmo semânticas existem.

O bairro dos paulistas bilionários tem nome de bairro de periferia, se chama Vila Nova Conceição, enquanto o hospital mais famoso do Rio de Janeiro tem nome de night club, se chama Copa D'Or.

Foram diferenças desse tipo que fizeram com que as sandálias Rider, fabricadas por gaúchos e usadas por brasileiros de todas as nacionalidades, ficassem no Rio com fama de "coisa de paulistas", um produto que, apesar de ser líder de vendas, era execrado por formadores de opinião do Leme ao Pontal. Chamavam as sandálias, com especial ironia, de chinelo. E pior, de chinelo de gordo, branquelo, de bermudão folgado e barrigona saltando entre os botões da camisa apertada.

Para os mais otimistas, eufóricos com os resultados de venda do produto, essas opiniões eram apenas uma espécie de dor de cotovelo de uma minoria que odiava o sucesso alheio. Mas nós, profissionais de comunicação, sabíamos que esses formadores de opinião do Rio de Janeiro podiam, a curto e a médio prazo, contaminar a imagem da marca. Portanto, algo precisava ser feito, e imediatamente.

Esse algo a fazer não passava por alterar a campanha de publicidade que, com as suas releituras de clássicos da MPB, se comportava cada vez melhor. Tinha que ser algo dirigido aos formadores de opinião, que envolvesse a mídia em geral e a imprensa mais elitizada em particular; algum fato, algum evento que começasse a "desembregar" a imagem da Rider no Rio de Janeiro.

Foi assim que surgiu a ideia teoricamente estapafúrdia da festa dentro do porta-aviões *Minas Gerais*, escândalo que só se tornou possível porque tínhamos a figura do José Victor Oliva, que precisava consagrar o seu Banco de Eventos. Ele sonhava fazer uma festa dessas desde criancinha, quando o então menestrel maldito Juca Chaves cantava nas muitas rádios e poucas emissoras de televisão brasileiras: "Brasil já vai a guerra/ comprou um porta-aviões/ um viva pra Inglaterra de oitenta e dois bilhões/ ahhh, mas que ladrões!"

Não tive nenhuma dificuldade em convencer os irmãos Alexandre e Pedro Grendene da necessidade da festa, até porque os dois, além de possuírem um grande faro mercadológico, eram consagrados festeiros. Famosos por seus réveillons em Punta del Este, perceberam de imediato que a festa no porta-aviões *Minas Gerais* seria uma ótima oportunidade de unir o útil ao agradável: preservar o futuro do negócio mais rentável da empresa e se divertir no presente.

Depois do sinal verde dos Grendene, acionei o Zé Victor e me transformei numa espécie de ajudante dele para a parte mais difícil do projeto, que era conseguir o porta-aviões.

Zé Victor, que, ao contrário de mim, sempre foi um animal político, arrumou alguns contatos no alto almirantado e se aproximou do Ronaldo Cezar Coelho, irmão do Arnaldo, parceiro do Galvão Bueno no futebol da Globo. Além de empresário, Ronaldo era deputado pelo PSDB e exercia a função de embaixador do Movimento Rio 2004, que tentava trazer as Olimpíadas para o Rio de Janeiro.

Muito atento, Zé Victor percebeu que o engajamento da Grendene nesse movimento poderia ajudar a convencer o pessoal da Marinha a ceder o porta-aviões para a festa.

Com o aval do Movimento Rio 2004, começamos as conversas com a Marinha. As reuniões eram feitas no próprio porta-aviões, sempre impecavelmente limpo e lustroso, num bar que esteticamente não ficava nada a dever aos mais tradicionais bares de Londres, como o do Brown's Hotel, que foi um dos favoritos do primeiro-ministro e beberrão Sir Winston Churchill.

O oficial barman do *Minas Gerais* preparava ótimos drinques, particularmente os Negronis e os Blood Marys. Servia também bons gins-tônicas e whiskys sempre acompanhados de deliciosos salgadinhos, em especial umas bolinhas de queijo que o Zé Victor adorava.

A frequência das reuniões ajudava a criar uma certa intimidade entre os participantes. A ideia de que a festa finalmente daria uma imagem simpática a uma classe que, por conta da ditadura, tinha passado anos malvista pela maioria dos brasileiros começava a ganhar corpo. Os Negronis, os Bloody Marys, os gins-tônicas, os whiskies e as bolinhas de queijo foram deixando todos muito à vontade, a ponto de, numa das reuniões, um almirante confidenciar para o Zé Victor que seu sonho desde que começara na carreira militar era um dia ser o ministro da Marinha.

Zé Victor não se esqueceu daquele comentário e assim que chegamos à reunião seguinte perguntou ao almirante se íamos ter bolinhas de queijo. Ao ouvir do almirante que "não sabia", Zé Victor retrucou: "Mas como? Não sabe nem se vai ter bolinhas de queijo e quer ser ministro da Marinha? Assim não dá!"

Bolinhas de queijo à parte, depois de várias reuniões e com a produção do evento praticamente iniciada, por muito pouco a fabulosa festa no mar não foi por água abaixo.

Aconteceu que, quando chegamos para mais uma reunião, o almirante disse educadamente que tinha algo muito grave para contar e que esse era o motivo pelo qual ele preferia interromper o projeto.

O fato é que dias antes ele havia encontrado um velho amigo. Ao comentar sobre o seu entusiasmo pela festa, citando o meu nome como um dos idealizadores do evento, esse amigo disse ao almirante que achava estranha a minha participação, porque já tinha lido entrevistas minhas em que eu dizia que não gostava de militares.

Não neguei. Comentei que eu realmente tinha dito isso para a imprensa no mínimo em duas ocasiões: numa entrevista para o jornalista Sérgio Pinto de Almeida, para a revista *Status*, e na minha primeira entrevista para a *Playboy*, feita pelo Juca Kfouri.

Argumentei que esse "não gostar de militares" era um comportamento generalizado da minha geração, causado pela ditadura, e que a festa iria ajudar a minimizar um pouco isso. Mas acrescentei um comentário, me aproveitando da competição que existe entre as diferentes armas: "A verdade, almirante, é que quando digo que não gosto de militares estou me referindo ao Exército, coisa que até o meu sogro, que é coronel da reserva, já ouviu de mim. Da Marinha eu sempre gostei, até porque o espírito é outro. Pra começar, vocês nadam, enquanto eles marcham."

A cara do almirante ficou menos tensa e eu continuei: "E o senhor já reparou a diferença de estilo e classe que existe entre o Exército e a Marinha? A maior prova disso é que todo cara que fica rico compra um barco. O senhor já viu alguém ficar rico e comprar um tanque?"

O almirante desandou a rir, o ambiente relaxou e o projeto da festa seguiu em frente. A partir daquele dia, sempre que um novo convidado aparecia nas nossas reuniões, o almirante dizia: "Olivetto, conta pra ele a história do cara que fica rico."

No dia 23 de janeiro de 1997, a festa finalmente aconteceu.

Mais de 2.500 convidados, do Brasil e do mundo, foram recebidos no *Minas Gerais* por jovens oficiais impecavelmente fardados e lindas recepcionistas selecionadas pela equipe do Banco de Eventos.

Os convidados eram levados para o segundo andar pelo impressionante elevador de 25 metros de comprimento por 10 de largura, utilizado normalmente para transportar aviões e helicópteros. Ao descer do elevador, encontravam belíssimos lounges, comida e bebida da melhor qualidade, sofás confortáveis, serviço atencioso, pistas de dança movimentadas e até sprinklers que borrifavam uma aguinha de vez em quando para espantar o calor daquela noite de verão.

Os DJs tocavam hits de todos os tempos e os vários Rider Hits. Só faziam intervalos na hora dos shows, que tiveram a Banda Eva, grande sensação do carnaval do ano anterior, Sandra de Sá, que tinha acabado de recriar a canção do filme *Fame* para o novo comercial da Rider, e o Lulu Santos, que encerrou o show com a sua espetacular versão de "Descobridor dos sete mares", acompanhado pela Banda da Marinha e vestido de marinheiro.

A festa no porta-aviões, com seus milhares de convidados, durou até as 5 da manhã do dia seguinte. Todos foram embora felizes para sempre e alguns jovens oficiais da Marinha se deram bem, levando para os seus alojamentos algumas das modelos que desfilavam nas pistas de dança.

Até a Xuxa, que era conhecida por não ir a festa alguma, chegou cedo e saiu tarde.

Xuxa, na verdade, sempre foi muito grata aos irmãos Grendene, com quem começou a ganhar dinheiro pra valer. Seu primeiro licensing de produto foi feito com eles, em 1986, o "Xapatinho da Xuxa", produto infantil com um nome que se reportava ao seu recém--estreado programa na Rede Globo, o *Xou da Xuxa*.

O "Xapatinho da Xuxa" foi também o primeiro comercial da W/GGK, a agência de publicidade que fundei quando saí da DPZ. Eu mesmo escrevi esse comercial, que não era brilhante como peça criativa, mas eficiente como estratégia mercadológica. As vendas foram um estouro e iniciaram a parceria da Xuxa com a Grendene, que em 2.016 comemorou trinta anos de sucesso.

A parceria Xuxa e Grendene foi também a precursora de outras parcerias bem-sucedidas da Grendene, como a feita para o lançamento da coleção Ipanema Gisele Bündchen.

Tive o privilégio de ser um dos criadores dos comerciais dessa coleção, incluindo os filmes com a Gisele caminhando em Los Angeles, passeando de Copacabana até Ipanema e inteiramente nua, tatuada com desenhos de animais e plantas brasileiras. Nessa campanha, fizemos também um comercial com a Gisele entre os índios Kisêdjê, produzido em Mato Grosso, no meio do Xingu, que, além de vender sandálias, vendeu a ideia de ajudar o projeto socioambiental Y Ikatu Xingu – Água boa para o Xingu.

Todos esses comerciais, além da beleza da Gisele, tinham outro ponto em comum: a trilha sonora com versões em português e inglês da canção "Slow Motion Bossa Nova", de Celso Fonseca e Ronaldo Bastos, interpretada pelo Celso Fonseca. Essa canção nasceu no disco de mesmo nome, obra requintada da MPB, finalista do Grammy, que eu tive o prazer de ajudar a produzir.

A música popular sempre foi o meu radar social e conviver com os meus amigos da música sempre fez muito bem à minha saúde.

A festa da Rider no porta-aviões *Minas Gerais* cumpriu os seus objetivos de ser o grande destaque da mídia daquele ano e atingir o público formador de opinião do Rio Janeiro. Os resultados mereciam ser comemorados. Para isso, o Alexandre Grendene resolveu oferecer um jantar aos responsáveis pela festa no seu apartamento de São Paulo, na Vila Nova Conceição. Entre os convidados estava o simpático almirante, que, assim que me viu, apresentou sua esposa e disse: "Olivetto, conta pra ela aquela do cara que fica rico."

2.

Você se lembra de que, num dos primeiros parágrafos do capítulo anterior, eu escrevi a frase: "Só para anunciantes do tamanho da Souza Cruz"?

Talvez isso tenha passado batido por você, porque atualmente não quer dizer grande coisa, mas no passado queria dizer muito.

Durante vários anos, a Souza Cruz foi, sem sofrer nenhuma restrição, o maior anunciante brasileiro.

Uma espécie de super-Casas Bahia, com muito dinheiro na mídia e grande requinte na produção dos filmes publicitários, algo com que as Casas Bahia jamais se preocuparam.

Anualmente a Souza Cruz comprava os principais patrocínios das rádios e televisões de maior audiência, as contracapas de todas as revistas, a maioria dos outdoors; bancava edições especiais dos jornais, merchandisings nas novelas e nos longas-metragens; imprimia pôsteres e cartazes de ponto de venda em quantidades industriais; produzia fotos e filmes no Brasil, na Europa, na Ásia e nos Estados Unidos; veiculava comerciais nos cinemas. A Souza Cruz era o cliente dos sonhos dos veículos, das agências, dos fotógrafos, dos diretores, das produtoras e das gráficas. Era também o emprego dos sonhos dos profissionais de marketing.

Trabalhei para a Souza Cruz por algum tempo, nos meus anos de DPZ e depois na W/Brasil. Naquela época eu fumava. Comecei com Minister, da Souza Cruz, o cigarro mais vendido durante o período do tal milagre brasileiro – que de milagre não tinha nada –, mas depois mudei para o Marlboro, da concorrente Philip Morris.

A maioria dos publicitários fumava Marlboro, mas quando tinham uma reunião na matriz da Souza Cruz, no Rio de Janeiro, todos davam uma paradinha no bar da esquina da rua da Candelária para comprar um maço de cigarros da Souza Cruz. Fumávamos na reunião. Aliás, na Souza Cruz não era somente permitido fumar nas reuniões, mas quase obrigatório.

A propósito, naquela época a Souza Cruz pagava todos os meses uma multa à prefeitura do Rio de Janeiro por se recusar a colocar nos seus elevadores o aviso "É proibido fumar", obrigatório por lei.

Quando eu disse que todos os publicitários fumantes de Marlboro compravam cigarros da Souza Cruz antes das reuniões, deveria ter dito "todos menos um". E esse um era eu.

Ficou famosa a minha resposta para um diretor de marketing da Souza Cruz que me advertiu por eu tirar um maço de Marlboro do bolso do paletó no meio de uma reunião e acender um cigarro.

O homem me olhou fundo nos olhos e disse, ríspido: "O que é isso, Washington?" E eu respondi: "Olha, eu podia fazer como um monte de gente faz e comprar um Minister lá no bar da esquina antes da reunião. Mas no dia a dia eu fumo Marlboro e você sabe que cigarro é um vício, e você se vicia numa determinada marca. Fora isso, tem duas coisas. Se eu mentir sobre um maço de cigarros que custa apenas alguns cruzeiros, como é que você vai acreditar em mim quando estivermos falando da produção de um comercial que custa milhões? E tem mais: você precisa de mim pra vender, não pra comprar. O que eu compro não altera os números da companhia, mas o que eu vendo altera."

O homem, que era mais velho e mais experiente que eu, ouviu calado, balançou a cabeça e continuou a reunião. Depois contou a minha resposta para um monte de gente, exaltando "a coragem, personalidade e inteligência do Washington, aquele menino da DPZ".

Algumas curiosidades do meu passado de fumante:

Como meu pai nunca me proibiu de fumar, não vivi a tentação de burlar a proibição. Comecei a fumar tarde, quando já cursava a faculdade, e por causa de mulher. Como as meninas da minha geração estavam começando a fumar, eu queria ter cigarros para oferecer a elas.

Fumei muito durante anos, sabendo que fazia mal. Em 2001, quando fui sequestrado e passei 53 dias dentro de um cubículo sem cigarros, resolvi que levaria pelo menos um benefício daquele trágico episódio: parar de vez com o cigarro.

Passei a fumar apenas charutos, mas, como sou compulsivo, comecei a tragar, o que é um crime. Fumava uns três por dia.

Tentei parar várias vezes, a pedido dos meus filhos Antônia e Theo, mas acabei parando mesmo por ordem do médico André Duprat, que, no final de 2011, descobriu e tirou um pólipo das minhas cordas vocais.

O tal pólipo podia ter se transformado numa grande encrenca, André me advertiu a respeito e, como, além de compulsivo, sou também obsessivo, parei de fumar no mesmo dia. Nada de cigarros, nada de charutos, jamais.

Obviamente, eu sabia que cigarro fazia mal bem antes do pólipo, inclusive tinha verbalizado numa entrevista um raciocínio que expressava o meu desprezo: "Uma coisa que custa menos de dois dólares e vem em maços de vinte não pode ser boa. O charuto pelo menos custa caro e contém folhas de uva, enroladas nas coxas das cubanas."

Apesar de ter parado por causa de um grande susto, não me tornei um ex-fumante pentelho. Não policio ninguém ao meu redor, mas hoje não faria campanhas de cigarros. E não estou dizendo isso porque as rigorosas proibições de publicidade transformaram as fábricas de cigarros em pequenos anunciantes. Não faria por convicção mesmo, assim como não faço, nunca fiz e nunca farei campanhas políticas, de qualquer político, e de empresas do governo, de qualquer governo.

Mas na época das campanhas de cigarro fiz algumas coisas bem-feitas do ponto de vista técnico, apesar de discutíveis do ponto de vista ético.

Fui, por exemplo, um dos responsáveis por colocar músicas nas campanhas dos cigarros Hollywood, as famosas superproduções "Hollywood, o sucesso".

Usei nessas campanhas músicas de vários artistas e bandas pelas quais eu não era apaixonado, como Van Halen, Europe, Kiss, The Outfield e Asia. Assim como usei também canções que eu adorava da Tina Turner, do The Police e do Jimmy Cliff. Mas reconheço que todas essas canções, independentemente do meu gosto pessoal, foram fundamentais para fortalecer as relações entre a publicidade, as gravadoras e os artistas, coisa que, com o passar do tempo, gerou outras campanhas, para outros anunciantes, com excelência publicitária e artística, além de bons resultados para todos.

Fiz também as campanhas dos cigarros Carlton, com o tema "Carlton, um raro prazer", resultado de um briefing absurdo que dizia ser Carlton o cigarro dos prazeres organolépticos, o cigarro, portanto, para depois de comer e beber bem.

Se você disser para um gourmet assumido como o Boni que fumar depois de comer e beber completa uma esplêndida refeição, ele te enche de porrada. Boni não admite nem os charutos cubanos, acompanhados de magníficos Armagnacs, que o seu querido amigo e coautor de guias gastronômicos Ricardo Amaral adora depois dos jantares.

Mas o briefing a que obedecíamos conduzia a isso. Para o cigarro Carlton, fazíamos anúncios e comerciais que mostravam mesas muito bem-postas, com pratos excepcionais e bebidas raras, tendo sempre ao lado um cinzeiro de cristal, um maço de Carlton e um daqueles isqueiros de rico da época, que podia ser um Cartier, um Dupont ou um Dunhill.

A produção dessas peças era complicada, porque queríamos coisas raras e caras, e naquele tempo tínhamos poucos produtos alimentícios e bebidas importadas no Brasil, mesmo em lugares como a Casa Santa Luzia, em São Paulo, ou a Lidador, no Rio de Janeiro.

Muitas vezes recorríamos aos amigos que viajavam para o exterior, pedindo que nos trouxessem escondido na mala uma determinada bebida ou comida para ilustrar o nosso próximo anúncio de Carlton.

Certa vez fizemos um anúncio que mostrava na foto – além dos costumeiros cinzeiros de cristal, maço de Carlton e isqueiro de rico – uma garrafa da então rara no Brasil vodka Stolichnaya gelada, como devia ser, um pequeno copo também gelado, com a bebida já servida, e uma lata daquelas ovas de salmão grandes e vermelhas cercada de pedras de gelo.

A foto era tecnicamente muito boa e o anúncio foi bastante elogiado pelo cliente. Mas o melhor aconteceu dias depois, quando recebemos na agência a carta de uma senhora de Itaquaquecetuba, município da Grande São Paulo, que tinha visto na revista *Veja* o anúncio do cigarro e queria saber onde a gente tinha conseguido sagus daquele tamanho naquela época do ano.

Realmente, a maior parte da publicidade de cigarros feita no Brasil entre os anos 1970 e 1990 parecia viver em outro mundo, achando que todos os fumantes brasileiros moravam na região de St. James Place, em Londres. As exceções eram duas marcas que, na sua comunicação, apelavam um pouco mais para a vida real: os cigarros Continental e Charm.

Para o Continental, historicamente o mais popular dos cigarros brasileiros, com o tema "Continental, preferência nacional", a partir de uma ideia do Laurence Klinger, criamos um outdoor divertido. O cartaz afixado nas principais ruas, praças e avenidas dos bairros de periferia tinha apenas uma foto enorme de um maço de Continental com o seguinte título: "Vai ver se eu estou no bar da esquina."

Para o Charm, continuamos uma brilhante campanha que tinha fracassado. Os cigarros Charm foram lançados em 1972 pela Souza Cruz, numa tentativa de repetir no Brasil o sucesso alcançado pelos cigarros Eve com as fumantes norte-americanas quando do seu lançamento em 1971.

Os cigarros Eve eram um produto da concorrente Philip Morris, com uma embalagem extremamente feminina criada pela designer Bea Feitler, nascida no Rio de Janeiro, mas radicada em Nova York.

O Charm foi lançado no Brasil com uma campanha, criada por José Zaragoza, que tinha como carro-chefe um outdoor onde apareciam mulheres brasileiras de diferentes áreas de atividade e diferentes tipos físicos, numa seleção que incluía desde a atriz Leila Diniz até a sambista Clementina de Jesus. O título do outdoor dizia: "No Brasil, toda mulher tem Charm."

A campanha era boa, mas o produto não decolou em razão de um detalhe do quadro social brasileiro dos anos 1970 que ninguém tinha notado. Ao contrário das norte-americanas, que já fumavam havia bastante tempo, as brasileiras daquela época estavam apenas começando e percebiam o ato de fumar como um gesto de emancipação, como mais uma conquista na luta pela igualdade com os homens. Portanto, não queriam um cigarro só para elas, um cigarro segregado, um cigarro de mulherzinhas.

Por causa disso a campanha teve que sofrer uma mudança de rumo, que inicialmente aconteceu apenas com o acréscimo de uma frase: "No Brasil toda mulher tem Charm. Só deixe ele fumar se você gostar muito dele."

Tempos depois, já assumindo uma postura unissex na comunicação, a campanha virou "O importante é ter Charm." Foi quando Francesc Petit e eu começamos a trabalhar com a marca. Fizemos vários anúncios bons e um filme chamado *Snooker*, de que eu particularmente gostava muito.

A cena se passava num apartamento elegante onde um cara bem-vestido se preparava para dar uma tacada na mesa de sinuca, com a óbvia intenção de impressionar a moça que estava ao seu lado. Só que o nosso herói acabava dando uma tacada péssima, rasgando o pano da mesa. Mesmo diante daquela tragédia ele não perdia a pose:

tirava o maço de Charm do bolso, acendia um cigarro e continuava natural, como se nada tivesse acontecido. Nesse instante ouvia-se a locução em off: "O importante é ter Charm."

Sendo muito sincero, esse recurso de mostrar com graça um cigarro ou uma bebida como consolo para uma situação adversa não era novo. As cigarrilhas inglesas Hamlet, por exemplo, fizeram em 1966 uma campanha que durou anos com o tema "*Happiness is a cigar called Hamlet*", que tinha esse espírito. Assim como as cervejas Heineken, que em 1973 trilharam esse mesmo caminho com a campanha "*Heineken refreshes the parts other beers cannot reach*".

O mérito do nosso comercial de Charm, criado depois dos comerciais de Hamlet e Heineken, estava na produção e na direção perfeitas, na trilha sonora com a canção "Teach Me Tiger", sensualmente interpretada pela April Stevens, e na atuação do personagem principal, o ator amador – e até então desconhecido – Emile Eddé.

Tempos depois, quando precisei escolher um ator para interpretar o "Bebe Quieto" na campanha do whisky Drury's, me lembrei do Emile Eddé. Mas isso eu conto depois, porque agora não é hora de misturar cigarro com whisky, apesar de ser uma combinação clássica e consagrada.

3.

"As três melhores coisas da vida são um whisky antes e um cigarro depois", disse Elizabeth Taylor. Mas, na minha vida profissional, o cigarro veio primeiro e o whisky, depois.

Trabalhei pra Souza Cruz e só depois para a Heublein. Antes disso, trabalhei para outra grande destilaria, a Seagram's, mas não fiz nenhuma campanha de whisky.

Fiz pequenos trabalhos para a Maison Forestier, uma divisão de vinhos produzidos no Rio Grande do Sul que a Seagram's lançou sem grande sucesso. Dei uns palpites na criação da campanha da cachaça São Francisco, com o tema "Rico também bebe cachaça", um projeto de cachaça elitizada que estava trinta anos à frente do seu tempo. E fiz um trabalho de criação competente para o rum Montilla, bebida responsável pelo primeiro porre de milhares de brasileiros, normalmente de cuba-libre.

O rum Montilla vendia sozinho mais do que todos os whiskies importados, engarrafados e contrabandeados para o Brasil somados e era reconhecido em qualquer canto do país por causa do seu famoso rótulo, que mostrava um pirata com um papagaio no ombro.

Fiz uma campanha de outdoors, anúncios de revista, jornais e cartazes de ponto de venda, em que o papagaio aparecia sempre sozinho no cenário do rótulo, com o seguinte título: "O pirata saiu pra tomar um Montilla e já volta."

Foi um enorme sucesso e ganhamos uma porção de prêmios. Mas, apesar de ter feito uma campanha de bebidas tão prestigiada quanto a do Montilla, só fui fazer propaganda de whisky, que era a minha bebida preferida naquela época, muitos anos depois da campanha do papagaio sem pirata.

Antes do whisky, anunciei até água.

Participei do lançamento da Minalba, da Nestlé, e escrevi um anúncio para as revistas dirigidas aos compradores dos supermercados que ficou famoso pela simplicidade. O anúncio trazia uma foto da garrafa de Minalba ocupando toda a página e o seguinte título: "Vende que nem água".

Nesse período, como ainda não tínhamos uma conta de whisky, mas imaginávamos que um dia poderíamos ter, Francesc Petit e eu nos antecipávamos, saindo a campo para pesquisar o mercado. O que quer dizer que frequentávamos todas as noites o Plano's Bar, na rua Oscar Freire, em São Paulo, que era o melhor bar que um bebedor de whisky podia encontrar no Brasil. Melhor até que o Antônio's, no Rio de Janeiro, apesar de o Antônio's ser bem mais famoso.

No Plano's você pedia a primeira dose do seu whisky preferido e as seguintes eram servidas sem que você precisasse pedir. Garçons sempre atentos e diariamente treinados para odiar copos vazios só paravam de servir quando o freguês pedia a conta.

A maioria dos fregueses pedia a conta e não pagava, apenas assinava a nota, deixando tudo para o fim do mês, como se o Plano's fosse um clube fechado, coisa que, no fundo, era um pouco verdade.

Os canapés e o picadinho caipira do Plano's eram esplêndidos; o piano de poucas notas, como deve ser um bom piano, tocado por João Maria de Abreu, filho do Zequinha de Abreu, autor de "Tico-tico no fubá".

Além de todas essa qualidades, o Plano's tinha duas particularidades absolutamente únicas. Por ordem da dona Sylvia Kovarick, que era a dona do bar, o Plano's só contratava garçons chamados João, "para que todos os frequentadores saibam o nome dos garçons". Por ordem também da dona Sylvia, mulher desacompanhada não podia entrar no Plano's: "Pra não ter nenhuma vagabunda atrás dos frequentadores."

Coisas da dona Sylvia com Y. Coisas daquela época.

Dos habitués do Plano's fui durante alguns anos o mais jovem, e aprendi muito naquelas mesas.

Quando, em 1978, Petit e eu fomos os primeiros ganhadores do Prêmio Profissionais do Ano da Rede Globo de Televisão – que, além do troféu e do prestígio de aparecer no *Jornal Nacional*, dava também algum dinheiro –, nos juntamos ao Ronaldo Sampaio Ferreira, herdeiro da Bombril, e gastamos quase o prêmio inteiro numa noite no Plano's.

Depois do Plano's, o outro bar que eu frequentava na minha época de bebedor de whisky era o Anexo, que ficava ao lado da DPZ, na avenida Cidade Jardim. Como diretor de criação, eu arrastava todo início de noite a equipe de criação inteira para o Anexo. Às vezes ia um pouquinho antes, só com o Murilo Felisberto.

Murilo foi um jornalista fantástico e um publicitário competente. Ainda jovem, trabalhando no Caderno B do *Jornal do Brasil*, que representou uma verdadeira revolução no jornalismo brasileiro, o mineiro Murilo Felisberto ganhou muito prestígio. Deixou o Rio de

Janeiro em 1965 e veio para São Paulo, trabalhar no número zero da mitológica revista *Realidade*. Logo depois, virou o segundo homem do *Jornal da Tarde*, que era dirigido pelo Mino Carta.

Quando o Mino saiu do *JT* para fazer a *Veja* com o Roberto Civita, Murilo virou o número um do jornal, ampliou a equipe que já era de altíssimo nível e fez um dos mais requintados jornais que o Brasil e o mundo já tiveram.

Murilo tinha muito prestígio no jornal, onde era chamado pelas costas de "A Rainha", coisa que ele sabia mas fingia não saber. Tinha o cuidado de diagramar nas páginas principais os anúncios mais criativos, com os layouts mais bonitos. Para qualquer criador, ter um anúncio diagramado nas páginas 5 ou 7 do *JT* era como ganhar um prêmio.

Petit e eu tivemos vários anúncios diagramados nessas páginas, muitos mesmo, mais do que qualquer outra dupla. Por causa desses anúncios, Murilo, que já conhecia o Petit, quis também me conhecer.

Eu era muito jovem e Murilo, que sempre aparentou mais idade do que tinha, parecia um senhor, carregando pilhas de jornais e revistas de todos os lugares do mundo embaixo do braço.

Ficamos amigos. Sua filha Carlota, que na época era uma menina de 6 ou 7 anos de idade, me adorava. É que eu sempre contava para ela, em primeira mão, as histórias dos comerciais que tinha acabado de criar.

Anos depois, Murilo saiu do *JT* e montou sua própria revista, a *Viver*, filha do caderno Divirta-se, que ele havia criado no *JT*. Mas a *Viver* era muito cara de se fazer e difícil de comercializar. Não tinha como durar muito tempo.

Sabendo disso, eu, que já tinha algum poder como diretor de criação, resolvi fazer uma proposta para o Murilo trabalhar na DPZ. Assim, com o apoio inconteste do Roberto, do Petit e do Zaragoza, tive a honra de contratar aquele profissional tão especial.

Murilo fazia direção de arte, redigia, planejava e apresentava impecavelmente. De vez em quando ainda me dava o privilégio de beber whisky comigo no Anexo, antes de a turma toda chegar, pra me contar as últimas histórias dos bastidores do jornalismo mundial, algo que ele conhecia tão bem quanto uma comitiva de Gays Taleses e Zuenirs Venturas.

Num daqueles inícios de noite no Anexo, eu disse ao Murilo, que continuava com a sua tradicional mania de carregar uma porção de revistas e jornais embaixo do braço, uma frase que ele adorava contar para os amigos: "Murilo, ainda bem que a gente sempre bebe Dewar's e nunca varia o whisky. Se a gente cismasse de cada dia pedir um whisky diferente, o dia que você pedisse um JB eles iam trazer um jornal."

A gente bebia Dewar's, um dos chamados "whiskies de mulher", que eram os escoceses mais leves. Mas a conta de whisky que a DPZ ganhou foi a do Drury's, um brasileiro pesado.

Inventei que a gente tinha ganho aquela conta por causa de um mal-entendido. Dizia pra todo mundo que um headhunter tinha sido escolhido por uma importante empresa com a missão de contratar um profissional que entendesse muito de produtos para beber. Mas o headhunter tinha entendido "produtos para bebê" e acabou contratando o Hermann Schmalzigaug, da Johnson & Johnson, conhecida na época pelo seu posicionamento: "Bom para o bebê, bom para você." Como o Hermann gostava muito da gente, ganhamos a conta da Heublein.

A história era engraçada, mas não era totalmente verdade. Não houve engano de headhunter nenhum e o Hermann era mesmo um grande profissional, capaz de conduzir com excelência o marketing de uma empresa especializada em produtos para bebê, para beber ou de qualquer outro ramo. A parte verdadeira da história é que ele gostava muito da gente.

Quando ele dirigia o marketing da J&J, fizemos peças fora de série, como "Jontex Meia", o primeiro comercial de camisinha da propaganda brasileira, ganhador do Leão de Ouro no Festival de Cannes. Fizemos também as campanhas "Shampoo Johnson's Apresentador", pioneira em utilizar recursos da metalinguagem na publicidade, e "Loção Cremosa Johnson's", pioneira em utilizar freiras assanhadas num comercial. Essas duas campanhas também ganhadoras do ouro de Cannes.

Quando assumiu a Heublein, Hermann nos entregou as contas dos produtos whisky Drury's e conhaque Dreher, as duas do portfólio mais popular da empresa, com a responsabilidade de grandes volumes de vendas.

Para o conhaque Dreher, Helga Miethke, Paulo Ghirotti e eu – mais eles do que eu – criamos uma campanha indiscutível que continua viva até hoje: "Deu duro? Tome um Dreher."

Confiávamos tanto nessa campanha que nem pensamos em apresentar uma alternativa.

Para Drury's, Petit e eu criamos a campanha "Drury's, o whisky do Bebe Quieto", que era a minha favorita, e "Drury's, a hora do pôr do whisky", a favorita do Petit.

A campanha "A hora do pôr do whisky" era pertinente, porque se reportava às 6 da tarde, hora sagrada para os bebedores de whisky, com lindos anúncios de revista e um bonito comercial que misturava a garrafa, o whisky, os copos e o gelo em cenas de exuberantes fins de tarde.

A campanha era esteticamente perfeita, mas me incomodava por ser um pouco elitizada, mais adequada para um whisky de melhor qualidade que o Drury's. Fora isso, o comercial de televisão tinha mais forma do que conteúdo. Para mim, o Drury's tinha que ir pra galera, tinha que ter algo para ser repetido nos bares e nas festas, coisa que só um forte conteúdo conseguiria provocar.

A do "Bebe Quieto" era uma campanha de personagem, na verdade um "come-quieto", sempre com seu copo de whisky na mão, no estilo do Dudley Moore no filme *Arthur, o milionário sedutor*, mas nunca bêbado, sempre em silêncio, se dando bem com a mulherada em todos os ambientes.

O personagem fazia suas conquistas só com gestos. A ideia era que sua voz nunca fosse ouvida e que, no final dos filmes, quando o locutor em off dissesse "Drurys, o whisky do Bebe Quieto", ele colocasse o dedo indicador na boca pedindo silêncio.

Apresentei as duas campanhas com competência. Forcei um pouquinho a barra a favor da minha preferida, que me deu mais trabalho para apresentar, porque a responsável pela marca, uma jovem francesa que estava há pouco tempo no Brasil, não conhecia a expressão "come-quieto", o que dificultava a sua compreensão do "Bebe Quieto".

Petit, sempre ao meu lado, ajudou a defender a minha campanha preferida, em detrimento da sua, e assim saímos da reunião com a campanha do "Bebe Quieto" aprovada.

Íamos começar a produção e não tínhamos a mínima dúvida de que o ator ideal para o papel do "Bebe Quieto" era o nosso amigo – milionário por hereditariedade e ator por diletantismo – Emile Eddé.

Emile já havia protagonizado para nós, com sucesso, os comerciais "Snooker", dos cigarros Charm, e "Banco que vira casa", do Itaú, até hoje um dos melhores comerciais de banco da história da publicidade mundial.

Nesses dois comerciais, sua capacidade de se fazer de tímido e dissimulado era esplêndida, coisa que a biografia imaginada para o personagem "Bebe Quieto" exigia.

Emile viveu o personagem perfeitamente já nos três primeiros comerciais, dirigidos pelo Julinho Xavier da Silveira. A campanha teve um grande êxito e só não durou anos e anos porque pouco tempo depois deixei a DPZ. A francesinha gerente do produto foi embora do Brasil e os novos responsáveis pelo Drury's, tanto na agência quanto no cliente, resolveram criar algo novo, com a cara deles, o que infelizmente acontece muito no negócio da publicidade.

Profissionais às vezes jogam fora boas ideias que foram criadas na gestão dos seus antecessores. Quando assumem a gestão, querem deixar uma marca própria.

Acontece também de muitas campanhas serem interrompidas precocemente porque os seus criadores ou o pessoal de marketing do anunciante enjoaram delas. Quem faz isso não leva em consideração fatos comprovados por uma porção de estudos. Os primeiros a enjoar de uma campanha são seus criadores e os responsáveis pela sua aprovação, por terem participado muito intensamente de todo o processo. E os últimos a enjoar são os consumidores.

Graças ao "Bebe Quieto", anos depois, já na W/Brasil, tive a oportunidade de ser um dos criadores de outra campanha de whisky famosa: a campanha do Teacher's, protagonizada pelo próprio presidente da empresa, o elegantíssimo Kenneth Stephens, que acabou nacionalmente conhecido por repetir nos comerciais, com seu forte sotaque escocês, o bordão mais chique da televisão brasileira: "Dou minha palavra."

Kenneth, o atípico presidente de empresa que era também o garoto-propaganda do principal produto da companhia, ficou tão conhecido que acabou até sendo entrevistado no programa do Jô Soares.

Na entrevista, Jô Soares – que, assim como Kenneth, usava sempre gravatas-borboleta autênticas, daquelas que o usuário tem que dar o laço – desafiou Keneth para ver qual dos dois era capaz de dar o laço na gravata mais rápido. Com seu incrível talento e habilidade manual, Jô conseguiu vencer aquele escocês que nasceu fazendo laços em gravatas-borboleta.

Jô venceu, mas Keneth era tão charmoso que, sem dizer uma palavra, apenas com olhares e sorrisos, deixou para o telespectador a sensação de que generosamente tinha deixado o Jô ganhar.

As campanhas de Teacher's foram um grande sucesso, tais como o "Bebe Quieto", do Drury's; o "Deu duro", do conhaque Dreher; e o "Papagaio sem pirata", do rum Montilla. Fatos que me credenciavam a realizar um antigo sonho: fazer uma grande campanha de cerveja.

Achei que ia realizar esse sonho quando ganhamos na W/Brasil, sem nenhuma concorrência, a conta da cerveja Antarctica.

Mal sabia eu que ia ter uma enorme frustração e o primeiro grande fracasso da minha vida profissional.

4.

GARANTO QUE É PRATICAMENTE IMPOSSÍVEL um profissional experiente, que trabalhe há muito tempo em qualquer atividade, não ter histórias de fracassos para contar. Eu tenho poucas, mas boas. Muito boas.

A primeira aconteceu logo no meu início na DPZ, quando a agência conquistou a conta da Clineu Rocha. Na época era a maior imobiliária brasileira e, durante anos, foi o maior anunciante do jornal *O Estado de S. Paulo*.

Eram páginas e mais páginas de anúncios classificados da Clineu Rocha publicados pelo tradicional jornalão às quintas e aos domingos, sendo que nos domingos o volume de páginas era algo impressionante, às vezes até maior que o volume do editorial.

Seu Clineu Rocha, o dono da imobiliária, negociava pessoalmente um pacote anual com o *Estadão*, o que garantia um belo faturamento antecipado para os Mesquita e um belo desconto para ele.

Quando soube disso, eu, que estava começando na DPZ e doidinho para fazer coisas que aparecessem, tive a ideia de propor uma campanha que posicionasse a compra de imóveis como o melhor investimento que alguém podia fazer.

Imaginei utilizar algumas daquelas muitas páginas já compradas para fazer classificados como mídia de uma campanha institucional que beneficiaria todas as imobiliárias, mas principalmente a líder de mercado, a Clineu Rocha.

Seu Clineu, um homem bem-sucedido e inteligente, que dividia seu tempo entre o trabalho em São Paulo e um grande barco no Guarujá, gostou da ideia e aprovou alguns anúncios de página inteira de jornal. Segundo nossos planos, deveriam ser publicados todos os domingos do ano, sem exceção, sem que jamais um anúncio fosse repetido, criando um efeito cumulativo e gerando curiosidade nos leitores pelo próximo.

Para que isso acontecesse, os anúncios teriam que apresentar ideias fortes e layouts exuberantes; teriam que ser daqueles que um editor de jornal mais atento fizesse questão de diagramar nas suas melhores páginas sem que a agência tivesse que pedir ou o cliente pagar mais por isso.

O primeiro anúncio publicado tinha a foto de uma belíssima catedral ocupando a maior parte da página, com o título grande em cima e o texto embaixo. Era assim: "Siga o exemplo de Deus: more numa casa grande, confortável e bem decorada." Os textos argumentavam que imóveis eram sempre o melhor negócio, numa sequência de metáforas com a Igreja Católica em que até os corretores da Clineu Rocha eram chamados de apóstolos do Seu Clineu.

O anúncio foi um sucesso e nenhuma católica mais fervorosa, incluindo a minha mãe, reclamou.

No domingo seguinte saiu o segundo anúncio, que tinha novamente uma foto central, um grande título em cima e um pequeno texto embaixo.

A foto mostrava um homem com jeito de rico e bem-sucedido na frente da sua bonita casa, posando orgulhoso encostado na sua Mercedes-Benz. O título dizia: "Se imóvel não fosse um bom negócio, os judeus não compravam tantos." O texto argumentava que imóveis eram sempre o melhor negócio, numa sequência de metáforas com a comunidade judaica em que até os corretores da Clineu Rocha eram chamados de rabinos do Seu Clineu.

No sábado, 24 horas antes de o anúncio ser publicado, estourou mais uma daquelas guerras do Oriente Médio e o anúncio saiu no domingo, num *Estadão* que tinha essa guerra como manchete principal.

O anúncio foi imediatamente considerado pela comunidade judaica como inoportuno, ofensivo, desrespeitoso e até mesmo preconceituoso. A presença na foto de uma Mercedes-Benz, automóvel alemão, foi vista com péssimos olhos e o último parágrafo do texto do anúncio, literalmente odiado. Dizia: "Na hora da venda, você vai ver que só existe um negócio no mundo melhor do que imóvel. Mas esse está na mão dos árabes", numa alusão óbvia ao petróleo.

Naquele mesmo domingo, membros da comunidade judaica, a maior cliente da Clineu Rocha, comunicaram que não trabalhariam mais com aquela imobiliária. Nas praias de Pitangueiras e Pernambuco, no Guarujá, tradicionais redutos da comunidade, exemplares do *Estadão* com o anúncio eram passados de mão em mão por pessoas revoltadas. Por causa disso, começamos a traçar um plano de como pedir desculpas.

Começamos, não. Seu Clineu, sempre sereno, e Roberto Duailibi, que tinha a experiência profissional que eu não tinha, para amenizar o problema que eu havia criado, foram os coordenadores da operação, que durou mais de 10 dias. A tal operação envolveu visitas oficiais, almoços e jantares, contatos com amigos da comunidade judaica que se propuseram a intermediar um acordo de paz e até mesmo o fechamento de um pacote de anúncios da Clineu Rocha na *Revista Shalom*.

Três detalhes curiosos desse catastrófico episódio: o homem que estava na foto do anúncio orgulhosamente encostado na Mercedes-Benz era judeu, o Raul Sulzebaker, nosso amigo e cliente, dono da Jeans Store; a mãe de um amigo meu, que leu seu sobrenome no texto do anúncio, onde eu citava alguns sobrenomes celébres da colônia, quis me processar – e só mudou de ideia por interferência do filho; Seu Clineu Rocha, mesmo depois desse enorme problema, não mudou de agência nem pediu que me afastassem da conta. Pelo contrário, fez questão de que eu continuasse escrevendo os seus anúncios institucionais, até que, aborrecido com as inúmeras crises do mercado brasileiro, resolveu fechar sua imobiliária e ir morar no seu barco.

■ ■ ■

TEMPOS DEPOIS DA ENCRENCA em que me meti por causa da campanha que citava católicos num anúncio e judeus em outro, me meti numa outra encrenca, dessa vez com a turma do candomblé, por causa de uma campanha de Dia das Mães criada para as máquinas de escrever Olivetti.

A Olivetti será, para sempre, um dos meus clientes mais amados. Além de fabricar o produto de onde eu literalmente arranquei a vida com as mãos, a Olivetti tinha como diretor de marketing um homem que me ensinou muito, o poeta Mário Chamie, criador da poesia-praxis, uma dissidência do concretismo.

Tenho até hoje todas as minhas máquinas de escrever Olivetti, incluindo a primeira, uma Lettera 32, cuidadosamente guardadas desde que foram aposentadas pelos computadores, em 1990, ano em que a W/Brasil se transformou na primera agência 100% informatizada do país.

E tenho também muitas saudades das minhas conversas com Mário Chamie, nas quais, em momentos raros para quem me conhece, eu mais ouvia do que falava, e sempre aprendia muito.

Petit e eu, com a imensa ajuda do Mário, criamos para a Olivetti anúncios com indicações de obras que as pessoas deviam ler em homenagem ao Dia do Escritor ou para incentivar as crianças a ler e escrever. Fizemos comerciais ora citando trechos da poesia de Fernando Pessoa, ora discutindo a escolha da palavra certa para expressar determinado sentimento. Explicamos num comercial, por exemplo, a importância de designers como Ettore Sottsass, quando lançamos a máquina de escrever Valentina, produzida em plástico, na cor vermelha, com um desenho revolucionário.

Fizemos muitos outros trabalhos desse nível, colocando cultura na publicidade, sem pedantismo, numa linguagem fácil e acessível, ao alcance de todos.

Para a Olivetti criamos também uma novidade mercadológica: a ideia da máquina de escrever como presente. Fizemos campanhas de Natal, Dia das Crianças, Dia dos Namorados, Dia dos Pais e Dia das Mães.

Essas campanhas tinham o que se chama de excelência criativa. Mesmo não contando com enormes investimentos em mídia, eram esperadas pelos consumidores exatamente porque respeitavam sua inteligência.

A primeira campanha que fizemos para o Dia das Mães tinha o seguinte tema: "Dê uma Olivetti portátil para sua mãe reclamar por escrito." A campanha sugeria algumas reclamações óbvias, tais como: "Reclamar de você que nunca aparece"; "Reclamar do seu pai que chega tarde do trabalho". Mas no fundo o que queríamos também com o tema "Reclamar" era pretensiosamente embutir na nossa mensagem comercial uma mensagem política, um pequeno protesto contra a censura que a ditadura militar impingia ao Brasil naquele momento.

Deu certo: as pessoas adoraram e os militares não perceberam ou fingiram não perceber.

Quando iniciamos a criação da campanha do Dia das Mães do ano seguinte, sabíamos da nossa obrigação de criar algo no mínimo tão relevante.

Naquela época, de vez em quando eu ia passar os feriados em Salvador, tomar sol no Porto da Barra, caldo de sururu no Popular e ouvir música no Recanto do Sandoval, sempre guiado pela minha amiga Licia Fabio, na época funcionária pública e hoje bem-sucedida empresária na área de eventos no Norte e no Nordeste do Brasil.

Numa dessas visitas a Salvador, Licia, que religiosamente frequentava o Gantois, me contou que estava preocupada com as condições do local. Sofrendo com as goteiras, o terreiro precisava urgentemente de um novo telhado, mas Mãe Menininha não tinha dinheiro.

Eu, que desde o batismo sempre fui um "Católico Apostólico Corinthiano Não Praticante de Nenhuma Religião", mas admirador do lado melhor de cada uma delas, fiquei com aquilo na cabeça.

Algum tempo depois, descubro que o Dia das Mães daquele ano cairia logo em seguida ao 13 de Maio, o dia da abolição dos escravos. Foi assim que me surgiu a ideia de fazer a campanha de Dia das Mães da Olivetti com a mãe preta símbolo do Brasil, Mãe Menininha do Gantois. Seria, sem dúvida, um forte e original apelo publicitário e, de quebra, Mãe Menininha podia ganhar um bom cachê e reformar o telhado do terreiro.

Petit fez o layout, Mário Chamie aprovou a ideia e, com a ajuda da Licia Fabio, entramos em contato com Mãe Menininha, que foi fotografada no próprio Gantois com uma Lettera 32 no colo.

Sua filha mais velha, Mãe Cleusa, depois sucessora dela no terreiro, recebeu o cachê em dinheiro, que a Olivetti fez questão de que fosse maior do que elas precisavam para a reforma do telhado.

Uma semana antes do Dia das Mães, um anúncio em preto e branco com a foto da Mãe Menininha no Gantois começou a ser veiculado nas principais revistas e jornais do país. O título era o seguinte: "Mãe Menininha aconselha: Meu filho, dê uma Olivetti portátil para a sua mãe. Ela vai se sentir uma verdadeira mãe de santo."

Três dias depois do lançamento, o anúncio foi cancelado. Alguns religiosos iniciaram manifestações contrárias à campanha, afirmando que a Olivetti estava se aproveitando comercialmente da ingenuidade de Mãe Menininha. Uma loja da Olivetti em Salvador acabou sendo apedrejada.

Dessa vez quem segurou o rojão foi o próprio Mário Chamie, fazendo um pedido formal de desculpas aos ofendidos e avisando do cancelamento da campanha.

Evidentemente, a polêmica acabou colocando o assunto na pauta da imprensa. Com a exceção de alguns jornais da Bahia, a maioria dos veículos brasileiros não viu nenhuma má intenção na campanha, que, apesar de interrompida, acabou bastante conhecida.

Os jornalistas Márcia Brito e Marcio Ehrlich, da coluna Janela Publicitária do jornal *Tribuna da Imprensa*, do Rio de Janeiro, chegaram até a fazer uma matéria dizendo que a campanha tinha vendido Olivettis e Olivettos.

O que curiosamente ninguém imaginava naquele momento é que eu ia acabar me tornando amigo de Mãe Menininha e Mãe Cleusa, a quem visitava quando ia a Salvador. Como também me tornei amigo de Mãe Carmen, a filha mais nova de Mãe Menininha, que sucedeu Mãe Cleusa como ialorixá do terreiro.

■ ■ ■

FRACASSOS COMO OS QUE EXPERIMENTEI nas campanhas da Clineu Rocha e da Olivetti acontecem com quem busca ir mais longe em termos criativos.

Eu mesmo tive outro vexame dessa espécie, nessa mesma época, provocado por uma mistura de atrevimento e falta de experiência. Aconteceu quando escrevi um anúncio para o Banco Itaú que provocou exatamente o inverso do que o cliente pretendia.

Pra fazer média com os endinheirados de São Paulo, o Itaú resolveu patrocinar um torneio na Hípica Paulista que seria aberto ao grande público. Escrevi então um anúncio para jornais com o seguinte título: "Venha ver os ricos caírem do cavalo".

O anúncio parecia um sucesso. Meus colegas publicitários adoraram e a imprensa especializada elogiou, mas alguns endinheirados mal-humorados não gostaram nem um pouco e ligaram para o Itaú reclamando.

O anúncio foi suspenso e acabou substituído por um outro bem insosso, que eu não me recordo o que dizia.

Fracassos criativos desse tipo são dramáticos na hora que acontecem, mas, quando bem administrados por profissionais de agências e clientes que se gostam, se respeitam e trabalham unidos, não geram grandes problemas a médio prazo. A longo prazo, alguns fracassos até se transformam em histórias folclóricas como essas que eu contei.

Mas existe outro tipo de tragédia ainda mais constrangedor, que é quando você cria uma campanha aparentemente inconteste e que acaba não vendendo nada.

■ ■ ■

NO INÍCIO DOS ANOS 80 do século passado, eu tinha uma casa de fim de semana no Jardim Acapulco, na praia de Pernambuco, Guarujá, em São Paulo.

Quem também tinha um refúgio por lá era o meu dentista Felipe Nahssen, vizinho do ex-presidente Jânio Quadros e sua esposa, dona Eloá, que moravam no Guarujá o ano inteiro.

Lembro de um dia em que fui ver a obra da minha casa, ainda em construção, e depois visitar o Felipe, que estava no terraço da sua casa bebendo com o Jânio.

Nunca tinha visto Jânio pessoalmente, mas implicava com ele por considerá-lo responsável pelo processo que deflagrou o Golpe de 1964.

Felipe me apresentou como o "Grande publicitário meu amigo" e começamos a conversar. Felipe me perguntou como andava a minha obra e eu fiz aquele comentário que todo mundo faz quando está construindo: "Atrasada e acima do preço."

Nesse instante, Jânio olhou pra mim e disse: "Não se exaspere com isso, meu jovem, porque depois que ficar pronta essa residência vai lhe proporcionar prazeres incomensuráveis. Portanto, conviva com altivez com os sacrifícios de agora."

Eu, moleque e implicante com o homem, resolvi responder ironicamente: "Quanto a isso não se preocupe, porque sou como o senhor, tenho muito espírito de renúncia."

Jânio não se deu por vencido, olhou para o Felipe e disse: "Inteligente o nosso jovem publicitário; vou precisar dele quando voltar a fazer campanhas políticas."

Jânio ainda não sabia que eu não fazia campanhas políticas de político algum. Mas acabou sabendo, porque cansei de beber com ele e com o Felipe nos fins de semana. Conversávamos sobre tudo.

Às vezes, já de madrugada e de porre, ele queria acordar dona Eloá para "preparar um macarrãozinho para a gente", coisa que nunca deixávamos.

Quando voltou à política e se candidatou a prefeito de São Paulo, Jânio me pediu que eu fizesse a sua campanha. Reafirmei que não fazia campanhas políticas e contei a ele que ia votar no Fernando Henrique Cardoso.

Jânio não contestou o meu voto, respeitou, mas acabaria ganhando aquelas eleições. Dizia que o Fernando Henrique era "como uma melancia, verde por fora e vermelho por dentro", e repetia outros absurdos como esse em que, tenho certeza, nem ele próprio acreditava.

Além do meu dentista Felipe Nahssen e do ex-presidente Jânio Quadros, era meu vizinho e amigo no Guarujá o empresário da indústria farmacêutica Silvio Morais.

Silvio e seus irmãos Celso e Eduardo tinham herdado do pai os laboratórios Baruel.

Cada um deles ficou com uma parte dos laboratórios. Competentes que eram, os irmãos estavam multiplicando as suas respectivas fortunas e continuavam bastante unidos, tanto que Celso e Eduardo frequentavam a casa de Silvio quase todo fim de semana.

Eduardo tinha no seu portfólio a marca Adocyl – naquela época o adoçante mais vendido do Brasil – e por causa da nossa amizade resolveu entregar a conta para a DPZ.

Fizemos uma campanha que julgávamos boa, numa época em

que até uma campanha ruim que fosse veiculada na TV Globo vendia uma barbaridade. Mas a campanha de Adocyl que fizemos e veiculamos na emissora não vendeu absolutamente nada a mais, nada mesmo, uma vergonha.

Na verdade, o grande erro foi meu. Por ser amigo do Eduardo, não desconfiei do seu briefing como desconfiaria do briefing de um cliente recém-conquistado.

Eduardo me disse que, como era líder absoluto, se fizéssemos uma boa campanha para vender adoçantes em geral, ele venderia muito mais que qualquer concorrente. E foi exatamente o que fizemos: uma campanha de categoria.

O problema foi que naquele momento o mercado já estava estagnado e começavam a surgir pessoas que, como eu, não usavam nem açúcar nem adoçante para nada. Tomavam café amargo, caipirinha amarga, chá amargo, tudo amargo, exatamente como eu tomo até hoje. Portanto, a campanha tinha que ser para tirar consumidores dos outros adoçantes, não para vender adoçantes em geral. Errei na criação.

O mais constrangedor desse fracasso era encontrar o amigo e cliente Eduardo na praia nos fins de semana. Cordialmente, ele tentava me consolar por ter torrado o seu dinheiro, agindo como se fosse ele o culpado por ter me brifado mal.

Mas eu sei que a grande culpa foi minha. Na época, já era experiente o bastante para perceber a besteira que estávamos fazendo.

5.

EM 1991, EU CONTINUAVA NÃO CONSUMINDO açúcar nem adoçantes, mas vivia o doce sabor do sucesso prolongado da W/Brasil.

A agência, que desde a sua fundação se transformara na mais badalada do país, tinha também virado música do Jorge Ben Jor. Autora de comerciais antológicos como *Valisère, o primeiro sutiã*; *Hitler*, da *Folha de S.Paulo* e *Passeata*, dos Jeans Staroup, havia sido a mais premiada do Festival de Cannes por dois anos seguidos e se preparava para entrar para o *Guinness Book of Records* com a campanha da Bombril. Fora isso, a W/Brasil de 1991 vivia a glória de ter nas suas equipes os jovens profissionais que estavam mudando a história da publicidade mundial – ou pelo menos achavam que estavam mudando.

Nesse ambiente eufórico, instalados na rua Novo Horizonte, 78, pertinho do Pacaembu, todos os dias, às 6 da tarde, os alto-falantes da agência tocavam uma versão da *Ave Maria* de Gounod mixada com o barulho de pedras de gelo caindo em copos.

Criei essa trilha sonora inspirado na minha avó Lucia Tamborrino Santorsa, que diariamente ouvia no rádio a *Hora da Ave Maria*, e nos bebedores de whisky, que escolheram esse horário para iniciar seus happy hours.

Resolvi mandar tocar aquela trilha sonora todos os dias, no mesmo horário, e, depois da execução, liberar whisky, cerveja e refrigerante para todos da agência porque não tínhamos nenhum Plano's Bar nas redondezas, trabalhávamos muito criando campanhas de excelente qualidade e merecíamos relaxar e comemorar.

Antes da mudança para a Novo Horizonte, a agência esteve por alguns anos trabalhando com a mesma competência no prédio da antiga GGK, na avenida Dr. Cardoso de Melo, na Vila Olímpia. Naquela região, por mais que merecêssemos, não dava pra comemorar muita coisa. Além de não ter nenhum bar decente por perto, a Cardoso de Melo ainda não tinha passado pelas reformas que a prefeitura realizou anos depois. Por conta disso, nos dias de chuva a região alagava, virava um rio. Nessas ocasiões era comum ver nossos carros boiando pelas ruas. Muita gente não conseguia voltar pra casa até a água baixar, o que às vezes acontecia só depois da meia-noite.

Mandei fotografar vários daqueles alagamentos e, quando mudamos da Cardoso de Melo para a Novo Horizonte, publiquei um anúncio com fotos da rua alagada com o seguinte título: "Uma agência precisa ser muito boa para se transformar na melhor do país num lugar como esse."

Assinava: "W/Brasil. A partir de hoje na rua Novo Horizonte, 78."

Em 1991, eu já era, havia algum tempo, um dos profissionais de publicidade mais premiados do mundo. Tinha uma quantidade enorme de sucessos bem divulgados e alguns poucos fracassos bem escondidos. Era autor de campanhas memoráveis em diversas categorias. E estava prontinho para ter a minha bem-sucedida agência, a W/Brasil, escolhida para ser a nova responsável pela publicidade da cervejaria Antarctica Paulista, como exatamente aconteceu.

A Antarctica tinha feito, no seu auge, a melhor campanha de cerveja já produzida no Brasil: "Nóis viemo aqui pra beber ou pra conversar?", criada por Sérgio de Andrade, o Arapuã, na Alcantara Machado Perissinotto, dirigida por Julio Xavier da Silveira e protagonizada por Adoniran Barbosa.

A Antarctica era historicamente um dos maiores e melhores anunciantes brasileiros, mas nos anos 1980 tinha optado por ter uma *house agency*, o que fez com que a sua comunicação perdesse o brilho.

Enquanto isso, a sua principal concorrente, a Brahma, tinha sido vendida para os agressivos donos do Banco Garantia, que rapidamente reestruturaram a empresa e lançaram, com enorme sucesso, a campanha "Brahma, a número 1". Era um daqueles achados publicitários que misturava o gesto quase automático de levantar o dedo para pedir uma cerveja com a ideia de "a número 1", nos sentidos de a mais pedida, a mais querida e a mais vendida.

A Antarctica, preocupada com as quedas de imagem e vendas do seu produto provocadas pela campanha da concorrente, queria reagir e entregou a conta para a W/Brasil.

O briefing que nos passaram tinha aparentemente uma única exigência, que era a manutenção da assinatura – "Antarctica: A melhor cerveja do Brasil"–, coisa que a empresa acreditava ser verdade. Se fosse tirada da comunicação, nunca mais poderia voltar, por uma razão muito simples: ninguém contestava a assinatura – "A melhor cerveja do Brasil" – pelo fato de a Antarctica usá-la havia muito tempo. Mas a afirmação – "A melhor" – era subjetiva, impossível de ser comprovada. Se fosse abandonada por algum tempo e tentasse voltar depois, certamente seria impedida pelos concorrentes, através do Conar (Conselho Nacional de Autorregulamentação Publicitária).

Na W/Brasil estávamos eufóricos com a conquista da conta. Aquilo aumentava o tamanho da agência e nos dava a oportunidade de trabalhar numa categoria para a qual nunca tínhamos trabalhado. Era a categoria da qual a publicidade inglesa, a grande rival da publicidade brasileira naquela época, fazia trabalhos que nos deixavam morrendo de "inveja saudável", expressão que inventei no fim dos anos 1980 ao descrever a minha sensação quando via trabalhos excepcionais de outros profissionais e de outras agências.

Partimos para a criação juntando os melhores talentos da equipe, que na época eram muitos. Todos unidos e sem competições internas, chegamos a uma campanha que consideramos brilhante, pois tinha tudo para ser sucesso de vendas e virar conversa de botequim, transformando o consumidor em mídia.

A campanha era baseada em duplas bebendo e discutindo sobre algum tema nos mais diferentes ambientes. Durante a discussão, eles sempre discordavam de tudo, até que um dos dois elogiava a cerveja e o outro elogiava também, o que ressaltava o único ponto de concordância da discussão: a qualidade da cerveja.

Os comerciais tinham a seguinte assinatura: "Numa coisa todo mundo concorda: Antarctica é a melhor cerveja do Brasil."

Pensávamos em fazer o primeiro filme com Pelé e Roberto Carlos discutindo sobre qual dos dois era o verdadeiro rei. Simultaneamente, e para a campanha entrar rapidamente no imaginário popular, lançaríamos diversos outros filmes com outras discussões envolvendo pessoas conhecidas.

Os temas e as possibilidades para outros filmes eram infinitos. Podíamos fazer Jô Soares e Marília Gabriela discutindo quem era melhor entrevistador; Regina Duarte e Marília Pêra discutindo quem era melhor atriz; Chico Anysio e Renato Aragão discutindo quem era o mais cearense; dois políticos antagônicos; um casal de divorciados; corintianos e palmeirenses; flamenguistas e tricolores; um machão e um gay; uma infinidade de situações.

Todos discutindo e sempre discordando de tudo, mas concordando num único ponto: a Antarctica era a melhor cerveja do Brasil.

A campanha era interminável e se atualizaria com as discussões que o próprio dia a dia acabaria criando. Continha um sentimento extremamente brasileiro, que é o maniqueísmo, e tinha características que antecipavam as novidades que iriam surgir anos depois com a interatividade na comunicação.

A campanha tinha um único defeito: o fato de usar no seu início pessoas conhecidas, que cobrariam cachês altos. Mas isso não era problema para um anunciante do tamanho da Antarctica. Por outro lado, a produção dos filmes não seria tão cara como costumavam ser os filmes de cerveja. Essa economia nos permitiria investir nos cachês.

Quanto à aceitação das pessoas célebres e famosas em participar da campanha, eu também não tinha dúvida. Já vinha fazendo muitos comerciais com famosos, alguns deles considerados impossíveis, como os inimagináveis Akio Morita, para a campanha de restauração do Pelourinho; Maluf e Brizola, para a Vulcabras; e Antônio Ermírio de Moraes, para a Fiat.

Enfim, estava tudo certo para apresentarmos a campanha para a Antarctica. Não tinha erro.

A Antarctica era dirigida por um conselho de senhores, na sua maioria de bastante idade, que tomava as grandes decisões da companhia. Não havia um profissional de marketing contratado, mas gente que acabou no marketing ou foi parar no marketing - como eles mesmos diziam. Normalmente, eram profissionais de outras áreas, de confiança dos conselheiros, vindos de alguma engarrafadora ou distribuidora.

Os conselheiros, que pareciam concordar com tudo entre si quando reunidos, tinham cada um a sua opinião quando sozinhos. Nessas circunstâncias, cabia então ao homem que tinha virado o homem de marketing da companhia, sem nunca antes ter trabalhado com marketing, dar um jeito de contentar a todos.

Os ingleses costumam dizer que o camelo é um cavalo construído por um comitê ou por um conselho. A história é assim: um grupo de pessoas se reuniu para construir um cavalo, mas, como aceitaram os palpites de cada um dos participantes, acabaram construindo um camelo.

Foi numa situação similar a essa que apresentei a primeira campanha da W/Brasil para a Antarctica. Estava confiante na campanha, mas não demorei a perceber os problemas que podia vir a ter. Mesmo assim, saí de lá relativamente otimista, achando que, apesar de tudo, a reunião tinha ido bem e que a campanha havia sido aprovada.

Três dias depois, o homem que tinha acabado ou parado no marketing nos comunicou que a campanha estava aprovada, mas com algumas pequenas modificações. As tais "pequenas modificações", expressão normalmente aterrorizante quando dita por um cliente, eram as seguintes: a campanha não devia começar com vários comerciais conforme havíamos proposto, mas sim com apenas um comercial. E esse comercial não devia ser com Pelé e Roberto Carlos discutindo sobre quem era o verdadeiro rei, mas, sim, com a Hebe Camargo, discutindo o tema que ela quisesse com alguém que ela escolhesse.

Hebe era amiga do pessoal do conselho da Antarctica havia muitos anos e eles pretendiam homenageá-la como primeira convidada da nova campanha. Naquela época, eu também já era amigo da Hebe havia muitos anos. Já tinha sido entrevistado por ela algumas vezes e inclusive tomado dela a maior bronca que já tomei em público. Eu já amava a Hebe – como sempre vou amar –, mas não tinha dúvida de que ela não era a figura ideal para o início daquele desafio mercadológico.

Tentei argumentar dizendo que podia inclusive fazer um comercial com a Hebe depois da campanha implantada. Mas para a abertura eu precisava – mais do que nunca – dos dois reis, especialmente agora que não íamos ter o impacto de diversos comerciais.

O homem que tinha acabado ou ido parar no marketing disse que a decisão estava tomada e eu burramente aceitei. Achei que consertaria aquele avião voando, mas a coisa foi se mostrando cada vez mais difícil.

Começamos a campanha com o comercial em que a Hebe contracenava com a sua escolhida, a Dercy Gonçalves, discutindo se uma mulher devia ou não devia falar palavrões.

Imediatamente vieram as críticas de engarrafadores e distribuidores, dizendo que a nova campanha era dirigida às mulheres, que eram o menor público-alvo da cerveja. E que, além disso, a campanha envelhecia a imagem da marca.

Por falar em engarrafadoras e distribuidoras, descobrimos nessa mesma época que a Antarctica tinha sérios problemas nessas áreas. A Brahma também havia tido no passado problemas desse tipo, mas o pessoal do Banco Garantia conseguiu corrigi-los antes de colocar sua campanha no ar, gesto que é uma regra básica do marketing.

Apesar das nossas recomendações, a Antarctica se recusava a mexer na sua estrutura de distribuição ultrapassada, formada por velhos amigos. Com o passar do tempo, o fato se mostrou trágico para a companhia.

Mas, voltando ao tema, a campanha foi ficando cada vez mais torta e o grande culpado por não ter dado um jeito naquilo fui eu mesmo. Fui exageradamente respeitoso com os senhores do conselho da Antarctica. Para não ser prepotente, me recusei a impor minhas ideias e exigir respeito pelos meus conhecimentos profissionais. Achava que, com paciência e compreensão, mais cedo ou mais tarde conseguiria consertar tudo. Errei na mosca.

O trabalho foi piorando a cada dia e os palpites aumentaram. Tinha gente que reinvindicava que fizéssemos uma campanha com algum sinal, algo como o Número 1, o que era impossível, pois esse território tinha sido ocupado pela concorrente. Tinha gente que pedia que voltássemos a uma campanha com um jingle, formato que dominou de maneira ineficiente a comunicação da indústria de cervejas no Brasil durante anos.

No meio disso tudo, produzimos o único trabalho realmente bom que fizemos para a Antarctica: o filme de lançamento da Bavaria como cerveja premium. Uma grande ideia espetacularmente filmada em Cap d'Antibes, no sul da França, com o seguinte tema: "Bavaria. Para quem se contenta com muito."

Mas nem esse filme, que era uma pequena obra-prima da comunicação, conseguiu agradar o público interno da companhia. Eles não se conformavam com os números de vendas da Bavaria, que obviamente não eram enormes, como não são enormes os números de venda de nenhuma cerveja premium.

Tempos depois, já sem a W/Brasil, a companhia trocou a estratégia da Bavaria, mudando a garrafa, o rótulo e o preço. A Bavaria deixou de ser premium para ser mais uma cerveja popular, com uma enorme campanha de publicidade estrelada por uma dupla sertaneja, que repercurtiu por algum tempo, mas acabou dando em nada. A Bavaria desapareceu.

Voltando à campanha da Antarctica, em pouco tempo ela sofreu várias modificações. Tentamos novos caminhos, mas, apesar da boa relação pessoal, a profissional tinha desandado.

A tulipa de cristal tinha quebrado. A campanha da Antarctica, que havia nascido como a campanha dos sonhos, começou a se transformar na campanha dos pesadelos, gerando problemas até com outros clientes.

Um belo dia fui chamado na rua da Candelária, no Rio de Janeiro, pelo Flavio Andrade, diretor de marketing da Souza Cruz. A W/Brasil atendia a conta dos cigarros Plaza. Flavio vinha reinvindicando que a agência diminuísse a sua remuneração, coisa que dizia ter conseguido com as outras agências. Nós não abríamos mão de manter a nossa remuneração como estava, porque a considerávamos justa. Além do mais, tínhamos que ser leais com os outros clientes da agência, pois todos pagavam o que se chamava no jargão publicitário de taxa cheia.

Flavio abriu a conversa dizendo que estava muito chateado com o fato de a campanha da Antarctica ser muito parecida com a dos cigarros Free. Se a W/Brasil não aceitasse diminuir a sua renumeração, ele preferia abrir mão da agência. Diante disso, respondi que ele podia fazer isso. Surpreendido, Flavio ficou tão branco quanto o papel dos seus cigarros.

As campanhas de Free e Antarctica não tinham nada de parecido. A do cigarro mostrava personagens desconhecidos, homens e mulheres jovens, falando para a câmera como quem conversa com o telespectador sobre algum assunto meio etéreo, até que, num determinado momento, o personagem mostrava o seu cigarro para a câmera e dizia: "Pelo menos alguma coisa a gente tem em comum."

A campanha da Antarctica, por sua vez, mostrava personagens conhecidos discutindo sobre algum tema da vida real. Discordavam em tudo, mas nunca quanto à qualidade da cerveja, quando o locutor em off dizia: "Numa coisa todo mundo concorda: Antarctica é a melhor cerveja do Brasil."

Na verdade, as campanhas tinham de parecido a palavra "coisa" e Flavio Andrade, obviamente, usou aquela história para forçar a agência a baixar sua remuneração. Ficou surpreso quando não aceitei, mas não pôde voltar atrás, até porque era um homem muito vaidoso.

Naquele dia, voltei a São Paulo com uma conta a menos na carteira de clientes da W/Brasil, mas com uma sensação de orgulho por ter mantido os nossos princípios.

Agora era batalhar para repor aquele faturamento com um novo cliente, aproveitar para parar de anunciar cigarros e dar um jeito na Antarctica, minha maior prioridade, já que os outros clientes da agência estavam bem atendidos e felizes.

Não consegui dar um jeito na Antarctica. Tivemos ainda vários outros bons trabalhos recusados, alterados, mexidos, destruídos. Como se tudo isso não bastasse, um belo dia descobrimos que, sem ter consultado a agência, a Antarctica resolveu lançar, no Carnaval do Rio de Janeiro, um camarote igualzinho ao badalado Camarote da Brahma, num gesto de imitação e reconhecimento da superioridade da concorrente. Era algo descabido para quem reinvindicava da agência a conquista da liderança com originalidade.

Estava na hora de abrir mão daquele cliente que, mais dia, menos dia, íamos perder de qualquer jeito.

Quem foi abrir mão da Antarctica, na Antarctica, foi meu sócio Javier Llussá, que, muito bem tratado, ouviu dos conselheiros que eles gostavam muito da gente, lamentavam não ter dado certo e queriam gratificar a agência de alguma forma. Javier, surpreendentemente, respondeu que uma maneira de gratificar a agência seria a Antarctica vender para nós, por um preço razoável, a Dubar, tradicional empresa de bebidas fundada pela Antarctica em 1913. A empresa operava no vermelho havia 15 anos.

Eles não entenderam nada, mas aceitaram vender.

Nós compramos.

6.

NO SEGUNDO SEMESTRE DE 1975, antes de completar 24 anos de idade, eu não imaginava que um dia teria minha própria agência ou viraria acionista de uma indústria de bebidas. Mas já havia sido o mais jovem ganhador do Leão de Bronze no Festival de Cannes e era também o primeiro brasileiro a conquistar o Leão de Ouro naquele mesmo festival. Já trabalhava na agência mais famosa do país e era chamado semanalmente pelo jornalista Telmo Martino de "O *golden boy* da publicidade brasileira".

Em resumo, em 1975, apesar de muito jovem, eu já possuía alguns bons motivos para me orgulhar. mas ainda não tinha feito a coisa fundamental para um profissional da minha atividade. Ainda não havia criado uma campanha que fosse além dos prêmios dos publicitários e dos elogios da crítica – uma campanha que conquistasse a admiração do público em geral.

Até 1975, eu ainda não tinha feito uma daquelas campanhas de forte apelo popular, capaz de encantar as pessoas que não estão nem aí para a publicidade, que não analisam nem estudam o que está por trás de cada mensagem. apenas gostam ou não gostam do que estão vendo, como faziam minha mãe, as amigas da minha mãe e a maioria das pessoas normais.

Foi quando aconteceu na minha vida a campanha "Mexa-se".

Naquela época, a Rede Globo vivia o auge da dupla "Boni and Clark" e tinha a própria agência, "A Agência da Casa", dirigida pelo João Carlos Magaldi, responsável pela criação de todas as campanhas da Globo.

Magaldi havia tido a ideia de criar uma campanha contra o sedentarismo do brasileiro para ser veiculada pela Globo, em dupla com algum anunciante disposto a investir institucionalmente. A campanha ia se chamar "Mexa-se".

Magaldi achava que a campanha não deveria ser feita pela "Agência da Casa" e escolheu a DPZ por ser considerada a agência mais criativa do Brasil e por ter a conta do Banco Itaú, empresa que ele imaginava ser a parceira ideal para a Globo na veiculação da campanha. Assim, o tema "Mexa-se" caiu no nosso colo.

Vale lembrar que, naquela época, praticamente não existiam academias de ginástica, muito menos iogurtes light e produtos vitamínicos; não existiam joggings e os poucos tênis à venda eram Conga, Bamba e Kichute. Só mesmo quem viajava para o exterior podia comprar um tênis All Star, sonho de muitos e privilégio de poucos.

Naquela época, não existia o culto ao corpo nem o fenômeno de antecipação e prolongamento da juventude que vivemos hoje. Uma menina de 13 anos era uma menina mesmo, enquanto hoje é quase uma mulher; uma mulher de 45 anos era uma senhora, enquanto hoje é uma gata.

Numa sociedade assim, uma campanha antissedentarismo veio bem a calhar. Era preciso mesmo incentivar a população a se mexer. E foi o que fizemos.

Tendo como trilha sonora um jingle que todo mundo aprendia fácil, um tremendo chiclete de ouvido, os filmes mostravam desde pessoas em clubes praticando esportes, como natação, futebol e basquete, até gente subindo escadas, indo para o trabalho a pé ou de bicicleta, empurrando carrinhos de supermercado e mesmo ajudando em atividades caseiras, como esfregar o chão ou trocar uma lâmpada.

Com a máquina da Globo a toda, a campanha, que foi também pioneira nos merchandisings integrados à programação, fez sucesso rapidamente. E com um detalhe: o melhor dos comerciais, aquele que fez mais sucesso, não tinha jingle nem ninguém correndo.

O comercial era protagonizado por Nuno Leal Maia, naquele momento o grande machão das novelas da Globo. Num superclose do seu rosto, ele dizia mais ou menos o seguinte: "Homem que é homem faz como eu: nada todas as manhãs, corre todas as tardes, joga futebol três vezes por semana, faz mais de 200 flexões por dia e ainda ajuda a mulher a lavar a louça." Nesse instante a câmera saía do rosto do Nuno e mostrava, num plano aberto, ele na cozinha, de aventalzinho, lavando a louça e dizendo para uma mulher que estava ao seu lado segurando um pano de prato: "Não é, meu bem?"

O comercial terminava com um locutor em off dizendo: "Mexa-se, uma campanha da Rede Globo e do Unibanco."

Por ironia do destino, o nosso cliente Itaú, que foi o primeiro procurado para ser o copatrocinador da campanha, não se interessou. O Unibanco acabou sócio da Globo naquele grande sucesso.

A campanha "Mexa-se" realmente virou o assunto do país e naquele momento eu aprendi que, para um publicitário, fazer algo que entre para a cultura popular é bem mais relevante do que ganhar qualquer prêmio.

Na DPZ, só não fizemos mais carnaval capitalizando a autoria da campanha por respeito ao nosso cliente Itaú, que tinha cometido o erro de não aderir ao projeto mesmo tendo verba para isso.

O que aprendi naquele episódio sobre comunicação de massa ficou para sempre. Foi quando defini, ainda muito jovem, o que eu queria do meu trabalho e qual seria a minha missão. Faria uma publicidade que cumprisse o propósito de vender produtos e construir marcas, mas que tivesse uma ambição maior: entrar para a cultura popular do país.

Tempos depois da campanha "Mexa-se", a Bombril, que tinha sido o primeiro cliente brasileiro da McCann e estava numa agência chamada Tempo de Publicidade, formada por ex-diretores da própria McCann, entregou a conta de um dos seus novos produtos, o lava-louça Bril, para a DPZ. A dupla Petit e Washington foi escalada pra atender esse novo cliente.

Assim que recebemos o briefing, não tivemos dúvida: o sucesso do Nuno Leal Maia lavando louça na campanha "Mexa-se" e seu prestígio com o público feminino faziam dele o ator ideal para a campanha do lava-louça Bril.

Fora isso, tínhamos a oportunidade de criar algo absolutamente inédito no Brasil e no mundo: anunciar um produto de limpeza num comercial protagonizado por um homem.

Não deu outra. O comercial de Bril foi um estouro, até porque continha mais um componente inédito e surpreendente, que era o Nuno Leal Maia desmunhecando.

Como o produto tinha na sua fórmula algo que protegia as mãos das mulheres, colocamos o supermachão do Brasil desmunhecando na cena que encerrava o comercial com Nuno dizendo: "E as suas mãos, tão delicadas quanto as minhas."

Nuno, ator profissional que era, desmunhecou muito bem e aquele acabou se tornando o comercial de maior sucesso da sua carreira.

Pouco depois, por causa da campanha bem-sucedida de Bril, a Bombril resolveu entregar todos os seus novos produtos para a DPZ, deixando na Tempo de Publicidade apenas o seu carro-chefe, a esponja de aço Bom Bril.

Eu vinha observando fazia algum tempo que, na segunda metade da década de 1970, as mulheres do mundo inteiro estavam começando a achar a inteligência do Woody Allen mais interessante que a beleza do Warren Beatty. No Brasil, isso se materializara na novela *Gabriela*, que estreou em abril de 1975, com a Sônia Braga no papel principal e o jovem Marco Nanini fazendo enorme sucesso com as mulheres por causa da encantadora timidez do seu personagem, o professor Josué.

Comentei com o Petit que homem anunciando produto de limpeza a gente já sabia que podia dar certo. Portanto, a campanha dos novos produtos da Bombril podia ser uma boa oportunidade para criarmos um personagem que se transformasse numa propriedade da empresa, algo inspirado no novo homem que as mulheres estavam querendo.

Foi assim que surgiu o personagem Seu Alberto, inicialmente imaginado como um funcionário da Bombril. Por conhecer profundamente todos os produtos da empresa, Seu Alberto foi convidado para ser o garoto-propaganda da empresa. Como não tinha a mínima vocação para aparecer na televisão, se mostrava sempre tímido e deslocado. Tratava as espectadoras respeitosamente por "A senhora", despertando assim uma enorme ternura na maioria das mulheres – e até mesmo uma certa dúvida a respeito da sua masculinidade, nos homens.

Essa era a biografia inicial do personagem, e foi assim que brifamos o Andrés Bukowinski, escolhido para a direção dos filmes e para a busca de um ator. Resumindo o nosso desejo numa só frase:

"Andy, na verdade precisamos de um ator como Marco Nanini, mas totalmente desconhecido do público. Ele deve parecer que é mesmo funcionário da Bombril."

Andrés saiu à procura do ator nos novos grupos de teatro, enquanto Petit e eu tentávamos convencer a diretoria da empresa de que o caminho era aquele.

Mesmo tendo dúvidas, a Bombril, que era uma empresa de donos, dirigida por seu fundador, Roberto Ferreira, os filhos - Fernando, Ronaldo e Marcos - e o homem de confiança, Álvaro Gambarini, resolveu confiar na gente. Apesar de apreensivos, decidiram seguir a nossa recomendação, o que só fez aumentar a nossa responsabilidade.

No meio disso tudo, um belo dia Andrés Bukowinski me liga dizendo que tinha testado várias atores, feito VTs com todos e achava que no Grupo de Teatro Pod Minoga ele tinha encontrado o ator ideal. Mas que havia um porém: o ator tinha um pequeno problema.

Depois de assistirmos aos testes, não restava dúvida de que o ator recomendado pelo Andrés era o ator ideal. No entanto, em vez de um pequeno problema, ele tinha um grande problema.

O personagem que imaginávamos era tímido, inseguro, educado e de pequena estatura. Aquele ator passava a timidez, a insegurança e a educação que queríamos, mas tinha mais de 1,90 metro de altura.

Foi nesse instante que, com sua imaginação visual fora do comum, Francesc Petit resolveu o problema. "É simples", disse ele. "Mantemos a marca Bombril no fundo preto atrás do ator e colocamos na frente dele uma bancada bem alta, com os produtos em cima. Por causa da bancada alta, filmado em plano americano ele vai parecer pequeno e frágil. E ainda temos a vantagem de poder expor os produtos na bancada durante todo o tempo dos comerciais.

Resolvido esse pequeno grande problema, partimos para a filmagem dos primeiros comerciais protagonizados pelo Carlinhos

Moreno. Ele apareceria nesses primeiros filmes com um jaleco de funcionário da companhia por cima do seu terninho tradicional. Grudado na lapela do jaleco, um crachá onde estava escrito Seu Alberto, nome que jamais pegou e acabou abandonado, junto com o crachá e o jaleco, assim que o mundo inteiro passou a chamar o personagem de "O Garoto Bombril".

Naquela primeira leva de filmes, tivemos um comercial do detergente Bril que foi o primeiro vencedor do então recém-lançado prêmio Profissionais do Ano da Rede Globo. Além de ter sido eleito o comercial do ano, ele simplesmente acabou com o concorrente e líder de mercado, um detergente da empresa alemã Henkel chamado Limago Limão, que ficou com fama de estragar as mãos das mulheres.

Diante desses resultados espetaculares, a Bombril também resolveu entregar para a DPZ a conta do seu principal produto, a esponja de aço Bom Bril. O Garoto Bombril passaria então a estrelar todas as campanhas da companhia.

Em 1986, quando saí da DPZ para montar minha própria agência, a Bombril fez questão de me acompanhar. Pesou nessa decisão o fato de eu ser o responsável por escrever as falas do personagem, que tinha características absolutamente verbais. Pesou também o fato de eu ter uma ligação quase telepática tanto com o ator Carlos Moreno quanto com o diretor dos filmes Andrés Bukowinski, com quem eu já trabalhava desde muito antes do Garoto Bombril.

Andrés e eu já tínhamos feito juntos inúmeros trabalhos, incluindo os dois primeiros Leões de Ouro da publicidade brasileira e a campanha de segurança no trânsito "Respeite a vida".

Claro que ninguém na DPZ ficou feliz de perder a conta da Bombril, mas o Petit particularmente entendeu.

Tive a Bombril na minha vida durante 35 anos, de 1978 na DPZ a 2013 na WMcCann, passando pelas W/GGK e W/Brasil. Fizemos

378 filmes nesses muitos anos de trabalho, todos com a presença do Carlinhos Moreno como ator, do Andrés Bukowinski como diretor e eu como redator ou diretor de criação.

Me orgulho de ter estabelecido uma biografia sólida do personagem, permitindo que outros profissionais desenvolvessem trabalhos criativos brilhantes com o Garoto Bombril, coisa que Camila Franco, Marcelo Pires, Ricardo Freire e Sergio Franco – só para citar alguns – cansaram de fazer.

Nos anos 1980, uma pesquisa mundial mostrou que em todos os países do mundo a primeira marca mais lembrada e mais querida era a Coca-Cola e a segunda, a Sony, que na época vivia dias de glória graças ao carisma e à visibilidade do seu presidente Akio Morita.

Mas, num único país do mundo, o resultado da pesquisa era diferente, e esse país era o Brasil, onde, em primeiro lugar, como a mais lembrada e mais querida, aparecia a Bombril; em segundo, a Coca-Cola; em terceiro, a Sony.

Na primeira metade dos anos 1990, Bombril entrou para o *Guiness Book of Records* como a campanha há mais tempo no ar, com o maior número de filmes com o mesmo ator protagonizando o mesmo personagem.

Naquela época a campanha contava com 182 filmes. No entanto, se lembrarmos que paramos em 2013 com 378 filmes, temos um recorde para se tornar eterno, até porque, hoje em dia, a publicidade está bem mais descartável.

Bombril, que virou documentário do MIS – Museu da Imagem e do Som –, conquistou repetidas vezes todos os prêmios da publicidade brasileira e mundial. Entre eles, o Profissionais do Ano da Rede Globo de Televisão, os ouros do Anuário do Clube de Criação de São

Paulo, o Prêmio Colunistas, o Festival do Cine Publicitário do Rio de Janeiro, o Grand Prix e o Hall da Fama do Festival Ibero-Americano de Publicidade, o Clio e os prêmios Leão de Ouro, de Prata e de Bronze do Festival do Cinema Publicitário de Cannes.

Mas a maior conquista de Bombril não foi nenhum desses prêmios. Foi a conquista da minha mãe, das amigas da minha mãe, de suas filhas e netas.

7.

Campanhas que vendam produtos, construam marcas e entrem para a cultura popular passaram a ser a minha obsessão depois das campanhas "Mexa-se" e "Garoto Bombril". Mas não acontecem todos os dias. Só quando se chega em ideias centrais fortes o suficiente a ponto de poderem ser adaptadas para todos os tipos de mídia durante muito tempo. Foi assim na pré-história dessa história e continua assim nos dias de hoje.

Já comerciais que, sozinhos, vendam produtos, construam marcas e entrem para a cultura popular são fenômenos ainda mais raros, quase que impossíveis, e o maior exemplo deles é o *Valisère, o primeiro sutiã*.

Esse comercial só aconteceu graças ao Luiz Kupfer, grande eminência parda da colônia judaica de São Paulo, casado com a Giovanna Kupfer, criadora da Giovanna Baby – confecção, perfumaria e lojas.

Luiz, que era um homem extremamente generoso, oferecia magníficos jantares na sua cobertura em Higienópolis, São Paulo, e me tratava como se eu fosse seu irmão temporão. Num desses jantares, Luiz me chamou num canto e avisou que eu seria procurado pelos seus amigos da família Rosset, que tinham acabado de comprar a Valisère.

Uma semana depois, recebi a visita dos irmãos Ivo e Aron Rosset na W/ da Cardoso de Melo. Eles me contaram que haviam comprado a Valisère da Rhodia, de quem já eram grandes clientes na sua indústria têxtil.

Segundo me disseram, o negócio foi excelente. A Valisère era uma sólida e prestigiada empresa que só precisava rejuvenescer a sua imagem, coisa que o Luiz Kupfer tinha garantido que eu seria capaz de fazer.

Enquanto eles falavam, passava pela minha cabeça tudo que eu conhecia de publicidade de lingerie, incluindo as campanhas da Dim, marca francesa que tinha feito belíssimos comerciais dirigidos pela fotógrafa Sarah Moon.

Na mesma hora, comecei a racionalizar: de todas as roupas que existiam, tanto no vestuário masculino quanto no feminio, o sutiã era a única peça que não era só roupa. O sutiã simbolizava, além de tudo, a transição da menina para a mulher.

Tentando prestar atenção nos Rosset, mas já fascinado por aquele raciocínio, comecei a pensar na experiência do primeiro sutiã para uma menina, no momento simbólico que aquilo representava, e não tive dúvidas de que um comercial com esse tema podia rejuvenescer de imediato a imagem da Valisère.

Me despedi dos Rosset prometendo marcar uma próxima reunião em breve. Desci correndo para a criação, onde fui conversar com as redatoras Camila Franco e Rose Ferraz. Expliquei às duas que estávamos ganhando a conta da Valisère e que eu tinha pensado num filme que narrasse a experiência de uma menina com seu primeiro sutiã. Terminei a conversa dizendo que eu achava que elas podiam fazer com a memória aquilo que eu teria que fazer com a imaginação.

As duas se empolgaram com o tema e dois dias depois me mostraram o roteiro exatamente igual ao que foi filmado.

Não mexi em absolutamente nada. Só dei um palpite na assinatura. Elas estavam usando a já conhecida assinatura da empresa: "Se eu fosse você, só usava Valisère." Sugeri então que fizéssemos uma assinatura nova, que fosse um resumo do filme: "O primeiro Valisère a gente nunca esquece."

Camila e Rose concordaram, fechamos daquele jeito e eu fiquei ansioso para apresentar ao cliente, sabedor do enorme potencial da ideia. Mas, para não parecer que tinha sido muito fácil, o que poderia gerar insegurança neles, segurei a ansiedade e esperei alguns dias para ligar para os Rosset e marcar a apresentação.

O roteiro foi aprovado sem qualquer dificuldade. Todos concordaram que teríamos um grande filme – que acabou ficando ainda melhor do que imaginávamos, graças ao talento do diretor Julio Xavier da Silveira, o Julinho.

Foi Julinho que descobriu a Patrícia Lucchesi, nossa escolhida por unanimidade quando vimos os testes de casting. É verdade também que existiam outras meninas ótimas, incluindo a hoje bem-sucedida apresentadora de televisão Eliana, que no comercial aparece como figurante na cena do vestiário.

Foi o Julinho quem sugeriu a escola, o vestiário, o quarto da menina, a luz do filme e o trecho da ópera *La Bohème*, de Giacomo Puccini, como trilha sonora.

E foi o Julinho quem teve a iniciativa de editar uma versão de um minuto e meio daquele filme que o cliente tinha aprovado como um comercial de um minuto. Aí sobrou pra mim resolver dois adoráveis problemas: convencer o cliente de que valia a pena gastar mais veiculando a versão de um minuto e meio e convencer a Rede Globo a aceitar um comercial de 90 segundos.

Até aquele momento, por ordem explícita do Boni, a Globo só aceitava comerciais de, no máximo, um minuto de duração. Boni queria evitar que comerciais exageradamente longos aborrecessem o telespectador, provocando uma mudança de canal.

Boni estava certo, mas não em relação ao "Primeiro sutiã". Eu tinha certeza de que as pessoas iriam querer não só assistir até o fim como assistir muitas vezes.

Liguei para o Boni e avisei que estava mandando o filme em primeira mão para ele. Boni não só liberou a veiculação como me mandou um bilhete repleto de elogios que guardo até hoje.

Quanto ao cliente, eles toparam veicular o filme de um minuto e meio uma vez no *Fantástico* e outra numa das novelas da Globo. O resto da mídia ficaria mesmo na TV Manchete, onde os Rosset tinham amizades e um enorme crédito.

Valisère, o primeiro sutiã só voltou a ser exibido na TV Globo uma terceira vez – e de graça –, quando foi o vencedor do Profissionais do Ano, em 1987.

Mas, mesmo tendo uma mídia tecnicamente inconsistente, o comercial se transformou numa comoção nacional desde a sua primeira veiculação no *Fantástico*. Era literalmente procurado pelos espectadores na programação da TV Manchete, gerando comentários que diziam que ele dava mais audiência do que os programas daquela emissora.

Dias depois da sua primeira veiculação no *Fantástico*, o *TV Pirata*, da Rede Globo, uma espécie de precursor do *Casseta & Planeta*, fez uma paródia divertidíssima do comercial, protagonizada pelos então muito jovens mas já brilhantes Débora Bloch e Diogo Vilela.

Entre 1987 e 1988, o comercial ganhou todos os prêmios da publicidade brasileira e mundial, incluindo o Leão de Ouro de Cannes. Mas o melhor de tudo foi ver que, depois do comercial, a expressão "O primeiro a gente nunca esquece" entrou definitivamente para a cultura popular brasileira, sendo falada, escrita e repetida em todos os tipos de mídia e nos mais diferentes contextos.

Enquanto Ayrton Senna disse, numa entrevista, "A primeira Ferrari a gente nunca esquece", Pelé disse, em outra: "O primeiro mundial a gente nunca esquece."

Essas citações feitas por diferentes pessoas – famosas e anônimas – foram se repetindo ano após ano, até que, vinte anos depois da estreia do filme, em 2007, eu resolvi editar um livro documentando algumas delas.

Contratei a biblioteconomista Maria Delcina Feitosa, que catalogou milhares de citações. Elegi para o livro as mais instigantes, assinadas por gente como Arnaldo Jabor, Tostão, Xico Sá, Tutty Vasques, Zuenir Ventura, Danuza Leão, Contardo Calligaris e Bruna Surfistinha.

Boni escreveu o prefácio, e o livro de 375 páginas foi lançado no dia 8 de setembro de 2008.

Se hoje eu quisesse atualizá-lo apenas com coisas que apareceram na mídia depois da sua publicação, poderia fazer um livro das mesmas proporções ou até mesmo maior.

No próprio ano de 2008, logo após a publicação do livro, no dia 6 de novembro, na reunião do Conselho de Desenvolvimento Econômico e Social, o então presidente Lula, vivendo o auge da sua popularidade, disse:

"Se a gente permitir que, por medo, as pessoas deixem de comprar sua casinha; que, por medo, as pessoas deixem de fazer a reforma da sua casa; que, por medo, a pessoa deixe de financiar o seu sonho mágico de ter um carro; que, por medo, a pessoa não queira trocar a sua televisão; que, por medo, as pessoas não queiram utilizar o primeiro sutiã; ou seja, se a gente permitir... É que eu lembrei de uma propaganda."

■ ■ ■

MUITA GENTE ME PERGUNTA SE, nos dias de hoje, com o politicamente correto e a grande quantidade de ignorantes e covardes protegidos pelo anonimato nas redes sociais, o comercial *Valisère, o primeiro sutiã* poderia ser feito. Seríamos enxovalhados pela opinião pública como incentivadores da pedofilia?

Sinceramente, não duvido que hoje o comercial recebesse críticas absurdas. Mas acredito que poderia ser feito, sim, porque ele reflete um sentimento que não é de ontem nem de hoje. É de sempre.

Certas coisas na vida não mudam, o que muda é o contexto ou a tecnologia. Quando eu era menino, as redes sociais já existiam. Eram formadas por senhoras que futricavam entre si sobre o comportamento da filha da vizinha, que teria sido vista agarrando o namorado na esquina da rua onde moravam.

Atuamente, futricas de todos os gêneros são feitas via Facebook, mas continuam sendo futricas.

Quando eu era bem jovem, existia um tipo de chato que convidava os amigos para comer um fondue na sua casa e ver os slides da viagem que ele e a mulher tinham feito.

O que é o Instagram senão a projeção de slides dos chatos? Mas com uma diferença: não tem fondue.

Valisère, o primeiro sutiã não só poderia ser feito nos dias de hoje como talvez seja um dos poucos comerciais da história da publicidade com densidade suficiente para merecer um remake.

Eu mesmo já imaginei como seria esse remake. Quem sabe um dia ainda acabo fazendo?

Mas não há dúvida: está cada vez mais difícil e cerceado o trabalho da criação publicitária, ainda mais quando envolve crianças.

Com certa razão, em algumas ocasiões, mas na maioria delas sem nenhum bom senso e com características demagógicas travestidas de seriedade.

Sei disso porque conheço bem o assunto. Sempre me interessei por educação e por arte-educação, coisas que aprendi na teoria e na prática convivendo com minha primeira mulher, Luiza, que era arte-educadora, e com sua professora e nossa grande amiga Ana Mae Barbosa.

Trabalhei com diversos clientes e produtos que fazem parte do repertório infantil, sendo que um deles tem criança até no nome: Garoto.

Comecei a trabalhar com a Chocolates Garoto quando ela pertencia à família do senhor Helmut Meyerfreund e continuei com a conta mesmo depois que ela passou a pertencer à Nestlé.

Seu Helmut amava produzir bons chocolates, gostava das ideias das campanhas que eu levava, mas, quando via os planos de mídia, começava a calcular quantas máquinas de fazer chocolate ele podia comprar com aquele dinheiro. Resultado: cortava os planos pela metade.

Mesmo sem ter planos de mídia tecnicamente perfeitos, tivemos grandes êxitos. Seu Helmut aprovava as boas ideias, que acabavam se transformando em publicidade de sucesso – apesar da pequena veiculação.

Transformar grandes ideias em sucesso é uma máxima que se repete na publicidade desde que ela existe, portanto bem antes de eu ter escrito o anúncio "Q.I. é melhor do que GRP", afirmando que quanto mais inteligência você coloca na criação, menos frequência – Gross Rating Point (pontos brutos de audiência) – você precisa colocar na mídia.

O senhor Helmut Meyerfreund, além de apreciador de boas ideias e de bons chocolates, era um homem idiossincrático e odiava cigarros.

Sobre as suas idiossincrasias, uma delas residia no fato de ele fazer questão de colocar nas suas Caixas Amarelas alguns bombons com recheios raros, para paladares elaborados. Aqueles bombons poderiam fazer sucesso na Bélgica da Godiva, mas não agradavam ao paladar do brasileiro médio, o principal consumidor da Garoto.

Seu Helmut sabia que as Caixas Amarelas vendiam menos do que poderiam vender se tivessem apenas os bombons mais comuns. No entanto, ele não abria mão dos seus bombons com recheios "raros".

Sobre o seu ódio por cigarros, Seu Helmut era bastante explícito e colocou em toda a Garoto uma série de cartazes acompanhados de uma seta onde se lia: "É proibido fumar aqui. Siga para o lugar adequado." Quem seguisse todas as setas de todos os cartazes chegava ao lugar adequado: a rua.

Como criador e diretor de criação, tive desde 1988 o prazer de fazer boa comunicação para a Garoto, com inúmeros sucessos, nenhum fracasso e uma única frustração.

Escrevi boa publicidade para a Garoto até quando não precisava escrever. Certa vez fui passar o Natal e o réveillon em Nova York, num apartamento que minha mulher tinha acabado de comprar na Wooster Street, no SoHo. A ideia era curtir o apartamento, descansar, comer, beber e ouvir jazz. Não queria saber de trabalho, até que numa determinada noite, num restaurante chamado America, ouvi a maravilhosa gravação do Frank Sinatra cantando "I Had the Craziest Dream".

No outro dia fui até a J&R Music World, que naquela época era a melhor loja de discos do mundo, e comprei o disco. Cheguei à conclusão de que aquela canção podia ser a trilha sonora perfeita para um comercial da Caixa Amarela da Garoto. Imaginei o comercial protagonizado por garotos adolescentes que observavam mulheres já adultas e sonhavam acordados. Ao final, uma locução em off que diria assim: "Bombons Garoto. Esses bombons ainda vão ajudar você a realizar seus sonhos, meu garoto."

Comecei a lembrar de cenas clássicas do cinema com essa temática, iniciando pela famosa cena do menino Hermie, interpretado por Gary Grimes, no filme *Verão de 42*. No filme ele finge segurar a escada para ajudar a Dorothy, interpretada pela Jennifer O'Neill, a trocar uma lâmpada, quando na verdade o que ele queria mesmo era espiar as pernas daquela linda mulher.

Lembrei dessa e de muitas outras cenas do cinema, acrescentei algumas sem-vergonhices que eu mesmo fazia quando adolescente, anotei tudo e, ainda em Nova York, escrevi o roteiro. Quando cheguei ao Brasil, pedi ao Julinho Xavier da Silveira que montasse um layout do filme com a trilha do Sinatra.

Levei o layout para Vitória, no Espírito Santo, mostrei para o Seu Helmut e voltei com aquele comercial que não tinha sido pedido pelo cliente aprovado, para ser produzido imediatamente.

Garoto Sonhos – com 2 minutos de duração, pouquíssima veiculação na TV e alguma no cinema – foi um sucesso absoluto, particularmente entre as mamães de adolescentes, as compradoras de bombons, que se encantavam ao ver naquele comercial as atitudes que imaginavam para os seus filhos.

O comercial foi ganhador de prêmios nacionais e internacionais. No entanto, o melhor de tudo aconteceu seis anos depois da sua veiculação no Brasil. Foi quando encontrei à venda na Waterstones de Piccadilly Circus, em Londres, um DVD com comerciais do mundo inteiro que mereciam ser vistos e revistos. *Garoto Sonhos* estava lá.

Nem me preocupei com o fato de nem eu nem a Garoto termos autorizado a presença do filme naquela coletânea. Fiquei feliz da vida por termos sido lembrados e ponto.

O que o pessoal que selecionou o filme para a coletânea não sabe é que, apesar da trilha sonora ter o mesmo arranjo da gravação original e a mesma voz de Frank Sinatra, quem canta "I Had the Craziest Dream" no filme *Garoto Sonhos* não é o Sinatra.

Só depois de comprarmos os direitos autorais da canção para o filme é que descobrimos que o Sinatra não liberava os direitos fonomecânicos das suas gravações para comerciais, coisa que me deixou muito frustrado.

Quem resolveu o problema foi o maestro Vicente Salvia, o Vitché, que não só fez o arranjo igual ao da gravação original como colocou para cantar um perfeito imitador do Sinatra que ele conhecia de suas andanças pela noite paulistana.

O cover era tão perfeito que, além de fazer o mesmo tom de voz e as mesmas nunces de intepretação, também se penteava e se vestia como o Frank Sinatra.

Tempos depois de *Garoto Sonhos*, tive, como diretor de criação, a oportunidade de fazer para a Garoto um outro comercial antológico: *Garoto Portas*. Com roteiro impecável de Alexandre Machado, Tete Pacheco e Jarbas Agnelli, o filme tinha como protagonista a então muito jovem Fernanda Lima, que foi estagiária da W/Brasil e hoje é estrela da TV Globo.

Garoto Portas também ganhou todos os prêmios, entre eles o Profissionais do Ano da Rede Globo.

Na trilha sonora, tivemos a Paula Toller cantando "Fly Me to the Moon", outro clássico do Frank Sinatra. Eu tinha acabado de receber essa canção da própria Paula e sugeri ao meu pessoal que usasse aquela música como trilha sonora, pela qualidade artística da gravação e para criar um sutil parentesco entre os dois filmes da Caixa Amarela: *Garoto Sonhos* e *Garoto Portas*.

Pura frescura da minha parte. Ou detalhismo, para quem quiser me valorizar.

Os dois são comerciais quase perfeitos – grandes sucessos de público e de vendas e premiadíssimos. No entanto, não são os comerciais mais lembrados da história da Garoto.

O mais lembrado foi um dos primeiros comerciais que produzimos para a Garoto – e confesso que, quando o Nizan Guanaes me mostrou o roteiro, não me entusiasmei tanto.

Passei a gostar do comercial para valer depois de filmado, por causa da personagem, uma menina encantadora, e do sucesso que o filme fazia com o grande público. Na verdade, fazia e faz até hoje, apesar de não estar no ar há quase trinta anos.

Em todas as pesquisas, quando aparece a pergunta sobre qual é o comercial da Garoto mais lembrado, a resposta da maioria é sempre a mesma: "Compre Baton, compre Baton".

■ ■ ■

CRIANÇAS E CACHORROS FUNCIONAM MESMO na publicidade?

Como tudo nesse ofício, se usados com pertinência, funcionam.

Fiz muitas campanhas de sucesso com crianças.

Algumas impossíveis de se fazer hoje em dia, como o comercial

"Compre Baton, compre Baton" ou os filmes das endiabradas meninas da Melissinha, que colavam nas provas e chegavam atrasadas nas salas de aula.

Fiz campanhas que até foram refeitas trinta anos depois, como o comercial de Chambinho que trazia crianças cantando a canção "Carinhoso", do Pixinguinha.

Criei campanhas que foram consideradas marcos da publicidade para crianças, como a do lançamento do video game Atari. E também para crianças criei um dos filmes premiados com o Leão de Ouro mais vaiados da história do Festival de Cannes. Era um comercial da boneca Amore, da Estrela. No filme, uma menina de 6 anos provava por a mais b que aquela boneca de plástico que falava era bem mais interessante que a sua irmãzinha de carne e osso recém-nascida. O júri adorou, mas parte da plateia odiou. No final, a vaia passa e o prêmio fica.

Fiz apenas uma campanha com cachorros, mas, sem dúvida, a mais famosa de todas: "O Cachorro da Cofap". Fui um dos criadores, no início dos anos 1990, junto com Ruy Lindenberg e Gabriel Zellmeister. No entanto, tenho que reconhecer que o maior criador dessa campanha foi o próprio cliente, o Roberto Kasinski.

A história é tão boa que até parece mentira.

Nós tínhamos acabado de aprovar – e íamos começar a produzir – uma nova campanha da Cofap, com mais uma série daqueles comerciais em que advertíamos o consumidor dizendo que, para não correr risco de vida, ele precisava trocar os amortecedores do carro a cada 30 mil quilômetros.

Essa estratégia mercadológica, inventora da obsolescência planejada, foi uma ideia genial do Seu Abraham Kasinski.

Implantada no fim dos anos 1960, acabou criando para a Cofap, que já era a fornecedora oficial das montadoras, um enorme mercado de reposição.

Os comerciais mostrando ou insinuando acidentes e falando de risco de vida nas estradas também tinham sido ideia do Seu Abraham. Eu mesmo, bem no início da minha vida profissional, trabalhando na Lince Propaganda, participei da criação de uma campanha da Cofap para ser veiculada antes das férias e dos feriados prolongados. Com o tema "Até a volta", a campanha explicitava os riscos de acidentes para quem não trocava os amortecedores a cada 30 mil quilômetros.

Abraham Kasinski e seu filho Roberto eram homens brilhantes, com grande senso de humor. E de mau humor, também. Eles se amavam e se admiravam, mas de vez em quando brigavam feio. Tinham as mesmas qualidades e os mesmos defeitos. Eu, que era muito querido pelos dois, cheguei a apartar muitas brigas, mas nem sempre consegui.

No início dos anos 1990, pai e filho estavam de bem, tinham aprovado de comum acordo a campanha que íamos produzir, até que um dia o Roberto me ligou dizendo: "Você já reparou como o cachorro Dachshund se parece com um amortecedor?" Respondi que nunca tinha pensado no assunto e ficou por isso mesmo.

No dia seguinte, Roberto ligou de novo insistindo no tema. E no outro dia também. No quarto telefonema, ele quase implorou: queria porque queria que eu pensasse com carinho no fato de o Dachshund ser parecido com um amortecedor – ou de um amortecedor ser parecido com um Dachshund.

Chamei meu então sócio Gabriel Zellmeister e o excelente redator Ruy Lindenberg. Contei da sequência de telefonemas e disse: "O Roberto Kasinski é um cara muito inteligente. Ou ficou louco, ou teve uma grande ideia. Vamos ver o que existe atrás disso."

Naquele mesmo dia, sentamos os três na sala de reuniões da W/Brasil. Gabriel, que sempre pensou desenhando, imediatamente substituiu o corpo de um Dachshund, a partir de um desenho pronto, por um amortecedor, deixando do cachorrinho original apenas a cabeça e o rabo. Visualmente, a coisa funcionava.

A partir daí começamos a fazer analogias. O que o cachorro te dá? Proteção. O que o amortecedor te dá? Proteção. Que reputação o cachorro tem por dar proteção? A de amigo. Que reputação o amortecedor tem por dar proteção? A de amigo.

Assim chegamos ao tema: "Turbogás Cofap: O melhor amigo do carro e do dono do carro."

Com a assinatura resolvida e o tema amarrado, ficou fácil desenvolver a campanha. Começamos então a escrever os roteiros dos filmes, a criar os anúncios impressos e a inventar uma quantidade enorme de materiais de ponto de venda e peças promocionais.

Esse trabalho de carpintaria durou quase uma semana. No meio disso tudo, liguei pro Roberto Kasinski dizendo para ele ficar tranquilo, que o Dachshund era mesmo uma grande ideia e que precisávamos fazer uma reunião para cancelar a campanha anterior e aprovar a nova. Deixei claro que era para ele trazer o Seu Abraham, porque eu não era maluco de cancelar uma campanha já aprovada e iniciar uma nova sem a aprovação dos dois.

Roberto, que vivia um dos seus muitos – mas sempre breves – períodos de lua de mel com o pai, concordou. Uma semana depois, o Cachorro da Cofap foi aprovado pelos Kasinskis e colocado em produção.

Combinamos iniciar com três filmes em rodízio, em todas as

emissoras. Para isso, três Dachshunds iguaizinhos foram treinados durante dois meses e se transformaram em verdadeiros cachorros do Circo de Moscou, que obedeciam a toda e qualquer voz de comando.

Obedeciam nos ensaios, mas na hora das filmagens não obedeciam coisa nenhuma. Estranharam as luzes das filmagens e ficaram estáticos.

Interrompemos tudo, os cachorros foram novamente treinados, mas dessa vez sob luz de cinema. Dois meses depois, as filmagens começaram pra valer, com os três cachorros iguaizinhos fazendo todas as cenas, de todos os filmes, para depois a gente editar as melhores cenas de cada um.

Os filmes ficaram excepcionais e o sucesso da estreia foi estrondoso.

Tínhamos atirado e acertado no que vimos. Mas acertamos até no que não vimos, pois não havíamos calculado que o sucesso dos filmes com as crianças também ajudaria nas vendas.

Sábado era o dia em que tradicionalmente os homens iam trocar os amortecedores do carro, mas também era o dia em que eles tinham tempo para ficar com os filhos. A visita aos postos de troca, que estavam abarrotados de brindes – incluindo o cachorro inflável –, acabou se transformando numa febre no país inteiro. As vendas explodiram.

O Cachorro da Cofap fez sucesso durante quase três anos seguidos, até que a empresa, de repente, parou de anunciar. Após mais uma briga do Seu Abraham com o Roberto ou do Roberto com o Seu Abraham, a Cofap foi vendida.

Tempos depois, o pessoal da italiana Magneti Marelli, que havia comprado a Cofap, me procurou. Eles tinham descoberto, por meio de uma pesquisa, que o cachorro era um dos grandes ativos da companhia. Fizemos então uma campanha que marcaria a volta do

Cachorro da Cofap. O comercial tinha como trilha sonora a canção "O portão", de Roberto e Erasmo Carlos, sucesso na voz do Rei: "Eu voltei agora pra ficar/ porque aqui, aqui é meu lugar."

Seu Abraham e Roberto Kasinski, apesar de brigados entre si, continuaram meus amigos.

Certa vez, fui fazer uma palestra em Miami e Roberto, que estava morando lá, ofereceu um almoço em minha homenagem, aproveitando a oportunidade para me mostrar a sua coleção de Dachshunds, com exemplares em louça, madeira, cerâmica, ferro, plástico, borracha, tricô, pano – e até mesmo três de verdade.

Já o incansável Seu Abraham, pouco tempo depois de ter se aposentado, inventou de fazer uma fábrica de motos e me pediu que criasse a campanha de lançamento.

Fizemos ótimos filmes, estrelados por ele mesmo, incluindo um comercial em que o nosso herói, aos 80 e tantos anos de idade, pilotava uma moto no Globo da Morte.

Vaidoso e gozador, na coletiva de imprensa Seu Abraham fez questão de mentir descaradamente, dizendo que a cena não tinha tido um dublê. Todos fingiram que acreditaram.

Como o último dos privilégios da minha relação com Seu Abraham, tive a honra de ser convidado para escrever o prefácio da sua biografia – uma história de vida fascinante, de um grande empreendedor, responsável por parte do desenvolvimento industrial do Brasil.

Um homem corajoso e mulherengo incorrigível que, casado e pai de filhos pequenos, certa vez foi capaz de despencar com um automóvel esportivo de um penhasco na Côte D'Azur, acompanhado de uma namorada – e ainda escapar vivo.

O Cachorro da Cofap foi um dos maiores sucessos da história da propaganda brasileira. Ganhou todos os prêmios nacionais de publicidade e até mesmo o Troféu Imprensa, do Silvio Santos. No entanto, jamais ganhou Cannes ou qualquer outro festival internacional.

Pensando bem, tem lógica. O fenômeno Cofap sempre foi intraduzível, totalmente brasileiro.

Somente no Brasil alguém conseguiu implantar a obsolescência planejada dos amortecedores; somente no Brasil os Dachshunds, que são de origem alemã, viraram os Cofapinhos.

■ ■ ■

TRABALHEI PARA A COFAP no início da minha vida profissional, nos anos 1970, como redator da Lince Propaganda, e voltei a trabalhar para a Cofap como sócio da W/Brasil, nos anos 1990.

No meio disso, nos anos 1980, fiz uma campanha para os amortecedores Monroe, como diretor de criação da DPZ.

Trabalhar com diferentes anunciantes da mesma categoria é coisa que pode acontecer na vida de qualquer publicitário.

Mas existe uma categoria em que eu certamente sou o campeão mundial, em quantidade e qualidade.

Estou me referindo aos bancos. Trabalhei para o Itaú, o Unibanco, o Bradesco e ainda fiz um free lancer para o Bamerindus. Nenhum publicitário no mundo trabalhou para tantas instituições financeiras desse tamanho e status.

Na DPZ, trabalhei para o Itaú do primeiro ao último dia na agência.

O primeiro anúncio que escrevi na DPZ comunicava que o Itaú havia comprado o Banco Português do Brasil. A última campanha que criei na DPZ posicionava o Itaú como o "Banco Eletrônico 5 Estrelas".

O anúncio da compra do Banco Português era muito ruim, mal escrito mesmo. Espero que os arquivos da DPZ e do Itaú não tenham a prova daquele crime.

A campanha do Banco Eletrônico 5 estrelas também não era boa. Usei uma linguagem de pixels, típica dos primeiros games norte-americanos e impossível de produzir bem no Brasil dos anos 1980.

Fiz esses e mais alguns poucos trabalhos fracos ou medianos para o Itaú. Mas fiz também muita coisa boa e até mesmo excepcional, a maior parte delas em dupla com Francesc Petit.

Inventamos para o Itaú os anúncios de oportunidade, veiculados em jornal e ligados a algum acontecimento do momento ou à data em que o anúncio estava saindo.

Anúncios de Natal, réveillon, Carnaval, Dia dos Pais, Dia das Mães, Dia das Crianças, Dia da Mentira, Finados, enfim, tudo quanto é dia.

O primeiro que fizemos foi um anúncio apresentando a Máquina Itauchek, uma espécie de caixa automático da época, útil para quem ficava sem dinheiro à noite, aos sábados e domingos, num feriado ou fim de semana prolongado.

O anúncio saiu um dia antes de começar a Semana Santa com o seguinte título: "O Banco Itaú aproveita a Semana Santa para vender o seu peixe." Assinava: "Máquina Itauchek. Dinheiro de plantão 24 horas esperando por você."

O mais bem escrito que fizemos aconteceu quando a Máquina Itauchek trocou seu nome para Caixa Eletrônico Itaú.

Num feriado do Dia do Trabalho, publicamos um anúncio que dizia: "Hoje, 1º de Maio, o Caixa Eletrônico Itaú estará trabalhando normalmente como se fosse 7 de setembro, 15 de novembro, 25 de dezembro ou 1º de janeiro."

Fizemos também para o Itaú vários comerciais que ficaram famosos: o sentimental *Doceira*, protagonizado pelo grande ator e dublador Older Cazarré;

o didático *Cesta de poupança*, que trazia closes de uvas, pepinos, pães e queijos sendo retirados de uma cesta, para enfatizar que o produto era uma uva para quem não queria pepinos e gostava das coisas pão, pão, queijo, queijo;

o imaginativo *Terreno vazio*, onde o espectador podia enxergar uma casa, num filme que só mostrava um terreno, graças às falas, gestos e olhares do ator Ewerton de Castro;

e o clássico *Banco que vira casa*, um dos grandes comerciais da história da publicidade mundial, ganhador do Leão de Prata em Cannes e do Clio em Nova York.

Nesse filme, um homem entrava numa agência do Itaú com o objetivo de financiar a casa própria. Enquanto ele conversava com o gerente, a agência ia se transformando na casa, tanto que no final quem se despedia e ia embora era o gerente, enquanto o homem recebia a mulher e os filhos, que chegavam da escola.

Na época, como não existiam os recursos tecnológicos que temos hoje, usamos cenografia de teatro. Tudo ia se modificando em tempo real, transformando a agência bancária numa casa, o que deixou o filme mais interessante do que se fosse feito hoje, com todos os recursos eletrônicos existentes.

Para o Itaú, criamos também campanhas que inovaram em termos de mídia, como a da Caderneta de Poupança Itaú com o tema "O pé de meia de todas as torcidas".

Produzimos cinco comerciais com os cinco principais ídolos das cinco principais equipes do futebol paulista.

Mandamos os filmes para as emissoras com a instrução explícita de que só deveriam ir ao ar no domingo à noite os comerciais protagonizados por atletas de equipes que tivessem vencido os jogos do domingo à tarde.

Nos filmes, cada jogador afirmava, à sua maneira, que ia depositar o bicho pela vitória daquela tarde na Caderneta de Poupança Itaú. (Bicho, naquela época, era o apelido dado à gratificação que os jogadores recebiam pela vitória.)

Entre os ídolos das equipes que participaram daqueles comerciais se destacava o jovem Wladimir, lateral esquerdo do Corinthians, que, tempos depois, seria um dos líderes da Democracia Corinthiana.

O comercial com Wladimir fez grande sucesso por causa de um erro. Durante a filmagem, em vez de dizer que a Caderneta de Poupança Itaú rendia juros e correção monetária, ele disse que a Caderneta de Poupança Itaú rendia juros e "correções monetárias". No plural. Quando vi o erro no material filmado, achei divertido, simpático e resolvi deixar daquele jeito mesmo. O público adorou.

Fizemos também para o Itaú grandes anúncios de revista, como a premiadíssima página dupla da Itaú Seguros com o título: "Estava ficando quase rico. Deixou a família quase pobre." Fizemos relatórios anuais esteticamente perfeitos, com fotos do Otto Stupakoff e desenhos do Wesley Duke Lee, e campanhas institucionais de grande porte, como a que foi criada para mostrar o tamanho da rede de agências do banco. Foram 53 filmes produzidos em apenas um ano e meio, todos com a assinatura: "Itaú. Pode entrar que a casa é sua."

Para essa campanha, montamos uma equipe jornalística que fazia uma reportagem sobre o que existia perto de cada uma das agências do Itaú. Podia ser um restaurante famoso, um vendedor de bilhetes conhecido, uma banca de jornais tradicional, uma ex-miss Jogos da Primavera.

De posse dessas informações, elegíamos o que era interessante de ser filmado e só depois do filme pronto, durante o trabalho de edição, eu escrevia o texto final da locução de cada filme.

Esses textos revelavam quem eram os vizinhos das agências do Itaú e tinham como ponto em comum apenas as duas frases finais: "E mais uma porção de gente que não está neste filme, mas está no coração de todos nós. Itaú. Pode entrar que a casa é sua."

Apareceram nesses cinquenta e tantos filmes os mais diversos tipos e lugares, como a Associação Paulista dos Tintureiros, o restaurante Cabana de Embu, o Bigode da Loteca, a Lanchonete Senzala, o Oba, Oba, do Sargentelli, o Zé Luis Barbeiro, o Vip's Motel, o Bar Amarelinho, o Cachorro Dick, o Bacalhau, Vinho & Cia., o jornalista Zé Hamilton Ribeiro e a Feijoada do Bolinha.

Essa campanha só foi possível graças à confiança do cliente, que aceitou o mecanismo de trabalho proposto: o Itaú aprovava os filmes já prontos sem saber de antemão quais seriam os lugares e os personagens nem como seriam as locuções.

Sem essa confiança, a campanha não poderia ser realizada, tanto sob o ponto de vista criativo quanto – e principalmente – sob o ponto de vista dos custos de produção.

No meio de tanto trabalho para o Itaú, um dia o Andrés Bukowinski, que dirigia a maioria dos nossos comerciais e com quem eu tinha feito o comercial *Homem de 40 anos* – primeiro Leão de Ouro da publicidade brasileira –, me pediu que escrevesse um comercial de segurança no trânsito para o Banco Bamerindus.

O Bamerindus tinha uma *house agency*, mas fazia seus comerciais institucionais diretamente com a produtora do Andrés, que contratava criadores free lancers para escreverem os roteiros.

Escrevi o filme *Homem frustrado*, que mostrava o close de uma mulher no psicanalista dizendo que o marido corria muito no trânsito porque tinha um problema – e, pela linguagem repleta de insinuações, ficava claro para o espectador que esse problema era impotência sexual.

O filme terminava com um locutor dizendo: "O homem que corre no trânsito tem um problema. Se você não tem um problema, então por que você corre? Ou será que você tem um problema?"

A ideia era criar um mecanismo de pressão nas ruas, com os motoristas irresponsáveis sendo chamados de impotentes pela população – ou de brochas mesmo, que era o que eu queria, para ser mais sincero.

O Bamerindus, que assinava o filme, aprovou. Convidamos então a Irene Ravache para interpretar a mulher e o filme acabou se transformando numa peça excepcional, com forte carga dramática.

Com dois minutos de duração, o filme foi pouquíssimo veiculado na televisão e nos cinemas, porque foi rapidamente proibido pela censura – que em 1975/1976 era barra-pesada. De qualquer forma, Andrés resolveu inscrever o filme em Cannes e queria colocar o nome do criador na ficha técnica.

Eu, que fazia tudo do Banco Itaú, não podia aparecer como criador de um filme assinado pelo Bamerindus, mesmo tendo feito aquele free lancer de graça, a pedido de um amigo. No entanto, como queria documentar o filme na minha história profissional, resolvi inventar um pseudônimo: George Remington. George por causa do George Washington e Remington por causa das máquinas de escrever Remington, que eram as concorrentes das Olivetti.

O filme ganhou o Leão de Ouro de Cannes daquele ano e todos queriam saber quem era o tal do George Remington. Fiquei em silêncio, mas o Petit, que sabia de tudo da minha vida, resolveu contar para o pessoal do Itaú que o criador do comercial – ganhador do segundo Leão de Ouro da publicidade brasileira – era o mesmo menino que havia ganho o primeiro; o mesmo que criava com ele toda a propaganda do banco.

O pessoal do Itaú, em vez de ficar bravo ou com ciúme, ficou orgulhoso e me homenageou com um almoço quando apareci na capa da revista *Propaganda*, ao lado do Andrés, com o título Os bicampeões de Cannes.

Decididamente eram outros tempos – com relacionamentos bem mais afetivos.

Por falar em relacionamentos afetivos, Antonio Jacinto Matias, que dirigia o marketing do banco Itaú, sempre foi extremamente carinhoso comigo, tanto no período em que trabalhamos juntos quanto depois, quando viramos companheiros no Conselho da Fundação Roberto Marinho.

Em 2009, antes de se aposentar do marketing do Itaú, Matias homenageou todos os profissionais de criação que tinham ajudado a construir aquela marca. Fiquei feliz ao ver que, da seleção de trabalhos que ele organizara com o que considerava o melhor do banco em todos os tempos, a maior parte das peças fazia parte daqueles 14 anos em que Petit e eu trabalhamos juntos.

Naquele dia, depois dos agradecimentos do Matias e da exposição dos trabalhos, todos os homenageados ganhamos a marca Itaú com os nossos respectivos nomes gravados nela.

A mesma marca Itaú que eu vi o Petit desenhar, redesenhar, aprovar e defender até a morte.

Tenho consciência de que fui responsável por muitos dos mais brilhantes trabalhos da história do Itaú, mas garanto que sem o Petit a marca não existiria.

8.

QUANDO SAÍ DA DPZ, no dia 8 de julho de 1986, para montar a W/GGK, todo mundo dizia que Itaú, Bombril, Grendene e Sadia me acompanhariam.

Isso realmente aconteceu com a Bombril e a Grendene, que me procuraram assim que souberam que eu tinha montado a minha própria agência.

A Bombril era quase vizinha da W/GGK, na avenida Doutor Cardoso de Melo. Fui até a esquina e voltei com a conta. Já a Grendene ficava um pouquinho mais longe, em Farroupilha, no Rio Grande do Sul. Tomei um avião para Porto Alegre. Estava tão ansioso para atender o chamado do Alexandre e do Pedro que no aeroporto peguei o primeiro fusca amarelo de frota que passou na minha frente e mandei: "Toca pra Farroupilha!"

Voltei a Porto Alegre no mesmo dia, mas cheguei tarde ao aeroporto e perdi o voo de volta.

Uma tragédia, porque eu tinha uma reunião importante em São Paulo na manhã seguinte.

Só consegui voltar naquela mesma noite porque cavei uma carona com os pilotos do avião do Correio Aéreo Nacional. Voltei com eles, uma montanha de cartas e a conta da Grendene.

Ao contrário das previsões do mercado, Itaú e Sadia não me procuraram imediatamente. Preferiram esperar mais um pouquinho, talvez para ter certeza de que a agência ia dar mesmo certo.

Foi nesse intervalo que o Unibanco acabou me procurando. O convite foi feito pelo Israel Vaimboin, que pediu que eu fizesse uma apresentação da agência ao doutor Walther Moreira Salles, seus filhos – Fernando e Pedro – e a diretoria do banco.

Escolhi fazer uma apresentação com uma estrutura de palestra e ganhamos a conta.

Naquele momento, o Unibanco queria ser visto como um banco com menos agências e um serviço mais personalizado do que o dos seus concorrentes – que eram maiores em tamanho.

Já estávamos trabalhando havia alguns dias nessa ideia quando, num belo fim de tarde, depois de uma reunião com um prospect no Rio de Janeiro, Gabriel Zellmeister e eu fomos tomar um drinque no bar do Copacabana Palace. Começamos a conversar sobre o que fazer para o banco e, olhando a marca Unibanco que ele tinha acabado de desenhar num guardanapo, descobrimos que, tapando "ban", sobrava "Unico".

Tinhamos encontrado o tema: "Unibanco. O Banco Único".

No dia seguinte, de volta a São Paulo, começamos a escrever os roteiros e a criar os anúncios, optando propositalmente por aquele discurso e aquela estética meio yuppie, que fazia sucesso na época e tinha a ver com a postura da instituição e de seus dirigentes.

"Unibanco. O Banco Único" era um belo tema e rendeu uma

bela campanha, que tinha apenas um defeito: ficou melhor do que o banco, que passava por reformulações.

Por isso, decidimos – de comum acordo – adiar a estreia da campanha. Iniciamos um forte programa de treinamento e só fomos ao ar meses depois, quando tivemos certeza de que o que estávamos prometendo na mídia seria cumprido nas agências do banco.

Quando a campanha entrou no ar, veiculamos nas rádios uma série de spots pseudodirigidos aos funcionários do Unibanco, provocando nos clientes a sensação de que aquelas mensagens tinham vazado para o público em geral por engano. Nos spots, os funcionários eram orientados a atender os clientes do jeito que o Unibanco prometia nos seus comerciais de televisão e anúncios de jornais e revistas.

Bastante inovadora para a época, a ideia funcionou. Em pouco tempo a reputação do atendimento do Unibanco virou destaque nas pesquisas.

A campanha "Unibanco. O Banco Único" era pertinente e eficiente. Implantou uma bela assinatura, mas não foi uma comoção nacional.

O sucesso de verdade só veio um pouco depois, com a criação de um novo produto do "Unibanco. O Banco Único": o "Banco 30 horas".

A criação do nome – "Banco 30 horas" – lançou uma lenda a meu respeito. Passaram a dizer que eu era capaz de criar coisas sensacionais na frente do cliente, imediatamente após ouvir o seu pedido. Era como seu eu fosse uma espécie de cego repentista de porta de igreja.

Na verdade, quem espalhou essa lenda foi o Joaquim Castro Neto, na época diretor de marketing do Unibanco. Ele contou para uma porção de gente algo que realmente aconteceu, mas que infelizmente não corresponde à realidade do meu dia a dia.

Me lembro como se fosse ontem: depois de ouvir o Castro explicar o produto – que colocava uma série de serviços do banco à disposição do cliente com um simples telefonema, a qualquer hora do dia ou da noite –, me passou pela cabeça a ideia de que podíamos capitalizar para o Unibanco o êxito do "Banco 24 horas", bem-sucedido produto que pertencia a um pool de bancos.

Batizaríamos o nosso produto de "Banco 30 horas", um nome forte e marcante para ser usado junto de uma assinatura explicativa: "Seis horas na agência e 24 em qualquer lugar."

Apresentei a ideia apenas como uma possibilidade, mas o Castro adorou – e na mesma semana a transformou em realidade. Aliás, uma realidade que dura até hoje, quando o Unibanco já não se chama Unibanco, se chama Itaú, mas o Banco 30 horas continua existindo como "Itaú 30 horas".

O produto foi lançado com um comercial filmado em Londres, para mostrar que o serviço era oferecido dia e noite – até com um fuso horário diferente. Os clientes teriam acesso aos serviços do Banco 30 horas a partir de qualquer telefone, incluindo os das famosas – e hoje aposentadas pela telefonia celular – cabines telefônicas vermelhas de Londres.

O filme foi um sucesso e abriu as portas para um segundo filme do 30 horas que conquistou um sucesso ainda maior.

No comercial *Falando baixinho* um ator desconhecido, de camisa social e gravata, sentado atrás de uma mesa de trabalho, representava um gerente do banco. Explicava ao telespectador as vantagens do "Banco 30 horas", falando bem baixinho, quase que sussurrando. No final do filme, ele revelava a razão dos seus sussurros: "Eu só estou falando desse jeito... pra não acordar os outros bancos... É que eles dormem cedo, sabe..."

O filme era uma obra-prima da publicidade bem-humorada e o

ator ainda desconhecido era o Wellington Nogueira, que acabara de fundar o seu Doutores da Alegria.

A presença de atores desconhecidos do grande público em comerciais importantes foi, durante anos, um dos trunfos do sucesso da comunicação do Unibanco, que transpirava verdade de um jeito divertido e bem interpretado.

Depois do sucesso do comercial *Falando baixinho*, lançamos o primeiro "Casal Unibanco", com os atores Katia Bronstein e Felipe Pinheiro.

A biografia do casal era bem construída e rendia boas histórias. Deslumbrados com as ofertas tecnológicas do banco, eles resistiam a acreditar nas promessas do banco e viviam repetindo o bordão: "Eu não acredito." Em seguida, incentivado pela mulher, o marido dizia o sub-bordão "Hoje eu pego eles." Ao final do filme, o casal acabava surpreendido ao descobrir que o Unibanco realmente cumpria o que prometia. A dramaturgia simples e bem-humorada era uma mistura da cultura dos sitcoms com as coisas que o grupo Asdrúbal Trouxe o Trombone, do Rio de Janeiro, fazia no teatro desde 1974.

O primeiro Casal Unibanco estreou com três filmes que foram sucesso imediato. A campanha virou assunto nas ruas e ganhou todos os prêmios daquele ano. Começamos então a produzir outros filmes, pensando que a campanha duraria anos.

Numa segunda-feira, dia 1º de novembro de 1993, passando o feriado prolongado em Salvador, no pequeno e charmoso Hotel Enseada das Lages – que pertencia a dona Maria de Castro Lima e depois virou a casa da Gal Costa –, recebi a notícia de que o ator Felipe Pinheiro, aos 32 anos de idade, havia morrido, no Rio de Janeiro, de um ataque cardíaco.

Arrasados, a primeira coisa que fizemos foi entrar em contato com a família para apresentar nossas condolências. Por outro lado, tínhamos cinco novos comerciais do Casal Unibanco já filmados, ainda inéditos, prontos para a campanha do próximo ano. O que fazer? Falamos com a família. Se fôssemos autorizados, colocaríamos os cinco filmes no ar, todos de uma única vez, no *Fantástico*, acompanhados de um editorial explicando que aquela veiculação era uma homenagem ao talento do Felipe, prematuramente desaparecido. A família autorizou – e assim foi feito.

A partir daquele momento, ficamos sem filmes, sem o amigo e ator – e com um grande problema.

Como continuar a campanha do Unibanco?

A realidade é que todos os publicitários do mundo, quando apresentam uma campanha com personagem ou personagens, ouvem a mesma pergunta dos clientes: "E se acontecer alguma coisa de ruim com eles?"

Nessas ocasiões, publicitários do mundo inteiro respondem "A gente dá um jeito" e os clientes sempre pensam: "Esse cara está me embromando."

Isso ocorre porque dificilmente acontece alguma coisa de ruim com os profissionais que representam personagens nas campanhas publicitárias e, portanto, não vale a pena tanta paranoia e sofrimento antecipado.

Melhor aproveitar a expectativa de um sucesso.

É muito raro acontecer, mas no caso do primeiro Casal Unibanco aconteceu, e tivemos que dar um jeito. Nossas alternativas não eram muitas, pois não podíamos simplesmente criar uma nova campanha, com uma nova estratégia criativa. O conceito que desenvolvemos para a campanha era um sucesso absoluto e a manutenção do "Casal", uma expectativa do anunciante e do público.

Também não podíamos casar a viúva nos comerciais, porque o consumidor confundiria o tempo da ficção com o tempo da vida real e fatalmente rejeitaria a viúva que nem esperou o corpo do marido esfriar para já arrumar outro.

Não podíamos sequer criar um novo casal, pois a comparação seria inevitável. Por melhor que fosse, um novo casal certamente seria rejeitado pelos espectadores: o primeiro casal havia deixado saudades.

Diante de tantas dificuldades, precisávamos de uma ideia genial – e tivemos uma. A ideia genial de transferir a responsabilidade da escolha do novo Casal Unibanco para o consumidor. Produziríamos dois comerciais absolutamente iguais, mas com dois casais de atores diferentes. Os dois filmes iriam ao ar o mesmo número de vezes e o Instituto Gallup realizaria uma pesquisa para verificar qual dos casais era o preferido dos espectadores. O escolhido seria o novo Casal Unibanco.

A ideia genial continha mais um detalhe: apesar dos textos, dos figurinos e do ambiente dos filmes serem absolutamente iguais, cada casal concorrente teria o direito de colocar um caco, um improviso nas suas falas, que ressaltasse sua personalidade.

Os dois comerciais foram produzidos e ficaram perfeitos. Foram ao ar pela primeira vez num domingo, durante o *Fantástico* – na época, a mídia mais recomendada para o lançamento de uma grande campanha. Antes da projeção dos filmes, o ator Wellington Nogueira, dessa vez sério, explicava as regras do jogo: "Você vai ver agora dois comerciais do Unibanco. Depois de assistir a dois comerciais iguais, com dois casais diferentes, você é que vai escolher o novo casal Unibanco. O Instituto Gallup vai fazer uma pesquisa esta semana e pela primeira vez na TV brasileira o cliente interage com a propaganda do seu banco. Por isso, aguarde a visita do Gallup aí na sua casa. O Unibanco é tão moderno que até mesmo se você não for cliente do banco você vai poder votar. Vamos agora ver os comerciais."

Depois daquele domingo, os dois comerciais foram igualmente veiculados no Brasil inteiro, enquanto o Gallup fazia a sua pesquisa. Dez dias depois o público havia escolhido o novo Casal Unibanco. Genial.

A ideia genial era tão genial que mereceu até uma matéria de quase uma página no *New York Times*, contando que no Brasil, por causa da morte do ator de uma campanha de grande sucesso, tinha sido criada a primeira campanha de publicidade interativa do mundo.

Só que a ideia genial, apesar de ser tão genial, deu errado e virou uma ideia besta. Tudo por culpa nossa, que percebemos que o público tinha escolhido o casal errado e, mesmo assim, resolvemos respeitar o resultado das pesquisas em vez de roubar para fazer justiça.

A história é uma verdadeira aula de comportamento humano. Como eu havia comentado, cada casal tinha o direito de colocar um caco, um improviso no seu filme. Num deles o ator Pedro Cardoso, que fazia o papel de marido, inventou de esquecer o nome da própria mulher. Numa cena engraçadíssima, ele chega a perguntar qual era mesmo o nome dela.

No outro filme, a atriz Tereza Freire inventou de cobrar do marido o porquê de ele não estar usando a aliança de casamento.

As pesquisas foram feitas nacionalmente, entrevistando clientes do Unibanco e de outros bancos. Nos locais de comportamento mais descontraído, como o Rio de Janeiro e a Bahia, a brincadeira de esquecer o nome da mulher passou numa boa. No entanto, em lugares mais conservadores, como São Paulo e Minas Gerais, os entrevistados resolveram se fingir de sérios, preferindo o comercial com a esposa que cobrava a falta da aliança no dedo do marido.

Como o contingente de entrevistados nesses estados era maior, venceu a moral e os bons costumes, e assim acabamos sem o melhor casal e sem o talento do Pedro Cardoso.

Fizemos três filmes com o casal escolhido pela pesquisa do Gallup, e a campanha não decolou.

Tempos depois resolvemos o problema com uma ideia que, naturalmente, fazia desaparecer o segundo casal. A ideia era mostrar para o consumidor que clientes do Unibanco podiam se transformar em Casal Unibanco a qualquer momento. E assim foi criado o terceiro casal, protagonizado pelos atores Drica Moraes e João Camargo.

Era uma boa solução, pois, além de não assumirmos o fracasso do segundo casal, o novo comercial ainda dava à campanha um conceito mais contemporâneo, com componentes de metalinguagem.

O filme inaugural da campanha era assim: um casal de clientes do Unibanco começa a ser filmado sem saber que vai ser o novo Casal Unibanco. Os filmes vão ao ar e eles – marido e mulher – passam a ser reconhecidos pelo público como o Novo Casal Unibanco. O marido é tímido e não gosta daquela superexposição; a mulher, por sua vez, adora. Os filmes, portanto, se realimentavam desse contraponto.

O terceiro casal funcionou bastante, tanto que ficou no ar por mais de seis anos. E só saiu do ar quando resolvemos renovar a campanha, subsitutindo os casais Unibanco pela ideia das duplas Unibanco, em que um grande ator e uma grande atriz interpretariam diversas situações, não necessariamente como um casal.

A dupla inicial era formada por Luiz Fernando Guimarães e Débora Bloch; a segunda, por Miguel Falabella e Débora Bloch.

Fizemos vários comerciais de grande sucesso, mas sem dúvida nenhuma o mais famoso deles foi aquele em que, num restaurante de luxo, a Débora fazia o papel de uma senhora de idade conversando com o filho adulto, interpretado pelo Falabella. Na conversa ela repetia: "Aquela Lúcia Helena do Unibanco mima você demais, Flávio Horácio."

O comercial fez tanto sucesso que o Unibanco resolveu contratar algumas novas gerentes chamadas Lúcia Helena e rebatizar algumas gerentes já existentes com esse nome.

Logo após o enorme sucesso das Lúcias Helenas, depois de 18 anos de trabalho bem-sucedido, a W/Brasil perdeu o cliente Unibanco. Foi quando o Joaquim Castro Neto saiu da presidência e o novo diretor de marketing do banco resolveu criar sua própria história, passando a conta para uma agência com a qual já havia trabalhado anteriormente.

Esse tipo de episódio não é nada agradável, mas costuma acontecer com agências de publicidade no mundo inteiro. Faz parte do nosso negócio.

■ ■ ■

DURANTE OS MUITOS ANOS em que trabalhei para o Itaú e o Unibanco, um homem observava atentamente, sem que eu soubesse, tudo que eu fazia. Seu nome: Luiz Carlos Trabuco Cappi.

Paulista de Marília e Bradesco desde criancinha, Trabuco começou pelos cargos mais humildes até chegar à presidência do banco.

Conheci Trabuco de passagem, em 1988, quando estive no Bradesco tentando, sem sucesso, convencer o fundador, Amador Aguiar, a estrelar um comercial de televisão. (Mas essa é uma outra história que fica para uma outra vez.)

Em 2011, já sócio da WMcCann e sem um banco na carteira de clientes, em vez de procurar Trabuco, resolvi pedir ao recém-empossado diretor de marketing do Bradesco, Jorge Nasser, um encontro, pois queria lhe fazer uma apresentação da agência. Ele foi muito simpático, disse ter gostado da apresentação e, na despedida, comentou que um dia ainda trabalharíamos juntos, coisa que eu achei mais uma cordialidade do que uma possibilidade.

Em 2012, Nasser nos convidou para participar de uma concorrência que o Bradesco faria para contratar a agência que, a partir daquele momento, passaria a cuidar da sua comunicação até as Olímpiadas de 2016.

Criamos o tema "BRA de BRASIL, BRA de Bradesco", um daqueles achados publicitários que acontecem de tempos em tempos. Vencemos a concorrência e a profecia de Jorge Nasser se concretizou.

Na semana em que ganhamos a concorrência, fomos convidados para um grande evento do Bradesco em Comandatuba. Na frente de mais de 3 mil profissionais do banco,Trabuco, que tinha dado o seu aval para a nossa contratação, anunciou que a WMcCann era a nova agência da instituição e emendou com um comentário inesquecível: "Esperei 35 anos para trabalhar com o Washington."

Fizemos um bom trabalho para o Bradesco, tanto que acabamos ficando com a maior parte da conta – e não só com o projeto Olimpíadas, como inicialmente combinado.

O tema BRA, que nasceu para as Olimpíadas, caiu na cultura popular e acabou virando adjetivo, sinônimo de bom. Extraída do seu próprio nome, a marca BRA invadiu toda a comunicação e se transformou numa propriedade do banco.

O auge dessa campanha aconteceu em 2016, com o estrondoso sucesso do comercial que tinha como trilha sonora a canção "Se ligaê", interpretada por Sérgio Mendes, Baby do Brasil e Rogério Flausino, com a locução na voz marcante do Seu Jorge.

O filme fez tanto sucesso que os comentários gerais eram de que o Bradesco parecia ser o único patrocinador das Olimpíadas, roubando a cena até da mundialmente tradicional patrocinadora do evento, a Coca-Cola.

Em 2016, o Bradesco foi escolhido como finalista na categoria Anunciante do Prêmio Caboré e a canção "Se ligaê" bateu todos os recordes de execução nas rádios. No meio de tanta euforia, tantos elogios e comemorações, fomos surpreendidos no fim do ano com a notícia de que o Bradesco ia abrir concorrência para decidir se continuaria ou não com a WMcCann.

Custamos a acreditar, mas aconteceu: o novo diretor de marketing do banco, que substituiu Jorge Nasser – promovido para a superintendência da Bradesco Seguros –, resolveu imprimir seu próprio estilo, escolhendo ele mesmo a sua futura agência.

Certamente pesou nessa decisão o fato de eu defender a permanência do tema BRA, patrimônio único do Bradesco, que na minha opinião podia ser perfeitamente renovado de diversas formas, coisa em que o novo diretor de marketing do banco não acreditava. Ele considerava o tema da gestão anterior coisa do passado, esgotado nas Olimpíadas.

A verdade é que fomos convidados para a tal concorrência, demos um show de trabalho, terminamos a apresentação aplaudidos – e perdemos.

Isso ocorre com frequência no negócio da publicidade – uma atividade em que, no mundo inteiro, muitas concorrências são realizadas para avalizar decisões já tomadas.

De todo modo, os anos de relação com o Bradesco foram muito gratificantes. Fizemos trabalhos de qualidade, fomos muito bem remunerados e ainda tive a honra de ser convidado para conduzir a Tocha Olímpica, no Rio de Janeiro. Fora isso, sobraram amizades sólidas, como a que construí com o competente e discreto Jorge Nasser, que, assim como o Trabuco, também é Bradesco desde criancinha: nunca trabalhou em outro lugar.

9.

CONTEI DOIS MOMENTOS DE FRUSTRAÇÃO que vivi quando, depois de anos de bom trabalho, perdi as contas do Unibanco e do Bradesco, mas tenho consciência de que essas coisas acontecem na vida de qualquer publicitário. Seria injusto da minha parte ficar me fazendo de vítima por causa de fatos desagradáveis que, apesar de envolverem prestígio e dinheiro, se tornam pequenos quando comparados às inúmeras alegrias que a profissão me deu.

Graças à reputação como publicitário, vivi momentos raros e preciosos, pessoal e profissionalmente, aspectos que sempre se misturaram na minha vida, formando uma coisa só.

Costumo dizer que nunca estou trabalhando e nunca estou me divertindo – estou sempre fazendo as duas coisas ao mesmo tempo.

Conduzir a Tocha Olímpica de 2016, no Rio de Janeiro, da avenida Niemeyer até o Leblon, foi uma dessas oportunidades inesquecíveis que o prestígio como publicitário me proporcionou. Confesso que não imaginava que fosse me emocionar tanto, mas o clima criado a partir da concentração, a presença de tantos amigos também convidados a conduzir a tocha – como Cacá Diegues, Paulo Niemeyer, Martinho da Vila – e a oportunidade de escolher como próximo condutor o meu querido Jorge Ben Jor são coisas que dinheiro nenhum do mundo pode comprar.

Foi a publicidade também que me deu a chance de me tornar amigo da maioria dos meus ídolos, como o Jorge, que acabou me transformando em música, tanto na pessoa jurídica quanto na física.

A canção W/Brasil começou a ser composta numa das festas de fim de ano da agência. E o verso "A cabeça do Olivetto é igual a uma cabeça de negro, muito Q.I. e TNT do lado esquerdo" foi um carinho que o Jorge me fez na canção "Engenho de Dentro", do seu CD *23*.

A propósito, Jorge fez questão de estar presente em Nova York, em 2014, quando recebi o Lifetime Achievement, do Clio, dividindo a mesa com outros amigos queridos.

Reconheço também que só tive a oportunidade de ser vice-presidente de marketing do meu sagrado Sport Club Corinthians Paulista, em 1981, porque já era um publicitário conhecido.

Adilson Monteiro Alves, vice-presidente de futebol na época, havia lido e gostado de uma entrevista que eu dera à revista *Status*. Ele me ligou e marcamos um drinque. Naquela mesma noite começou a surgir o projeto que depois seria batizado de "Democracia Corinthiana".

A Democracia Corinthiana de Sócrates, Casagrande, Wladimir e outros craques é da mesma época do Flamengo de Zico, Júnior, Leandro e outros craques, uma equipe que foi até mais vitoriosa do que a minha. Mas, passados os anos, quem entrou para a história de verdade foi a Democracia Corinthiana, porque era futebol, mas não era só futebol. Tinha a ver com a Campanha das Diretas Já, fato documentado em livros e filmes no mundo inteiro. Tenho a honra de estar presente em todos eles.

Tive também, por causa da publicidade, a oportunidade de conhecer boa parte do planeta, algo que seria quase impossível para um menino que nasceu num bairro distante como eu.

Já fiz palestras nos Estados Unidos, em cidades como Nova York, Los Angeles, Miami, São Francisco e Santa Fé; na Inglaterra, na França, na Itália, na Espanha e em Portugal.

Falei na maior parte dos países da Europa, em quase todos os países da América do Sul e até em lugares inesperados como Marraquexe, no Marrocos; Cuenca, em La Mancha; e Maracaibo, na Venezuela.

Também fui o primeiro publicitário do mundo a fazer uma palestra na Rússia, em 1989, durante a perestroika, e na China, em 2001, para mais de 4 mil pessoas – o que, para o tamanho da população chinesa, é público de piano-bar.

Tudo isso no meu linguajar de poliglota analfabeto, que fala perfeitamente mal várias línguas, algo típico de um cara que aprendeu a fazer as coisas fazendo, sem sólida formação acadêmica nem pós-graduações.

A publicidade me popularizou e me transformou em nome de pratos nos restaurantes Rodeio, em São Paulo, e Antiquarius, no Rio de Janeiro, onde existem o hambúrguer Olivetto e o Bacalhau Washington Olivetto.

A publicidade me proporcionou, sendo paulista e brasileiro, os títulos de cidadão carioca e de comendattore italiano, fato que minha mãe, que além de Olivetto é Santorsa, adorou. E foi a publicidade que me transformou em selo do correio brasileiro, coisa que meu pai, que tanto admirava os filatelistas, infelizmente não viveu para ver.

Considerado o mais pop dos publicitários, acabei virando inspiração para personagem de novela quando, baseado em mim, o Silvio de Abreu criou o publicitário Beto, da novela *Sassaricando*, protagonizado pelo Marcos Frota. O Marcos, que por coincidência também nasceu num 29 de setembro, acabou virando meu amigo.

Em 1987, passou quase um mês na agência me estudando para compor o personagem e acabou levando para as gravações da novela algumas das minhas gravatas. Na época, como eu não tinha a obrigação de usar gravata no meu cotidiano de trabalho, de vez em quando eu comprava algumas gravatas originais e as usava por prazer, tanto que acabei conhecido como grande colecionador de gravatas, coisa que na verdade eu nunca fui. Até hoje, vira e mexe, ganho algumas gravatas de presente.

Na novela *Belíssima*, também do Sivio de Abreu, apareci como eu mesmo, o publicitário Washington Olivetto, contracenando numa festa com a grande dama do teatro brasileiro, Fernanda Montenegro, que fazia a personagem Bia Falcão.

No dia da gravação eu estava morrendo de pressa, porque tinha uma reunião naquela mesma tarde, mas a diretora Denise Saraceni me garantiu que a cena seria feita rapidamente. Palhaço que sempre fui, respondi: "Tenho dúvida: vai que a Fernanda Montenegro erra a parte dela e a gente tem que repetir."

A publicidade me permitiu também outras coisas inimagináveis como escrever livros sobre o Corinthians, publicar uma coletânea com alguns dos meus artigos para a imprensa, participar da coleção "O que a vida me ensinou", editar um livro com os anúncios para revistas do "Garoto Bombril" e outro com as citações públicas do filme *Valisère, o primeiro sutiã*, além de dois livrinhos sobre restaurantes que visitei no Brasil e do mundo.

Reconheço que nenhum desses livros tem relevância literária, mas, graças à minha fama como publicitário, todos entraram em listas dos mais vendidos.

A propósito, é essa mesma fama de publicitário que faz com que você, neste momento, tenha curiosidade e paciência de ler estas minhas histórias.

A publicidade me deu muitíssimas outras coisas boas que eu não vou me alongar contando aqui, e me deu até mesmo a oportunidade de, por um breve tempo, me transformar num industrial, coisa que eu sinceramente jamais havia imaginado para a minha vida. Foi quando compramos a Dubar – episódio que eu tinha pensado em contar alguma hora, e resolvi contar agora.

A ideia de comprar a Dubar foi do meu sócio na W/Brasil Javier Llussá, e tanto eu como o meu outro sócio, Gabriel Zellmeister, concordamos na hora, pois sabíamos da competência do Javier na área industrial. Ele tinha sido, durante anos, diretor de marketing da Kibon e, em meados dos anos 1970, junto com outros sócios, montou a Gelato, uma marca de sorvetes de grande sucesso que depois foi vendida para a Gessy-Lever por um bom dinheiro.

Javier, que sabia como gerar resultados numa indústria, analisando a performance da Companhia Antarctica Paulista, reparou que eles também eram donos da Dubar, tradicional marca de bebidas populares. Deficitária havia mais de 15 anos, a empresa podia voltar a ser lucrativa em pouco tempo, percebeu Javier.

Quando abrimos mão da conta de publicidade da Antarctica, Javier fez uma proposta irrisória pela Dubar. Os dirigentes da Antarctica, preocupados em nos agradar e em se livrar da Dubar, aceitaram imediatamente.

Pouco tempo depois da compra, Javier enxugou o número exagerado de produtos fabricados, cortou custos descabidos, concentrou esforços nos produtos mais vendidos e mais rentáveis e, em menos de um ano, transformou a Dubar numa empresa lucrativa.

Gabriel e eu entramos com nossa experiência de publicitários, melhorando particularmente a estética dos rótulos e das embalagens e gerando comunicação eficiente de baixo custo.

Para o Fogo Paulista, que curiosamente até hoje é um grande sucesso no Rio de Janeiro, inventei umas bombeirinhas de minissaia e bustiê vermelhos que davam incertas nos bares e sapecavam beijinhos nos corajosos bebedores daquele licor aperitivo que tem 35% de graduação alcoólica.

(Essa ação, que na época foi um enorme sucesso, hoje me renderia alguns espancamentos por parte das feministas das redes sociais.)

No tradicionalíssimo Licor de Ovos Dubar, diminuímos a proporção de ovos utilizada na sua fabricação. Notamos que ela era descabida e encarecia sem necessidade a preparação do produto. Concentramos então nossos esforços nos compradores de escala, como a Kopenhagen, que usava o licor de ovos na composição de alguns dos seus bombons.

Desenvolvemos também, com grande sucesso, um novo produto, o Absinto Lautrec. Para o seu lançamento, colocamos alguns dos meus queridos amigos para trabalhar de graça.

Baseados na cultura do absinto, que foi lançado na época de Toulouse-Lautrec, no fim do século XIX, com os célebres *affiches* franceses, resolvemos fazer uma coleção de pôsteres criados pelos maiores diretores de arte brasileiros.

Tivemos pôsteres de Francesc Petit, José Zaragoza, Marcello Serpa, Tomás Lorente, Magy Imoberdorf, Helga Miethke, Erh Ray,

Ana Carmen Longobardi, Julio Andery, Marcelo Gianini e Eduardo Martins – um timaço de diretores de arte –, com exceção do Gabriel Zellmeister, que se manteve discretamente ausente no seu papel de empresário do ramo de bebidas.

Os pôsteres foram lançados no Antiquarius, em São Paulo, num almoço em homenagem aos diretores de arte, com a imprensa presente. O trabalho ganhou enorme espaço na mídia do Brasil e até mesmo do exterior, incluindo uma matéria de página inteira na revista *Advertising Age*, de Nova York, que reproduziu todos os pôsteres.

Entre os jornalistas presentes naquele almoço estava a jovem Alexandra Forbes, que na época trabalhava na revista *Vip*. Alexandra, que escreve sobre comida e bebida desde menina, tinha tudo para se transformar na prestigiada crítica gastronômica em que se transformou, porque nasceu em berço e fogão de ouro.

O pai de Alexandra, o advogado e consultor financeiro Geraldo Forbes, serve historicamente em sua casa no Jardim Europa, em São Paulo, a melhor comida brasileira que o dinheiro não pode comprar. Produz para consumo próprio a cachaça Enluarada, em Salinas, Minas Gerais, e costuma mandar, antes de chegar aos poucos restaurantes que frequenta, seus queijos e goiabadas caseiras para dividir generosamente com os amigos que encontra.

Como você pode imaginar, estar na lista dos convidados dos almoços da casa do Geraldo Forbes é estar na lista do Forbes que realmente importa.

O Absinto Lautrec, da Dubar, primeiro absinto lançado no Brasil depois que a bebida deixou de ser proibida no mundo, foi um sucesso. E, por causa dele, resolvemos inventar mais novidades para a Dubar.

Aproveitando o fato de sermos uma empresa local, extremamente ágil e independente, sem necessidade de dar satisfações à matriz com mil e um relatórios e pesquisas, e inspirados pelo nome da esposa do Javier, que é de família eslovena e se chama Zvonka, resolvemos lançar uma vodka chamada Zvonka.

O nome era superadequado e a vodka, num patamar de qualidade um pouquinho inferior ao da Smirnoff, mas com um preço bem menor, tinha um rótulo propositalmente criado para parecer de uma vodka bem mais cara.

A Zvonka logo começou a fazer sucesso e, por isso, percebemos que estava na hora de vender a Dubar. Tínhamos uma proposta de um grupo francês, o que nos permitia ganhar mais algum dinheiro com aquela empresa que já vinha dando um pequeno lucro havia cinco anos.

Sabíamos que, para construir uma marca de vodka como a Zvonka, teríamos que começar a anunciar pra valer, e não estávamos dispostos a transformar o suado dinheirinho que ganhamos na W/Brasil em verba de publicidade de uma empresa de bebidas – coisa que sempre envolve riscos.

Resumidamente: resolvemos não tomar o remédio que passamos a vida receitando. Afinamos.

Preferimos vender a Dubar para os franceses e encerrar a nossa carreira de industriais.

10.

Comentei que o sucesso de uma marca de vodka depende de um grande investimento em publicidade, mas o sucesso da vodka como bebida fora da Rússia e da Polônia, onde ela já era conhecida desde 1663, só foi acontecer dos Estados Unidos para o mundo a partir de 1940. E tudo graças ao ator Errol Flyn.

O ator australiano Errol Flyn fez pela vodka, sem receber nenhum *cent*, aquilo que o ator norte-americano George Clooney faz pela marca Nespresso, ganhando milhões de dólares.

Errol Flyn, além de bom ator e galã, era alcoólatra.

O pessoal de Hollywood adorava as bilheterias que ele gerava, mas detestava os problemas que causava durante as filmagens por causa dos seus porres. Advertido diversas vezes, Errol recebeu ameaças de ter seu milionário contrato rescindido caso não maneirasse. Em vez de parar de beber, Errol optou por começar a mentir. Passou a beber vodka, que tem cor de água e não deixa cheiro.

Bebia vodka pura e dizia que era água. Bebia vodka com suco

de laranja – drinque que anos depois ganhou o nome de Hi-Fi – e dizia que era apenas suco de laranja.

Hollywood fingiu acreditar e Errol resolveu que só beberia vodka – tanto nas filmagens quanto em lugares públicos.

Assim a vodka, que nasceu na Rússia e foi batizada na Polônia, adquiriu popularidade, se consagrou nos Estados Unidos e ganhou o mundo.

Uma boa história, gerada a partir de uma casualidade, que compete com a história da invenção do *product placement*, prática conhecida no Brasil como merchandising, que também aconteceu absolutamente sem querer.

Nos mesmos anos 1940, do sucesso de Errol Flynn, o também ator Cary Grant, inglês norte-americanizado, era considerado o bonitão do planeta, paixão inconteste das mulheres de todos os continentes.

Naquela época, a maioria dos homens nos Estados Unidos usava uma espécie de camiseta Hering branca por baixo da camisa social e o sexo no cinema era apenas ligeiramente insinuado.

Discutindo com o diretor de um dos seus filmes sobre uma cena com insinuação de sexo, Cary Grant sugeriu ir tirando a camisa social em cena, mas sem estar usando a camiseta branca por baixo. Ele imaginava que isso levaria a mulherada ao delírio.

Cary Grant estava certo, a cena foi feita desse jeito. O filme foi um sucesso, a mulherada foi ao delírio, mas o inesperado aconteceu: a partir daquele filme muitos homens norte-americanos deixaram de usar a camiseta por baixo da camisa social. Hollywood percebeu isso rapidamente e raciocinou: se serve para desvender, serve para vender. Assim começaram os *product placements*, chamados de merchandising, que anos depois passaram a ser utilizados à exaustão na TV brasileira.

Costumo, em algumas palestras, brincar com a plateia dizendo: "Vocês sabem o que é merchandising?" E, antes que alguém responda, eu complemento: "É aquele negócio que de vez em quando passa uma novela no meio."

Comentei essas duas histórias clássicas de pessoas famosas interferindo nos processos de comunicação e venda como introdução das minhas experiências com famosos nas campanhas de publicidade.

Nunca gostei do testemunhal pelo testemunhal, do famoso só porque é famoso numa campanha publicitária. Considero esse tipo de solução uma saída fácil, que pode até vender, mas não tem méritos criativos e não constrói imagem a curto, médio ou longo prazo.

Por outro lado, sou encantado com a utilização do famoso, do conhecido ou do célebre quando existe absoluta pertinência, quando aquela figura realmente tem tudo a ver com o produto anunciado.

Tive a oportunidade de fazer isso diversas vezes na vida, com enorme repercussão e grande resultado.

A primeira vez talvez tenha sido na época da Copa do Mundo de 1974, disputada na Alemanha. Naquela época, o goleiro titular da Seleção brasileira, Emerson Leão, era considerado o galã do time por todas as torcedoras.

Eu tinha que fazer um comercial do Frango Sadia e me veio a ideia de convocar o nosso goleiro para dar um depoimento dizendo que aquele era o único frango que ele gostava de engolir, porque, além de tudo, era o preferido da melhor cozinheira do mundo, a mãe dele.

O comercial *O frango do Leão* foi um enorme sucesso de vendas, encantou as mulheres – que eram o target prioritário – e virou assunto da mídia e dos torcedores de todas as equipes. Deu tudo certo.

Vale observar que Emerson Leão foi corajoso ao aceitar fazer um comercial de frango, sendo, na época, um goleiro tão exposto. No entanto, a experiência acabou sendo muito boa para ele, pois, além de ganhar um bom dinheiro como cachê, Leão, com o comercial, teve ressaltada a sua forte personalidade, que, com o passar do tempo, acabou se transformando no seu maior patrimônio.

Anos depois desse comercial, Emerson Leão foi jogar no Corinthians, quando eu era vice-presidente de marketing da Democracia Corinthiana, movimento pelo qual ele não tinha grande simpatia porque achava que era uma democracia de três ou quatro. De todo modo, vale reconhecer que, mesmo sem aderir ao movimento, Leão foi peça fundamental na conquista do bicampeonato paulista, em 1983.

Ainda em 1974, talvez um pouquinho antes ou um pouquinho depois (daí a minha dúvida sobre qual foi o primeiro), fiz outro comercial envolvendo um craque do futebol brasileiro. Mas com uma diferença fundamental: optei por colocar como estrela a mãe do craque, e não ele, que apareceu no filme como mero coadjuvante.

O craque era ninguém menos que Roberto Rivellino, que, na época, era a maior estrela da Seleção brasileira. O produto a ser vendido: Calcigenol.

Nesse comercial, dona Olanda, mãe do Rivellino, contava que tinha dado Calcigenol para ele desde criancinha. Por isso ele cresceu forte, a ponto de ficar mundialmente conhecido como o homem da patada atômica.

O comercial foi outro grande sucesso graças à sua pertinência e principalmente à sua originalidade. No início dos anos 1970, Rivellino, a grande estrela no nosso futebol, fazia muitos comerciais, mas dona Olanda jamais tinha aparecido em qualquer um.

Um goleiro como o Leão para um comercial de frango e um meio-campista, com um chute fortíssimo, para um complexo vitamínico baseado em cálcio eram ideias mais ou menos óbvias – e talvez por isso fizeram tanto sucesso.

Mas durante esses anos todos de estrada fiz também comerciais com celebridades que dificilmente alguém imaginaria protagonizando um comercial.

Um dos mais famosos e surpreendentes foi o comercial do sapato 752 da Vulcabras, veiculado em 1991, com o sempre candidato – e algumas vezes eleito – Paulo Salim Maluf.

A ideia do comercial surgiu praticamente sem querer. Maluf, que mais uma vez ia se candidatar a algum cargo público, mesmo sabendo que eu não fazia campanhas políticas, resolveu me convidar para fazer a sua.

Por delicadeza, resolvi aceitar o convite para um encontro na casa dele em vez de já lhe dizer um não pelo telefone. Na verdade, eu tinha curiosidade em conhecer aquela figura.

Durante a conversa, agradeci o convite, reafirmei que não fazia campanhas políticas e, com toda a sinceridade, argumentei inclusive que não era seu eleitor. Maluf me disse que respeitava a minha opinião e me pediu que indicasse alguém.

Indiquei o Duda Mendonça, que na época já tinha feito algumas campanhas políticas vitoriosas no Norte e no Nordeste do país.

No meio da conversa com Maluf, me passou pela cabeça a ideia de que, numa campanha política, o candidato tem que andar muito, tem que gastar muita sola de sapato. Imaginei que o tema renderia um magnífico comercial para o 752 da Vulcabras, consagrado sapato dos trabalhadores brasileiros que andam muito, como os carteiros e os vendedores.

Olhei para o Maluf e disse: "Eu não aceito fazer a sua campanha, mas quero convidá-lo para fazer a minha." Expliquei a ideia de um comercial para o 752 e disse que ele podia doar seu cachê para uma instituição de caridade que ele escolhesse. Espertíssimo, Maluf percebeu que aquela era uma oportunidade para ele ganhar mídia permitida – e de graça – na televisão. Resultado: topou na hora.

Saí da casa dele e liguei imediatamente para o Pedro Grendene, que tinha acabado de comprar a Vulcabras.

Pedro se empolgou com a ideia e três dias depois o comercial foi filmado. Passado algum tempo, feliz com o sucesso do comercial, Pedro, que é gaúcho, me sugeriu que fizéssemos outro, mas dessa vez com o Brizola, que era candidato à presidência da República.

Como sou treinado para raciocinar desse jeito, eu disse a Pedro: "A ideia é ótima: fizemos o pé direito e agora vamos fazer o pé esquerdo."

Brizola também aceitou nosso convite na hora.

Obviamente, ele também percebeu a oportunidade de ganhar mídia permitida e de graça.

Confesso que fui muito bem tratado por Paulo Maluf durante o encontro que tivemos em sua residência, que ele foi muito cordial e elogioso comigo, me serviu um ótimo vinho, mas mesmo assim não saí encantado com ele.

Por outro lado, comi arroz com feijão e pastel com Brizola um dia antes da filmagem do comercial, para lhe mostrar o texto final.

Nesse dia ele me deixou impressionado. Gostei da sua inteligência, do seu senso de humor e da sua capacidade de rir de si próprio.

Ironizando a própria fama de ferrenho defensor da indústria nacional, ele me disse: "Veja, amigo Washington, quem desfruta dessas maravilhosas mulheres que temos aqui no Brasil, na verdade, são as multinacionais que fabricam as camisinhas. Nós brasileiros entramos apenas como mero suporte."

Maluf e Brizola não foram os únicos famosos da campanha do Vulcabras 752. Tivemos também figuras como Vicente Matheus, Joãosinho Trinta e Hebe Camargo.

Matheus, a quem ajudei a derrotar quando vencemos a eleição que consagrou a Democracia Corinthiana, mesmo apesar daquele episódio, sempre foi encantador comigo, tanto ele quanto sua esposa, Marlene. E acho que, apesar de todos os seus defeitos, Matheus foi o mais corintiano dos presidentes da história do clube.

Joãosinho Trinta era meu querido amigo bem antes de fazer o comercial. Sempre fui fascinado por conversar com ele, ouvir durante horas as suas divagações fantasiosas que misturavam mitologia grega com os morros do Rio de Janeiro.

E a Hebe – que virou minha amiga desde que passei a existir como "o menino prodígio da publicidade", quando ela já era, fazia tempo, a "dona da televisão brasileira" – foi também a pessoa que me deu a mais merecida bronca pública que levei em toda a minha vida.

Por um motivo até justo, mas injustificável, faltei a uma entrevista que tinha combinado de dar no seu programa ao vivo e a Hebe me advertiu no ar, com absoluta razão.

Depois disso, muitas e muitas vezes ela me cobriu de beijos e presentes, incluindo uma joia em forma de escapulário quando escapei do sequestro, em 2002, e os primeiros sapatinhos amarelos-ouro, em 2004, quando nasceram meus filhos Antônia e Theo.

■ ■ ■

SEMPRE ATRÁS DE PERTINÊNCIA e originalidade, convidei muita gente absolutamente inesperada para estrelar comerciais de televisão, como o então presidente mundial da Sony, Akio Morita, o maior empresário brasileiro da época, Antônio Ermírio de Moraes, e o fundador do Bradesco, Amador Aguiar.

Morita, na verdade, não apareceu no comercial. Gravou apenas a locução em off de um filme pela restauração do Pelourinho, em Salvador, que fizemos a pedido do Gilberto Gil. Nizan Guanaes, que nasceu no Pelourinho, coordenou emocionado esse trabalho.

Antônio Ermírio de Moraes, conhecido por ser um homem de grande estatura física e extremamente econômico, era o personagem ideal para o lançamento do Fiat Tipo, que tinha como principais características o fato de ser um carro espaçoso que gastava pouca gasolina.

Na época, eu morava na rua Gália, em São Paulo, em frente à casa do Antônio Ermírio. A bem da verdade, o quarteirão inteiro morava em frente à casa dele.

E eu, que sempre acordei cedo, observava muitas vezes ele saindo pra trabalhar na Beneficência Portuguesa, às 6 da manhã.

Quando tivemos a ideia do comercial, resolvi convidá-lo para um café da manhã na minha casa. Durante o encontro, eu disse que tinha uma proposta de trabalho para ele, que era conhecido como um grande trabalhador. Um trabalho diferente daquele a que estava habituado: estrelar um comercial de televisão da Fiat, com um bom cachê, que ele podia doar para a Beneficência Portuguesa.

Ele gostou da ideia e topou. Fizemos o comercial, que foi um sucesso, nos tornamos amigos e sua filha Regina, que estudava Comunicação, acabou estagiária da W/Brasil.

Na verdade eu havia tido, muito tempo atrás, a ideia de convidar um homem rico e bem-sucedido para estrelar um comercial doando o seu cachê para uma obra assistencial. Foi quando estive no Bradesco com o objetivo de convidar o Seu Amador Aguiar para fazer um comercial de umas camisas do Grupo Guararapes. Uma ideia mais do que óbvia: eram camisas típicas para quem trabalhava diariamente em trajes formais – homens simples, de terno e gravata. Enfim, camisas para bancários. Se o Seu Amador topasse fazer o comercial e cada funcionário do Bradesco comprasse uma camisa, a campanha já estaria paga.

Seu Amador me recebeu muito bem, ouviu minha proposta, disse que achava uma bonita ideia, mas não aceitava fazer. Não gostava de aparecer de jeito nenhum.

Agradeci dizendo que entendia, mas que esperava que ele, como grande trabalhador que era, compreendesse que eu tinha ido lá fazer o meu trabalho, que era convidá-lo. Ele me pediu que não insistisse, mas que o acompanhasse num café enquanto conversávamos sobre a publicidade dos bancos.

Acabei ficando quase duas horas numa sala em cima do salão dos diretores do Bradesco, com uma mesa simples, duas cadeiras, uma toalha de mesa comum, uma garrafa térmica cheia de café, duas xícaras, uma faca e um queijo parmesão Faixa Azul.

11.

AINDA NO CAPÍTULO UTILIZAÇÃO de celebridades e famosos na publicidade, para acertar em cheio é fundamental que os criadores estejam o tempo inteiro ligados em tudo o que acontece, em todas as conversas, em todas as notícias. E que os escolhidos sejam mais "cerebridades" que celebridades.

Um bom exemplo: certo dia, eu estava conversando com o William Bonner, que me contou que, depois de trocar o jornalismo pelo entretenimento, sua mulher, Fátima Bernardes, seria liberada pela Globo para fazer publicidade, mas queria estrear fazendo uma única campanha, para não desgastar sua imagem. Bonner, que antes de começar no jornalismo foi estudante de publicidade na ECA (Escola de Comunicações e Artes da USP), queria saber o que eu pensava sobre o assunto. Disse a ele que concordava com a postura da Fátima e guardei a informação para mim.

Tempos depois, fomos chamados na Seara, que estava interessada na WMcCann como agência.

Quem nos chamou para uma conversa foi o presidente da Seara, Gilberto Tomazzoni, que já me conhecia do tempo em que eu havia trabalhado para a Sadia, na DPZ e na W/Brasil, e o diretor de marketing, Eduardo Bernstein, também um ex-Sadia, que, segundo o meu amigo Flavio Conti, era um profissional muito competente – coisa que eu pude comprovar com o tempo.

Combinamos tudo num agradável almoço na sede da Seara, sem que houvesse necessidade de apresentações da agência nem concorrências.

Dias depois, tivemos a primeira reunião de briefing e a estratégia da Seara de se posicionar como uma opção à Sadia, com uma linha tão completa quanto a da concorrente, mas voltada para uma mulher mais moderna, contemporânea, que é casada, tem filhos, trabalha, é independente e opinativa, me fez lembrar da Fátima durante toda a reunião.

Quando voltamos para a agência, comentei com a minha equipe que, com a Fátima, podíamos concorrer com a Sadia sem agredir o concorrente, coisa que, se fosse feita, seria malvista pelo público, pois a Sadia era uma marca querida e respeitada.

Com a Fátima, que durante anos foi feliz dizendo "Boa noite!" e agora estava feliz dizendo "Bom dia!", podíamos mostrar na campanha que, na vida, as coisas boas não são únicas, não estão num só lugar, e assim convidar as consumidoras da Sadia a experimentarem os produtos da Seara.

Não tivemos dificuldade em criar a campanha nem em aprovar. A aceitação foi unânime.

Com a campanha aprovada, marquei com a Fátima um encontro no Rio de Janeiro, para saber se ela gostava da ideia. Fiz questão de deixá-la à vontade para alterar qualquer palavra que eventualmente não se sentisse bem dizendo. Fátima gostou de tudo, aceitou fazer e, dias depois, a minha turma de atendimento resolveu os termos do contrato com a empresária da Fátima e o cliente.

A campanha estreou em fevereiro de 2014, com enorme sucesso. Em pouco tempo as consumidoras perceberam que a Seara não era só uma produtora de frangos e passaram a experimentar a linha de produtos inteira.

Em pouco tempo também, a BR Foods, dona da Sadia, tentou reagir, posicionando a sua outra marca, a Perdigão, que tem menos status, como a concorrente da Seara. Mas nós insistimos na nossa estratégia de ir atrás da consumidora da Sadia.

A estratégia se consagrou totalmente naquele comercial em que uma família pede a um fatiador de frios "aquele presunto que tem menos sódio, que o nome começa com S e termina com A e tem cinco letras". Depois de o fatiador responder "Seara, é claro!", aparece a Fátima com o fechamento: "Saia do automático. Experimente o presunto Seara."

O comercial era extremamente simpático, divertido, nada agressivo, mas a Sadia, que estrategicamente deveria ter se fingido de morta, resolveu reclamar tanto no Conar quanto na justiça comum. Resultado: suas reclamações foram refutadas em ambos os lados, o que acabou aumentando a repercussão do comercial da Seara.

Em 2016, a Seara resolveu ampliar a sua linha lançando produtos mais sofisticados, produzidos na Europa, a começar por um presunto feito em Parma, numa estratégia mercadológica em que a geração de prestígio para a marca-mãe era até mais importante que o volume de vendas da novidade.

Para essa campanha, propositalmente, não utilizamos a Fátima, que era a porta-voz oficial da grande linha Seara, e fomos buscar como porta-voz da pequena linha Gourmet uma "cerebridade" mundial, descendente de italianos, reconhecido apreciador da boa mesa e sócio de restaurantes famosos, o ator Robert De Niro.

Os dois comerciais com De Niro foram filmados em Parma – e eu não fui às filmagens. Apesar de achar Parma uma linda cidade e ter curiosidade de conhecer o Robert De Niro pessoalmente, não fui porque tenho como filosofia de trabalho brifar muito bem os diretores sobre o que pretendo do filme antes das filmagens – e não aparecer pessoalmente em nenhum dos sets.

Mais do que isso: recomendo a todas as minhas equipes que também se comportem assim. Criadores e clientes que vão às filmagens obrigam o diretor a dar mais atenção a eles do que ao filme. Às vezes acabam dando palpites desnecessários e, ainda por cima, perdem o direito de recusar qualquer coisa de que não gostarem exatamente porque participaram da feitura.

Não vou a filmagem alguma, seja com figurantes, com artistas desconhecidos, com artistas conhecidos, com amigos, com o Robert De Niro ou com a Gisele Bündchen, com quem, por sinal, fiz quatro lindos comerciais, sem ter ido à filmagem de nenhum deles.

Sempre me comportei assim e certamente por causa disso, mesmo tendo criado e produzido milhares de comerciais nesses anos todos de trabalho, tive pouquíssimas decepções com o resultado final.

Conto nos dedos as vezes que fui a alguma filmagem na minha vida. Quando isso aconteceu, foi sempre a pedido de algum cliente ou até mesmo de algum diretor. Lembro bem de uma ocasião em que meu filho Homero, que tinha menos de 10 anos, foi convidado pelo Julinho Xavier da Silveira para protagonizar um dos comerciais de lançamento do video game Atari no Brasil. Como eu era um dos criadores da campanha, preferia que o Julio escolhesse outro menino, mas ele achava que o Homero, por já ter um Atari, que eu havia trazido de Nova York, ia agir com mais naturalidade do que um garoto estreando com um video game. Não tive como escapar e acabei na filmagem como pai do ator, uma espécie de versão masculina de mãe de miss.

12.

NÃO FREQUENTAR OS SETS de filmagem dos comerciais, deixando os diretores trabalharem com total liberdade, sempre foi um dos meus truques para chegar naquilo que os anglo-saxões chamam de *excellence in advertising*. Mas é evidente que a feitura de um excelente comercial depende de muitos outros fatores que aos poucos vou tentar explicar.

Posso garantir que só comecei a dominar todo o processo de criação e produção de comerciais depois que fui trabalhar na DPZ. Antes disso, apesar de ter vivido a atipicidade de ganhar um Leão de Bronze no Festival do Cinema Publicitário, em Veneza, com o primeiro comercial que escrevi na vida, não tive a oportunidade de criar e liderar a produção de muitos comerciais.

Tanto na Lince quanto na Casabranca, quando um comercial era aprovado, quem comandava o processo de produção eram os diretores de criação – Sérgio Graciotti e Armando Mihanovich. Eu, que trabalhava como redator, no máximo escrevia alguns roteiros em dupla com o Nelo Pimentel ou o Gabriel Zellmeister e depois só via o filme quando já estava pronto.

Curiosamente, a agência que ajudou a construir minha reputação como criador e produtor de comerciais não tinha reputação de fazer grandes trabalhos de televisão e cinema antes da minha chegada. Até aquele momento, os concorrentes da DPZ chamavam os DPZs de "Os Gutenbergs", um elogio irônico à excelência do trabalho impresso da agência e, por tabela, uma crítica ao trabalho eletrônico.

Esses comentários continham muitos traços da inveja que a DPZ, a agência da moda, despertava nas concorrentes, mas continham também uma certa verdade: os DPZs eram realmente mais impressos que eletrônicos. Agências como a Alcantara Machado Periscinoto, a Julio Ribeiro Mihanovich e a Lince Propaganda, que depois se juntaram formando a Casabranca, faziam um trabalho eletrônico que, na média, podia ser considerado um pouco melhor. Assim como também podia ser considerado um pouco melhor o trabalho da Denison, que contava com os brilhantes criadores Ercílio Tranjan e Sylvio Lima.

Ercílio, um dos melhores diretores de criação da história da publicidade brasileira, foi uma espécie de "minha agência de publicidade" no início da minha vida profissional. Depois de ver meu portfólio, apesar de não ter uma vaga na sua equipe para me contratar, ele fez questão de ligar para todos os seus amigos do mercado contando que havia descoberto um jovem redator que tinha um ótimo portfólio com apenas três meses de profissão. Graças a ele, recebi propostas da Standard, da Thompson e da Lince – para onde acabei indo.

Anos depois, Ercílio, com seu olhar sempre atento e sua generosidade habitual, descobriu e me recomendou novos talentos que acabei contratando, como o Rynaldo Gondin, o Marcelo Conde e o Eiji Kozaka.

Minha chegada na DPZ, em 1973, coincidiu com a chegada no Brasil do diretor de comerciais – polonês de nascimento, inglês na infância e argentino na juventude – Andrés Bukowinski, que fala fluentemente a língua desses três países sem nunca ter sido alfabetizado ou aprendido a escrever em nenhum deles.

Andrés é certamente o mais sofisticado analfabeto do planeta. Muito jovem e morando na Argentina, se tornou um diretor de comerciais consagrado, sendo o primeiro sul-americano a ganhar um Leão de Ouro em Cannes. Mas, de repente, resolveu abandonar seu sucesso portenho e aceitar um convite de José Zaragoza para dirigir filmes no Brasil. A publicidade argentina ia mal devido às repetidas crises econômicas, enquanto a publicidade eletrônica no Brasil se desenvolvia graças à TV Globo.

O outro motivo para Andrés vir para o Brasil envolvia uma mistura de curiosidade e necessidade. Ele teria ouvido falar que, no Brasil, havia surgido um jovem criador que fazia roteiros sensacionais e, como diretores de comerciais não vivem sem roteiros sensacionais, Andrés resolveu conhecer o tal jovem criador.

Esse jovem criador era eu. Nos conhecemos e ficamos amigos para sempre. Fizemos milhares de comerciais juntos, ganhamos todos os prêmios possíveis e imagináveis e até entramos para o *Guinness Book of Records* com o Garoto Bombril.

Meu desenvolvimento como criador de comerciais na DPZ só foi possível devido à belíssima carteira de clientes que a agência possuía, à liberdade criativa que a agência me dava e à generosidade de Francesc Petit, que, percebendo a minha paixão por aquilo, delegou a mim a liderança dos nossos comerciais, se contentando em ficar em segundo plano.

Muitas vezes tive até que alijar Petit das reuniões de produção, quando percebia que seu preciosismo gráfico estava valorizando exageradamente a forma em detrimento do conteúdo. No início ele chiava, mas depois entendia e, no fim, aplaudia.

Publicidade foi, é e sempre será conteúdo. A forma tem como função expressar o conteúdo da melhor maneira possível. Quando a forma aparece demais, o conteúdo desaparece.

É evidente que existem alguns casos em que a forma é o conteúdo, particularmente em categorias como moda ou perfumes. Mas, nas outras categorias, que são a maioria, o fundamental é o conteúdo. O fundamental são as grandes ideias.

Ao contrário do filme de longa-metragem, que é um cinema de diretores, o filme publicitário é um cinema de roteiristas.

As melhores ideias são aquelas em que os criadores desaparecem: são ideias tão óbvias e tão pertinentes que parecem ter sido criadas pelo próprio produto.

Exatamente por causa disso os melhores criadores não têm estilo – e os melhores diretores, também não.

O inglês John Webster jamais teve estilo e talvez tenha sido o maior criador de comerciais da história da publicidade.

O norte-americano Joe Pytka jamais teve estilo, e certamente é o maior diretor de comerciais da história da publicidade.

Um criador de comerciais escrever roteiros de longa-metragem e ter sucesso não é um fato tão comum assim, mas pode acontecer, como aconteceu com Lawrence Kasdan, que trabalhou como redator em agências de Detroit e Los Angeles, chegou a ganhar um Clio com uma das suas primeiras campanhas, mas passou a se dedicar apenas ao cinema depois que escreveu o roteiro do megassucesso *O Império contra-ataca*.

Já um diretor de comerciais dirigir longas-metragens é quase uma consequência natural, mas o sucesso é sempre uma incógnita.

Surpreendentemente, não aconteceu com Joe Pytka nem com Julinho Xavier da Silveira quando eles fizeram seus longas, mas aconteceu com os anglo-saxões Ridley Scott, Alan Parker, Adrian Lyne e com os brasileiros Walter Salles, Fernando Meirelles, Andrucha Waddington e Breno Silveira.

Voltando ao meu início na DPZ, posso afirmar que, logo após a minha chegada, a imagem da agência, que já era ótima, começou a ficar ainda melhor. E é obvio que não foi só por minha causa: tínhamos um timaço recém-montado com talentos como João Augusto Palhares Neto, Laurence Klinger, Kelio Rodrigues, Helga Miethke, Joaquim Gustavo Pereira Leite, o Joca, e Hector Tortolano. E tínhamos principalmente o D, o P e o Z.

Fomos a agência do ano de 1974 e deixamos de ser vistos como a agência de muitos Gutenbergs para sermos vistos também como a agência de alguns Lumières.

Esse fato se consumou verdadeiramente em 1975, quando conquistamos em Cannes o primeiro Leão de Ouro da história da publicidade brasileira com o filme *Homem de 40 anos*.

Curiosamente, a ideia do filme surgiu de um anúncio de jornal e quem me deu a ideia de criar esse anúncio não foi nenhum dos grandes talentos da nossa equipe, mas meu pai, Wilson Olivetto.

Conversando com ele num jantar, no início de 1974, ele comentou que considerava um verdadeiro absurdo o fato de a maioria dos anúncios classificados das empresas recrutando profissionais trazerem explicitamente uma frase preconceituosa que segregava de imediato os homens mais experientes: "Idade máxima, 40 anos".

Meu pai, que havia acompanhado com entusiasmo a campanha que tínhamos feito, em 1973, pelos menores abandonados da cidade de São Paulo, sugeriu que fizéssemos uma campanha pelos "maiores abandonados do Brasil".

A campanha pelos menores abandonados de São Paulo que impressionou meu pai era assinada pelo CNP – Conselho Nacional de Propaganda, uma entidade séria que conseguia espaços na mídia para campanhas criadas gratuitamente pelas agências, na tentativa de ajudar na solução de problemas sociais.

Essa postura do CNP era inspirada na publicidade norte-americana dos anos 1960, que, depois da revolução criativa promovida pela DDB, começou a fazer campanhas sociais com frequência.

Das muitas peças que eu me lembro dessas campanhas norte-americanas, talvez a de que eu mais goste até hoje seja um anúncio de revistas que pedia doações para uma entidade especializada em criar profissões para pessoas com problemas de locomoção e arranjar emprego para elas. O anúncio mostrava a foto de um homem sentado numa cadeira de rodas, consertando uma televisão colocada numa mesa a sua frente, e o título dizia: "Você está vendo uma televisão consertando um homem."

A campanha criada pela DPZ e assinada pelo CNP, em 1973, pedindo a doação de bolsas de estudos para os menores abandonados da cidade de São Paulo era bastante criativa, gerou a doação de centenas de bolsas, ganhou todos os prêmios daquele ano e me ensinou muito sobre como fazer campanhas sociais.

Portanto, não foi tão difícil para mim pensar numa ideia para o problema do desemprego dos homens com mais de 40 anos. Imaginei que o dia 1º de Maio, Dia do Trabalho, seria perfeito para lançarmos, com dramaticidade, uma campanha que falasse de desemprego. E que o melhor veículo para atingir o nosso público-alvo, os empregadores, seriam os jornais, onde eles mesmos publicavam seus classificados com a frase preconceituosa estampada em negrito: "Idade máxima, 40 anos".

Escrevi o título: "Homens de 40 anos oferecem seus préstimos profissionais para empresas de pequeno, médio e grande porte. Cartas para a rua da amargura sem número." E redigi também um texto longo e forte.

Contei a ideia para o Petit, que adorou o título e o texto e criou na hora um layout que valorizava ao máximo a ideia do anúncio. Na parte de cima da página, a foto de um homem de 40 e poucos anos, de terno, gravata meio frouxa, cara de exausto, sentado num banco de praça, folheando um jornal. Embaixo dessa foto propositalmente melancólica, o título, na respeitável tipografia Clarendon Condensed Bold, na fonte tamanho 30. E abaixo do título, numa fonte menor, 14, o texto bem diagramado, na didática tipografia Goudy Old Style. Uma obra-prima de layout.

O anúncio, publicado nos jornais do dia 1º de maio de 1974, foi um grande sucesso. Virou assunto das rádios, das televisões e dos próprios jornais. Empresários e políticos se manifestaram elogiando. E o dono de uma metalúrgica do Grande ABC, em São Paulo, num gesto que até hoje eu não sei se foi de oportunismo ou de ingenuidade, deu uma entrevista para o *Jornal da Tarde* criando o preconceito ao contrário: anunciou que, a partir daquele dia, a sua metalúrgica só contrataria homens com mais de 40 anos.

Quem também se manifestou no mesmo dia, assim que leu o anúncio, foi o sócio do Andrés Bukowinski, Oscar Caporale, que me ligou elogiando o trabalho impresso, mas afirmando que uma ideia como aquela merecia um filme.

Enfatizou que a sua produtora, a ABA Filmes - Andrés Bukowinski e Associados, produziria esse filme de graça, com o maior prazer, desde que fosse uma ideia simples, que não precisasse de grandes investimentos em produção, e que alguém conseguisse a veiculação gratuita nos programas jornalísticos da televisão e nos cinemas de prestígio, as duas mídias eletrônicas que naquela época eram as mais adequadas para atingir os empresários.

O CNP, por meio do seu diretor-executivo Joel La Banca, conseguiu os espaços de mídia e eu escrevi um texto que resumia o conteúdo do anúncio impresso para ser narrado pelo Mario Lima, voz padrão da elegante Rádio Eldorado de São Paulo.

Enquanto ouviam o Mario Lima, os espectadores viam na tela as fotos em preto e branco de homens bem-sucedidos com mais de 40 anos que traduziam visualmente um roteiro bastante simples, baseado na decisão do Andrés Bukowinski de filmar as fotos granuladas, com as retículas características dos jornais - o que emprestava àquele trabalho publicitário a estética e a credibilidade típicas do jornalismo.

Vinte e quatro anos depois - a meu pedido -, Andrés voltou a utilizar esse mesmo recurso, mas com um impacto ainda maior, na produção de outro clássico da propaganda mundial: o filme *Hitler*, da *Folha de S.Paulo*, narrado pelo Ferreira Martins.

Tempos depois, Andrés repetiria essa técnica em outros filmes produzidos para a *Folha*, como os históricos *Collor antes e depois do impeachment*, também narrado pelo Ferreira Martins, e o antológico *Os presidentes*, narrado pelo ator Luiz Gustavo, o Tatá.

Cito o nome dos narradores desses filmes devido à importância do trabalho deles para a excelência do produto final. No cinema publicitário, em muitos casos, trilhas sonoras e locuções são responsáveis por mais de 50% do sucesso de um filme. *Homem de 40 anos*, *Hitler*, *Collor antes e depois do Impeachment* e *Explicação* são bons exemplos disso.

Pablo Picasso, Louis Armstrong, Charles de Gaulle, Frank Sinatra e o papa Paulo VI eram alguns dos bem-sucedidos homens com mais de 40 anos que apareciam na sequência de fotos do filme. Entre eles, optamos por colocar apenas dois brasileiros: Jorge Amado e o então presidente general Ernesto Geisel.

Jorge Amado, a exemplo dos outros citados no filme, já era conhecido no mundo inteiro. Geisel, por sua vez, mesmo não tendo a mesma estatura intelectual dos outros protagonistas, presidia o país onde o preconceito que o filme combatia estava acontecendo e, portanto, não podia ser esquecido.

Por falha nossa, não colocamos Tom Jobim, que na época estava com 47 anos e já era conhecido mundialmente.

O filme terminava com a famosa foto de Albert Einstein em close, mostrando a língua para a câmera, e a assinatura do CNP.

Assim que ficou pronto, o comercial *Homem de 40 anos* foi bastante veiculado nos intervalos dos programas jornalísticos da televisão e nos cinemas de maior prestígio. Com essas veiculações, a causa repercutiu novamente em toda a mídia, numa proporção bem maior do que a provocada com a veiculação do anúncio impresso, e rapidamente surgiu um projeto de lei – que pouco depois virou lei – proibindo a frase "Idade máxima, 40 anos" nos anúncios classificados das empresas.

Meses depois, o comercial conquistou o tão ambicionado primeiro Leão de Ouro do Brasil no Festival do Cinema Publicitário, que naquela época ainda se alternava entre Veneza e Cannes.

A conquista desse prêmio me deu muita visibilidade no meio publicitário e também um pouco fora dele. E, mais do que isso, me deu confiança.

A partir daquele momento, Petit e eu começamos a subir consideravelmente o nível de qualidade dos comerciais da DPZ, baseados em princípios que valiam para aquela época e continuam valendo até hoje:

Criar sempre ideias simples, que normalmente são as melhores, privilegiando o conteúdo em vez da forma.

Evitar concorrências de orçamento entre produtoras, o que apenas demonstra falta de conhecimento e segurança para decidir quem são os profissionais indicados para fazer o filme. Nessas circunstâncias, os preços, ao invés de cair, muitas vezes acabam subindo.

Lutar por prazos de produção corretos, pois em cinema a falta de tempo aumenta os custos e diminui a qualidade.

Envolver o mínimo de gente possível nas reuniões de produção e nas decisões sobre o filme, porque gente demais não serve pra nada, só atrapalha.

Dar o máximo de liberdade aos diretores e assumir 100% dos riscos junto aos clientes.

Baseados nesses princípios e trabalhando na maior parte dos filmes com o já experiente Andrés Bukowinski, Petit e eu passamos a fazer comerciais muito melhores que a maioria do mercado brasileiro, incluindo muitos da própria DPZ, tanto que rapidamente José Zaragoza e Neil Ferreira resolveram buscar para trabalhar com eles o diretor que fazia a diferença de qualidade na Alcantara Machado Periscinoto.

O diretor era o Julio Xavier da Silveira, o Julinho, que dividia com Andrés Bukowinski a reputação de ser um dos dois melhores do mercado. Ele tinha acabado de sair da Almap para dirigir filmes na Espiral, a produtora do casal Rosa e George Jonas.

Julinho começou seu trabalho para a DPZ dirigindo um clássico, o comercial *A morte do orelhão*, criado por Neil Ferreira, Nelo Pimentel e José Zaragoza. Já admirava a atuação do Julio na Almap e adorei aquele primeiro trabalho para a DPZ. Como ele passou a frequentar a agência nas reuniões de produção com Zaragoza, Neil e Nelo, acabei me aproximando dele e logo fizemos uma grande amizade.

Naquele momento, Petit e eu criávamos mais ideias de filmes do que o Andrés tinha tempo de filmar e, às vezes, vocação para dirigir. Como já trabalhávamos com outros diretores, era mais do que lógico que passássemos a trabalhar também com o Julio.

Entre os muitos comerciais que fizemos naquele período, um ficou tão famoso que acabou sendo refeito e veiculado pelo anunciante em 2014, mais de trinta anos depois de ter sido criado: o filme *Chambinho, o queijinho do coração*, com meninos e meninas cantando "Carinhoso", o clássico de Pixinguinha.

Com aquele filme de características totalmente emocionais, o Chambinho começou a ocupar o espaço do líder Danoninho, que anunciava de maneira mais racional: "Danoninho vale por um bifinho". A propósito, o tema "vale por um bifinho" foi proibido anos depois pelo Conar, por não ser comprovável.

Chambinho, o queijinho do coração, além de fazer muito sucesso com mamães e crianças, me fez grande amigo do cliente, Avelar Vasconcelos, que, a partir daquele trabalho, passou a confiar em mim cegamente.

Essa confiança aumentou ainda mais tempos depois, quando liguei para Avelar pedindo que ele recusasse um filme que eu havia apresentado, e ele havia aprovado, no dia anterior. Tudo porque eu achava que podíamos fazer algo melhor.

Avelar ficou maravilhado com a minha atitude e passou o resto da vida falando dela, dentro da Nestlé, na Associação Brasileira de Anunciantes, onde foi presidente, e até mesmo num emocionado e-mail que me mandou quando se aposentou.

Esse e-mail foi publicado com a concordância de Avelar Vasconcelos, na revista *About* de 9 de dezembro de 2003, numa matéria da jornalista Gisele Centenaro sobre como podiam e deviam ser as relações cliente e agência – que naquele momento começavam a se deteriorar.

Como de lá para cá essas relações têm piorado, tomo a liberdade de publicar aquele e-mail novamente:

"Amigo Washington: Finalmente chegou o dia. Foram mais de 35 anos dedicados à Nestlé, a única empresa em que trabalhei. Fato raro hoje em dia!

Após adiar a minha saída três vezes por solicitação do Ivan, finalmente 'penduro as chuteiras', amanhã, 28 de novembro. Vou recomeçar minha vida.

Vou respirar outros ares, vou colocar o que aprendi nesses longos anos à disposição de mais gente, seja fazendo consultoria, seja fazendo palestras, seja escrevendo.

E nesse momento importante da minha vida, do alto desses 35 anos descortino o horizonte em busca de algo e encontro você.

Um garoto terrível, "enfant terrible", irrequieto, curioso, alegre, brincalhão, apaixonado e criativo! O 'W' que completava a DPZ, ou seja a DPWZ. O 'W' que criou W, um W brasileiro, um 'W/Brasil'. Mas antes disso, antes de criar a 'W', você criou comigo a 'Chambourcy', sem falar na Yopa.

Não sei quem é o pai ou quem é a mãe. Digamos que fizemos os dois papéis, tá bom assim?

E, Washington, foram anos memoráveis. A sua mente fértil a funcionar o tempo todo. A criar coisas até quando não eram "necessárias". E foi numa dessas 'desnecessidades' que você me contou um novo comercial para o Chambinho por telefone, que por telefone aprovei, sem 'necessidade', que só vi depois na querida moviola, que não 'aprovei' formalmente, porque me limitei a abraçar toda a equipe que estava naquele porão de prontidão numa tremenda expectativa, foi uma dessas 'desnecessidades', repito, que se tornou uma obra-prima da propaganda brasileira, o comercial do Chambinho, com o tema 'Carinhoso'.

Esse comercial mudou a história do Chambinho no mercado: demos um salto em vendas, em penetração, em share. E veja que diziam que ele era muito 'soft'! E por acaso coração não interessa às pessoas? Pobres 'intelectuais' censores da propaganda! Tem coisa mais bonita e atraente de dizer que: 'Meu coração bate feliz quando te vê'? Pois é, e os comerciais foram se sucedendo com os lançamentos que não paravam. E veio o Chamour, 'Uma declaração de amor', e veio o Bliss, 'A bebida saudável', e veio o lançamento do flan com gatilho (lembra-se do ladrão algemado, mas que recebe do guarda que o prendeu uma colher do flan na sua boca?). E assim fomos criando uma personalidade para a Chambourcy. Danone era razão, nutrição (cálcio, vitaminas, proteínas e sais minerais).

Chambourcy era coração, ternura, carinho, saudabilidade. E assim, com essas ideias 'tolas', suaves, conquistamos o coração dos brasileiros.

De coração para coração. Parece até programa de alto-falante das cidadezinhas do interior da minha infância gostosamente nordestina!

Conquistar o coração dos brasileiros significava conquistarmos a liderança do mercado. E assim foi feito. Mas, para chegar a esse grande feito, houve muita dedicação, eu diria mesmo, muita paixão da sua parte. Total identificação com o nosso projeto, com a nossa 'religião'. Outros dirão que Chambourcy virou uma cachaça para nós.

Mas me lembro bem de três momentos especiais de atitudes suas de total mergulho no nosso negócio que me marcaram. Um momento foi quando discutíamos um comercial na DPZ (eram sempre lá nossas reuniões-saraus), com o Ivan e comigo, e depois de muita conversa você me 'convenceu'.

Voltando para casa, discutindo com o Ivan no meu famoso Dodge Dart Le Baron, eu dizia: 'Ivan, não estou me sentindo bem com aquele comercial.'

Parecia que estava com o estômago embrulhado.

Pois bem, no dia seguinte logo cedo, você me telefona (ainda bem que não havia ainda e-mail) e diz: 'Avelar, acho que aquela ideia não ficou legal, não é? Vamos começar de novo!' Esse era o Washington (que deve continuar sendo ainda). Em outra oportunidade, você já tinha me apresentado vários roteiros para uma simples promoção, mas que era a primeira em iogurtes, com um coração de ouro. E não se chegava a uma solução. No fim de semana nos encontramos no Grande Hotel de Águas de São Pedro. E fomos passear no bosque. Para falar da promoção. E finalmente lá, no meio daquelas árvores centenárias, encontramos a saída, que era um comercial com o Chacrinha (no caso o Ferrugem, imitando o Chacrinha). E foi um sucesso estrondoso. Assim trabalhava o Washington. E mais um momento. Dessa vez com a Yopa. Todos os nossos comerciais eram produzidos pelo Julinho Xavier, por sua indicação. Ele fazia parte da equipe. Era totalmente coração. Mas, para o lançamento do 'Danki 21', você queria que eu utilizasse o Andrés. Você tentou me convencer. Trouxe um rolo dele. Vi. Terminei por 'aprovar'. Você rodou o comercial. Me mostrou já pronto. Fiquei frio. Como frio era o comercial. Frio mas bonito, plástico e bem-feito. Como os móveis suecos. Mas cadê o coração, cadê o carinho, cadê a ternura? Mesmo assim, em homenagem a você aprovei. E no dia seguinte já se adivinha.

Washington liga: 'Avelar, vou fazer um outro comercial!' Agora era o Washington que homenageava o Avelar. Esse era o Washington, esse é você, Washington.

Bom, Washington, já escrevi demasiado. Agora vou respirar outros ares. Vou tentar dividir com mais gente o muito que aprendi nesses anos, inclusive esses momentos inesquecíveis com você.

Vou fazer palestras, vou escrever.

Espero encontrá-lo por aí nessa nossa apesar de tudo gostosa Pauliceia, para rememorarmos o passado, também, mas para perscrutarmos o futuro, certamente.

Um forte e cordial abraço,

Avelar."

■ ■ ■

O GENEROSO AVELAR VASCONCELOS FEZ, durante muitos e muitos anos, um magnífico trabalho como diretor de marketing da Nestlé e acho que só não virou o presidente da empresa porque não tinha o biótipo para ser presidente de uma multinacional suíça. Era sergipano, baixinho, gordo e atarracado.

Independentemente do seu biótipo, que é também o de um homem pequenino, mas no caso magro e esguio, por causa da macrobiótica, Julio Xavier da Silveira fez um trabalho de gigante na DPZ.

Começou na agência por iniciativa da dupla Zaragoza e Neil, mas acabou fazendo trabalhos em maior quantidade para a dupla Petit e Washington, porque nós tínhamos um número de clientes que faziam mídia eletrônica maior do que o deles.

Por ser um diretor sem estilo, capaz de contar bem qualquer história, elegemos Julinho para dirigir desde filmes românticos como *Guaraná Taí. Primeiro beijo*, até humorísticos como *Drury's, o whisky do Bebe Quieto*, passando por campanhas já com pitadas de tecnologia, como o lançamento de Atari, trabalhos que misturavam a película do cinema com a cenografia do teatro, como *Banco que vira casa*, do Itaú, e produções complicadas para a época, como o filme de Atari, no Natal de 1985, com sósias dos presidentes Ronald Reagan e Leonid Brejnev.

Além do Andrés e do Julinho, que faziam a maioria dos nossos comerciais, Petit e eu trabalhávamos também com outros diretores do primeiro time daquela época, como o Claudio Meyer, o Ronaldo Moreira, o Carlos Manga, o Dorian Taterka e o João Daniel Tikhomiroff.

Com o Claudio Meyer fizemos um famoso filme do Caixa Eletrônico Itaú que tinha como trilha sonora o clássico de Cole Porter "Night and Day".

Com o Ronaldo Moreira fizemos alguns filmes da Sadia, em que a fotografia de comida precisava ser exuberante, coisa que o Ronaldo sempre fez com maestria.

Com o Carlos Manga fizemos uma superprodução para a Levi's, fato raro entre os roteiros que escrevi na vida.

Com o Dorian Taterka fizemos a campanha da maionese Gourmet, com gente tentando falar francês, ganhadora do Profissionais do Ano da Rede Globo, e o comercial *Freiras*, da loção cremosa Johnson, Leão de Ouro de Cannes e tido pelo Carl Ally, que presidiu o júri do festival, como o grande comercial daquele ano.

E com o João Daniel fizemos alguns comerciais dos cigarros Hollywood, com hits internacionais, que acabaram virando hits também no Brasil, e um bilhante comercial de cinema para a sobremesa Chandelle, da Nestlé, chamado *O projecionista*, também ganhador de um Leão em Cannes.

Foi trabalhando com o João Daniel que conheci sua sócia Patrícia, minha mulher, mãe dos meus filhos gêmeos, Antônia e Theo.

Patrícia estudou Relações Internacionais na UNB e se formou em Direito no Mackenzie. Em seu último ano de faculdade, começou a trabalhar no departamento de rádio e televisão da Lintas Publicidade, pegou gosto pela produção e de lá foi para a Jodaf, onde virou produtora executiva e posteriormente sócia da empresa. Anos depois foi fundadora de uma outra produtora muito bem-sucedida, a Conspiração Filmes. Patrícia só parou com a produção de cinema e comerciais em 2004, quando nasceram os gêmeos. Resolveu vender sua parte na Conspiração para os próprios sócios e se dedicar à educação das crianças.

Antes disso, como sócia da Conspiração, ganhou o Prêmio Caboré na Categoria Profissional de Produção de 2001, ano em que a W/Brasil ganhou mais uma vez o Caboré na categoria Melhor Agência, o que fez de nós dois o único casal da história da publicidade a ganhar o Caboré no mesmo ano.

Patrícia e eu nos conhecemos quando eu ainda estava na DPZ, mas nossa história só começou anos depois, quando eu já era sócio da W/GGK, que depois virou W/Brasil.

Tanto a W/GGK como a W/Brasil foram beneficiárias da reputação que eu havia construído nos meus anos de DPZ como criador de bons roteiros e gestor dos melhores processos de produção.

Eu era ao mesmo tempo o profissional para quem os diretores queriam trabalhar, pela qualidade dos roteiros que criava com a minha brilhante equipe, e era também o queridinho das produtoras, por não promover concorrências desnecessárias, por dar liberdade aos diretores e jamais pedir os famigerados BVs de produção, prática descabida, totalmente inconcebível, que acontecia em muitas agências.

No início, mesmo não tendo um volume de filmes muito grande para produzir, contávamos sempre com o apoio e o talento da ABA, do Andrés Bukowinski; da Espiral, da Rosa e do George Jonas, onde trabalhava o Julinho; e da Jodaf, do João Daniel.

Naquele início, Andrés produziu uma série de filmes de

quinze segundos para a Bombril brilhantemente interpretados pelo Carlinhos Moreno e os filmes *Alarme* e *Hitler* para a *Folha de S.Paulo*.

Julinho produziu os adoráveis frentistas do Posto São Paulo e o *Valisère, o primeiro sutiã*. E João Daniel produziu o filme *Mulher feia*, da Max Factor, interpretado pela Deni Block, irmã da Débora Block, e o filme *Passeata*, dos jeans Staroup.

Curiosamente, *Passeata*, que tem ótimos roteiro, produção e direção, tem também a glória de ser um dos Leões de Ouro mais vaiados da história de Cannes.

Coisa que aconteceu porque o filme concorreu em 1988, vinte anos depois do maio de 1968, com o tema fervilhando, e por causa disso, assim que viram a primeira cena mostrando um confronto entre estudantes e policiais, um grupo de franceses começou a vaiar, o que contagiou o auditório.

Como as vaias foram se multiplicando, ninguém jamais ouviu – nas projeções para os delegados do festival, incluindo o dia da cerimônia de premiação – a locução do filme, que na verdade debochava da violência dos policiais.

Essa locução, que fazia um contraponto com as imagens, era o grande mérito do filme que o júri isolado ouviu, entendeu e votou unanimente para Leão de Ouro.

Antes de *Passeata*, tive outros dois filmes estrepitosamente vaiados em Cannes: *Homem frustrado* – segundo Leão de Ouro da publicidade brasileira, brilhantemente interpretado pela Irene Ravache, que ganhou o único ouro da categoria, vencendo um filme francês que era a única chance que os franceses tinham de ter um ouro aquele ano, o que deixou a maioria do auditório, que era predominantemente francesa, puta da vida – e o comercial da boneca Amore, da Estrela, que em 1985 irritou profundamente alguns precursores das associações de defesa dos direitos das crianças, na sua maioria nórdicos, que não gostaram nem um pouco da brincadeira de comparar uma boneca que falava com um bebê de verdade ainda balbuciante.

Voltando à produção eletrônica da W/Brasil, com o crescimento rápido da agência o número de filmes criados para serem produzidos aumentou consideravelmente. Foi assim que pudemos acrescentar novas produtoras e diretores ao nosso time, que na maior parte do tempo já contava com o Andrés, o João Daniel e o Julinho, que acabou virando diretor exclusivo da agência em tempo integral.

Foi nessa época que se consolidou a reputação da W/Brasil como a agência das produtoras e dos diretores consagrados – e das produtoras e dos diretores que seriam os próximos consagrados.

Acrescentamos ao nosso time de produtoras a Olhar Eletrônico, do Fernando Meirelles, e a Andrea Barata Ribeiro, que já produzia boa televisão e bons comerciais desde 1981. Dez anos depois, a Olhar Eletrônico se transformou na bem-sucedida O2 Filmes.

Acrescentamos também o Tadeu Jungle, que era diretor freelancer, para quem dei liberdade de utilizar a estrutura de produção que quisesse, e a Videofilmes, do Waltinho e do João Moreira Salles.

Fizemos alguns filmes com o Waltinho, como os primeiros comerciais do Boticário, para a Europa, e os comerciais da Triton, com a canção "Maddy, Maddy, Cry", que lançou Papa San no Brasil, e o "Rock do jegue", que ressuscitou o Genival Lacerda.

No meio disso, acabei convencendo o João Moreira Salles, que até aquele momento só fazia documentários e tinha terminado a sua série *América*, a também dirigir comerciais, coisa que ele fez com competência até que resolveu se dedicar novamente aos documentários e lançar a sua revista, a *Piauí*.

Naquela época, dentro da Videofilmes já existia um embrião da Conspiração Filmes, que no seu início só fazia videoclipes e estreou fazendo comerciais, produzindo um filme para a Fotoptica, cliente da W/Brasil.

Esse comercial fez com que o João Moreira Salles tivesse a ideia de lançar uma nova e grande produtora de comerciais e cinema, tendo como sócios ele e o irmão Waltinho, minha mulher Patrícia e os precursores da Conspiração: Cláudio Torres, José Henrique Fonseca, Arthur Fontes e Pedro Buarque de Hollanda.

A ideia foi em frente, mas, uma semana antes da inauguração da produtora, João e Waltinho resolveram que não tinham vocação para um negócio em que a publicidade fosse o carro-chefe. Recomendaram então que os outros sócios continuassem o projeto. Assim surgiu a Conspiração Filmes, que, com o passar do tempo, se transformou numa grande produtora de todo e qualquer tipo de audiovisual, com a presença dos sócios fundadores e de novos sócios, como o Andrucha Waddington e o Breno Silveira.

■ ■ ■

OS REQUINTES DE CRIAÇÃO e produção eletrônica da W/Brasil foram reconhecidos desde o início, no Brasil e no mundo. A agência rapidamente se transformou na maior ganhadora do Profissionais do Ano, da Rede Globo de Televisão, e em Cannes, nos anos de 1988 e 1989, quando o festival ainda era só de filmes e os comerciais fantasmas eram a minoria, a W/Brasil foi a mais premiada de todo o festival, fato que eu espalhei aos quatro ventos do Brasil e a todos os mistrais da Côte D'Azur.

Nessa época, Donald Gunn ainda não tinha o seu *Gunn Report*, que hoje faz um ranking das premiações nos diversos festivais do mundo. Ele trabalhava na Leo Burnett Chicago, fazendo pesquisa criativa, e no início dos anos 1980 escreveu que a campanha de Bom Bril era o maior exemplo de criatividade na categoria produtos de limpeza de toda a história da publicidade.

Quando Donald escreveu isso, os gigantes mundiais de produtos de limpeza eram a Unilever e a Procter & Gamble, que investiam muitos milhões de dólares numa publicidade extremamente aborrecida, com testes disso e daquilo, que desrespeitava a inteligência das mulheres. Anos depois, a Unilever, particularmente, melhorou muito a sua publicidade, capitaneada pelo brilhante profissional de marketing inglês Simon Clift, que revolucionou a comunicação de produtos como OMO e transformou a empresa numa grande patrocinadora da Tate Modern, templo da arte de vanguarda, inaugurada próximo à sede da Unilever em Londres, promovendo uma revolução estética naquela região da cidade.

Por causa do Donald Gunn acabei me encontrando com o Michael Conrad, que já me conhecia de nome e dirigia a criação mundial da Leo Burnett. Nosso relacionamento, que hoje é o de grandes amigos, estranhamente começou com uma forte discussão.

Os comerciais fantasmas começaram a ser premiados em grande quantidade no festival de Cannes. Por causa disso, em 1996, resolvi não inscrever nada.

A pedido dos organizadores, Michael Conrad, que ia presidir o júri, veio ao Brasil para me convencer a mudar de ideia. Expliquei a minha posição: considerava injusto que comerciais criados só para o festival e apelidados por mim de fantasmas concorressem com comerciais que haviam passado por todos os processos de um comercial de verdade: briefing, planejamento, criação, aprovação do cliente, pesquisa, produção e veiculação.

Disse ao Michael que, para mim, ganhar um prêmio com um comercial criado apenas para o festival era tão merituoso quanto ganhar uma partida de tênis numa quadra sem a rede e que eu não queria competir nessas condições.

Michael tentou argumentar. Eu pouco ouvi e mantive a minha posição. Sua viagem fracassou e nos despedimos com cara de poucos amigos.

Curiosamente, naquele mesmo ano, depois do festival, Michael, na condição de presidente do júri, deu uma entrevista em Cannes, que acabou reproduzida no Brasil pela *Folha de S.Paulo*, dizendo que a conversa que ele havia tido comigo na W/Brasil havia sido muito útil para ele tentar coibir ao máximo o número de fantasmas daquele ano, que era bastante grande.

Tempos depois, Michael Conrad me convidou para fazer uma palestra sobre esse tema na Leo Burnett de São Paulo e de lá pra cá nos tornamos grandes amigos.

Em 2006, quando iniciou na Alemanha as atividades da sua escola de liderança criativa, a Berlin Creative Leadership, Michael Conrad me convidou para ser membro do conselho da escola e um dos primeiros palestrantes. No ano seguinte, apresentado por mim, foi a vez de André Midani fazer uma palestra em Berlim sobre liderança criativa no negócio da música – e é claro que ele e Michael também se tornaram amigos.

Em 2008, quando meus filhos Antônia e Theo completaram 4 anos, Michael Conrad e sua mulher, Helga, foram de carro, um Mercedes G, de Berlim a Cap d'Antibes, numa viagem de quase 15 horas, apenas para levar de presente duas cadeiras para crianças, uma azul e uma rosa, criadas pelo arquiteto e designer dinamarquês Verner Panton, que eles compraram na loja do Vitra Museum.

Depois disso, recebi Michael e Helga no Brasil. Nos encontramos algumas vezes na Côte D'Azur e, entre esses encontros, já como sócio da WMcCann, convidei Michael para fazer uma palestra num summit do McCann WorldGroup em Istambul, na Turquia. Nesse summit, Michael Conrad mostrou um decálogo para julgar publicidade da época em que ele dirigia a criação mundial da Leo Burnett. Gostei bastante do que li, tropicalizei um pouco a peça e passei a usá-la no cotidiano de trabalho.

O decálogo dá notas de 10 a 1 para campanhas publicitárias. Na minha versão ele recebeu o título "Quanto vale a ideia":

10. Ideia revolucionária que muda a propaganda.
9. Ideia que cria um fenômeno cultural.
8. Ideia capaz de mudar a categoria.
7. Ideia ótima e muito bem executada.
6. Ideia boa, bem executada, nada fora de série.
5. Ideia correta, com execução correta.
4. Ideia comum e gasta.
3. Ideia chata que as pessoas vão evitar.
2. Ideia invisível. Dinheiro jogado fora.
1. Ideia horrível, ruim para o cliente e para a agência.

Evidentemente, esse decálogo, quando utilizado como critério de julgamento, não é nada infalível. Pelo contrário, assim como a atividade que se propõe julgar, ele é bastante subjetivo. No entanto, algumas coisas são óbvias e merecem ser comentadas.

Ideias revolucionárias que mudam a publicidade, criam fenômenos culturais ou são capazes de mudar uma categoria de produto são raríssimas na vida dos publicitários, mesmo daqueles considerados os melhores do mundo. A maior parte dos bons profissionais vai de estagiário a aposentado sem ter passado perto de nenhuma delas.

Já as ideias nota 7, aquelas que são ótimas e muito bem executadas, têm que ser a ambição mínima de quem dirige uma agência de publicidade, mas posso garantir que é muito difícil atingir essa meta. Falando das agências que conheci bem, garanto que a DPZ, nos seus melhores momentos, teve até algumas ideias 10, 9 e 8, mas não conseguiu ter todas as ideias no mínimo 7. A W/GGK e W/Brasil, nos seus momentos de glória, tiveram várias ideias 10, 9 e 8, mas não conseguiram ter todas as ideias no mínimo 7.

A WMcCann, enquanto estive lá no dia a dia, não teve nenhuma ideia 10, teve apenas uma ideia 9, algumas poucas 8 e também não conseguiu ter todas as ideias no mínimo 7.

O importante nesse julgamento é que ele é útil para manter acesa a necessidade de se superar sempre, seja numa campanha que exerça todas as possibilidades do mundo digital, seja num simples anúncio em preto e branco para um jornal de bairro.

■ ■ ■

FALEI MUITO DOS CUIDADOS de criação e produção de comerciais da W/Brasil, mas eles estavam presentes em cada gesto da agência.

Para a mídia impressa, chegamos a ter como fotógrafo praticamente exclusivo o perfeccionista Miro, que começou a trabalhar com o Otto Stupakoff e se transformou no grande nome da fotografia publicitária brasileira.

Certa vez, para uma das campanhas do Boticário, Miro mandou buscar umas tulipas na Holanda, lugar no planeta que produzia as mais viçosas naquela época do ano. As tulipas chegaram e foram recusadas por Miro, que mandou buscar outras, uma vez que aquelas não tinham todo o frescor que ele queria.

A perfeição das fotos que foram feitas provam que a exigência de Miro, por mais custosa que fosse, não significava nenhuma irresponsabilidade financeira. Significava tão somente respeito extremo pelo trabalho.

Acompanhando Miro em muitos projetos de rara perfeição, tínhamos na W/Brasil outra figura notável, o diretor de arte Kelio Rodrigues.

Kelio, nascido em Minas Gerais, com seu talento incomum, começou sua carreira em São Paulo, na DPZ, quando era um pós-adolescente e virou uma espécie de filho negro dos catalães Petit e Zaragoza. No início era um assistente, mas rapidamente se transformou num resumo das qualidades estéticas dos seus dois mestres.

Quando o designer gráfico norte-americano Milton Glaser, fundador do aclamado Push Pin Studios, esteve no Brasil e visitou a DPZ, elogiou alguns dos layouts que viu nas paredes, pensando serem dos criadores da agência – Petit e Zaragoza. Mas eram todos de Kelio Rodrigues. Assim como era de Kelio Rodrigues a capa do disco *Milton*, que deixou Milton Glaser maravilhado.

Milton foi o disco do Milton Nascimento que lançou as canções "Para Lennon e McCartney", "Clube da Esquina" e "Canto latino".

Anos depois de presentear Milton Glaser com um vinil do *Milton* – e já trabalhando na W/Brasil –, Kelio Rodrigues começou a analisar o manual de programação visual de um dos nossos novos clientes, a perfeccionista BMW. Naquele manual impecável, desenvolvido com o típico rigor germânico, Kelio descobriu dois erros gráficos, que fez questão de demonstrar por carta para os alemães da matriz. Os alemães reconheceram os erros, agradeceram e mandaram corrigir.

13.

Desde menino, sempre tive enorme facilidade para colocar nome nas coisas. Nomes que podiam ser brincalhões ou irreverentes, mas eram sempre pertinentes. Tinham tudo a ver com o local e a atividade batizadas.

Eu ainda não sabia que pertinência era a palavra-chave no negócio da comunicação, mas já praticava isso intuitivamente.

Lembro da minha adolescência, quando meu pai, que era um magnífico vendedor, representante na Zona Leste de São Paulo da poderosa Fábrica de Pincéis Tigre, resolveu voltar a estudar depois dos 40 anos de idade. Prestou vestibular e foi aprovado na Faculdade de Direito.

Meu pai, na verdade, se arrependia pelo fato de ter abandonado os estudos aos 20 anos, antes de prestar o vestibular, para ganhar dinheiro como vendedor. Ele tinha um certo complexo de inferioridade por não possuir um diploma universitário, a ponto de depois de formado ter optado por deixar de ser o vendedor excepcional que era para se transformar no advogado mediano que foi até o fim da vida.

Mal sabia ele que a sua atividade como vendedor é que tinha me inspirado a ser publicitário e que, poucos anos depois, eu também abandonaria os estudos muito cedo, no caso as duas faculdades nas quais estava matriculado, também para vender, só que como criador de publicidade.

Não vejo mérito em eu ter parado com os estudos universitários antes do fim e não recomendo isso a ninguém, mas essa é a verdade e foi o que aconteceu.

Comentei esse fato em 2003, quando fui eleito Doutor Honoris Causa pelo Centro Universitário Belas Artes de São Paulo e brinquei no discurso de agradecimento, dizendo que já que o Brasil não tinha conseguido erradicar o analfabetismo, estava tentando erradicar os analfabetos, dando títulos de Doutor Honoris Causa a pessoas como eu.

Quando meu pai estava na Faculdade de Direito, era muito comum eu acompanhar seus estudos: ele devorava aqueles livros repletos de expressões em latim.

Nessa época, meu pai também adorava filmes que tivessem advogados como heróis, como a série televisiva *Perry Mason*, criada por Erle Stanley Gardner e estrelada pelo ator Raymond Burr.

Para brincar com meu pai, que vivia estudando com seus livros repletos de expressões em latim e endeusando grandes advogados, eu dizia que quando fosse adulto e bem-sucedido montaria dois cinemas em homenagem a ele, que só iam passar filmes sobre advogados: o Cine Die e o Cine Qua Non.

Eu, que desde menino sempre me interessei por mitologia grega, para entender a vida, e por latim, para entender a origem das palavras, já sabia na adolescência que *sine die* quer dizer "sem fixar uma data futura" e *sine qua non* quer dizer "sem a qual não", e que os dois "*sine*" dessas expressões eram escritos com S e não com C.

Mas, como eu adorava o nome dos meus dois cinemas fictícios, optei pelo C.

Nessa mesma época, para absurdar minha mãe, que sempre foi muito católica e sempre acreditou em lendas urbanas do tipo "faz mal nadar depois de comer", eu brincava com ela dizendo que, quando fosse adulto, montaria uma funerária e que já tinha até criado o nome do meu empreendimento: "Funerária Manga com Leite".

Obviamente, minha mãe se chocava com a ideia de ter um filho dono de uma funerária, e ainda por cima com um nome tão desrespeitoso. Para a minha mãe, manga com leite matava mesmo.

Depois que me profissionalizei, tive a oportunidade de criar vários nomes que ficaram famosos, a maioria como trabalho e outros como presente, para pessoas amigas.

O mais famoso dos nomes criado por mim é o Democracia Corinthiana, da época em que eu era vice-presidente de marketing do Corinthians, nome há vários anos exaltado em matérias jornalísticas, televisivas, livros e filmes no Brasil e no mundo.

Na verdade, e já contei essa história várias vezes, eu não criei o nome Democracia Corinthiana. Fiz algo bem mais incrível do que isso. Produzi um fato único na história da mediunidade mundial, psicografando um homem vivo.

O psicografado foi o meu amigo Juca Kfouri e o fenômeno ocorreu em 1982, em São Paulo, na PUC – Pontifícia Universidade Católica.

A convite da reitora, Nadir Kfouri, que por sinal era tia do Juca, Adilson Monteiro Alves, Sócrates, Wladimir e eu fomos à PUC debater com os alunos o projeto de liberdade com responsabilidade que estava sendo implantado no Corinthians.

Obviamente, a PUC, progressista que era, se preocupava naquele momento, em que o país ainda vivia uma ditadura, em colocar o tema liberdade na maioria dos seus eventos.

Juca Kfouri era o mediador do encontro e depois de ouvir Adilson, Sócrates, Wladimir e eu, comentou: "Se estou entendendo bem, isso que vocês estão fazendo é uma democracia de corintianos."

Na mesma hora, eu, que estava preocupado em batizar o movimento, até porque um nome forte era fundamental para comercializar a marca Corinthians, pensei: "Achei o nome."

Anotei num pedacinho de papel e, na manhã seguinte, quando cheguei à DPZ, disse para o meu dupla e também corintiano Francesc Petit: "Paco, o nome do nosso movimento vai ser 'Democracia Corinthiana'. Preciso que você desenhe uma marca que misture a estética pop da Coca-Cola com a estética política do PMDB, partido de oposição ao PDS, o partido do governo."

Em menos de dois dias Petit criou a marca que ficou imortalizada desde que entrou em campo, naquele período notável em que o Corinthians foi também a primeira equipe brasileira a jogar com um patrocínio na camisa.

Os patrocinadores eram a Bom Bril e a Cofap, e as duas foram campeãs derrotando o São Paulo, em 1982 e 1983.

Mais de trinta anos depois, em 2013, voltei a criar um nome ligado ao mundo do futebol.

A pedido do Paulo André, quarto-zagueiro do Corinthians, campeão mundial em Tóquio, em 2012, batizei o movimento dos jogadores de futebol profissional do Brasil, que lutavam por melhores condições de trabalho para toda a classe e não apenas para as superestrelas, com o nome de Bom Senso Futebol Clube.

Quem recomendou ao Paulo André que me pedisse o nome foi também o Juca Kfouri. Procurei então desenvolver um conceito que deixasse claro que o movimento era a favor de quem joga, de quem assiste, de quem transmite, de quem patrocina – de todos os envolvidos no futebol. Um movimento de bom senso geral.

Os líderes do movimento – Paulo André, Alex e Rogério Ceni – concordaram com esse conceito e o nome, Bom Senso Futebol Clube, pegou rapidamente. No caso do Bom Senso, quem desenhou a marca foi o Guime Davidson.

Democracia Corinthiana e Bom Senso Futebol Clube foram nomes que ficaram famosos por ressaltarem características institutionais.

Por outro lado, entre os vários nomes que criei para ressaltar características de produtos, certamente o mais famoso deles é o do Banco 30 horas, criado em 1991 para o Unibanco e hoje utilizado pelo Banco Itaú.

A propósito, já falei um pouco do 30 horas e do encantamento do Joaquim Castro Neto por eu ter criado o nome na sua frente, imediatamente após o briefing. Mas claro que isso foi uma casualidade, que dificilmente se repetirá comigo ou com quem quer que seja. Não existem publicitários repentistas. Os repentistas de verdade são aquela classe de poetas do improviso que surgiu em Portugal, cresceu e se multiplicou no Nordeste do Brasil, gerando os famosos mestres das cantorias.

Dos nomes que criei para dar de presente, acho que três se destacam pela pertinência e capacidade de surpreender.

O primeiro deles criei para a Juliana Serra, primeira esposa do Affonso Serra, que foi profissional de atendimento da DPZ, da W/GGK e da W/Brasil antes de virar sócio da DM9.

Juju, como a Juliana era conhecida, resolveu montar uma fábrica e uma loja de lingeries, com calcinhas e sutiãs de altíssima qualidade. A pedido dela, criei um nome que fez muito sucesso na época e é lembrado até hoje: "Decoração de Interiores".

O segundo nome muito bom foi criado no início dos anos 1990 para o irmão da fotógrafa Fifi Tong, que trabalhava na W/Brasil.

O irmão estava montando um delivery de comida chinesa pelo telefone e Fifi pediu que a gente criasse um nome para ele. Assim, Marcelo Pires e eu inventamos o Lig-Lig, que traduzia perfeitamente a ideia de comida chinesa pelo telefone. Deu certo. Com o passar do tempo, o Lig-Lig se transformou numa bem-sucedida rede de franquias, hoje espalhada por todo o Brasil.

O terceiro bom nome que criei de presente foi feito em 2012, já na WMcCann, para o Zé Maria, que trabalhou durante anos como maître do restaurante Antiquarius, em São Paulo.

Quando saiu do Antiquarius, Zé Maria resolveu montar a própria tasca e me telefonou perguntando se eu faria um nome para ele.

Pensando no nome do próprio Zé Maria, na cultura portuguesa e na simplicidade das tascas tradicionais, pensei no nome "Tasca do Zé e da Maria", nome bastante bom, que ficou ainda melhor por causa do sensacional layout que o Fabio Meneghini criou para a marca da casa.

No meio do nome Tasca do Zé e da Maria, dois bigodes: um grande, embaixo do nome Zé, e outro pequeno, embaixo do nome Maria.

Voltando aos nomes que criei sempre com a pretensão de que virassem eternos, os mais importantes para mim foram os que dei para as minhas agências.

O primeiro deles foi criado em 1986, quando deixei a DPZ para me associar ao grupo GGK, um grupo de agências criativas, de origem suíça, que naquele momento reinava na Europa com clientes como Volkswagen, IBM e Swissair.

Era a primeira vez no mundo que uma pessoa física, um diretor de criação – eu, portanto – se associava a uma pessoa jurídica com filiais em vários países – no caso, a GGK. Numa atitude do mais puro pragmatismo, sabendo que o conhecido no Brasil era eu e que isso era bom para o negócio, não hesitei em exigir que o meu W viesse na frente do GGK, coisa que o fundador, Paul Gredinger, entendeu perfeitamente.

Por covardia da minha parte, em vez de colocar na agência o nome WGGK – que seria o óbvio e o adequado –, coloquei W/GGK, com uma barra separando o W do GGK, pensando que, se o casamento não desse certo, eu pelo menos teria preservado o meu W e poderia ir embora com ele. Quanta bobagem.

Na verdade o casamento deu mais do que certo: em seis meses fomos a agência do ano, conquistamos uma porção de clientes importantes e dois anos e meio depois estávamos tão prósperos que resolvi comprar os 50% da GGK e transformar Javier Llussá e Gabriel Zellmeister, que eram pessoas-chave da operação brasileira, em sócios.

Tive essa ideia quando racionalizei que a GGK, apesar de poderosa na Europa, não tinha capacidade de transferir seus clientes internacionais para o Brasil e que a agência estava crescendo por causa dos clientes locais que conquistávamos.

Expliquei isso abertamente para o Paul Gredinger, que entendeu e aceitou vender sua parte mesmo sabendo que em um ou dois anos, no máximo, ela estaria valendo mais do que o dobro.

A W/GGK durou pouco tempo, mas a barra ficou para sempre.

Por minha sugestão, Paul Gredinger convidou o genial George Lois para uma sociedade em Nova York, batizada de Lois/GGK, e eu mantive a barra no nosso novo nome, W/Brasil, por motivos que explicarei depois.

Com o passar do tempo, muitas agências formadas por profissionais de criação locais que se associavam a grandes grupos internacionais foram surgindo no mundo, a maioria delas com uma barra no meio do nome como a F/Naska S&S, do brilhante Fabio Fernandes, e outras até com a barra ao contrário, como Lew'Lara\TBWA, do grupo TBWA\Worldwide.

Já faz tempo que eu brinco dizendo que a minha grande contribuição para o negócio da publicidade mundial foi a invenção da barra.

Antes de ir a Genebra propor ao Paul Gredinger a compra dos 50% que pertenciam a ele na W/GGK, tive um jantar no restaurante La Cocagne, em São Paulo, com meus futuros sócios Javier e Gabriel, para combinar detalhes da viagem.

Nesse jantar, Javier e Gabriel me perguntaram que nome poríamos na nova agência que, na verdade, não era uma nova agência, mas sim uma continuação 100% brasileira da W/GGK, que era 50% brasileira e 50% suíça.

Respondi praticamente na mesma hora: W/Brasil.

Pensei no nome W/Brasil porque era uma maneira de deixar claro que a fulgurante W/GGK ia continuar exatamente como era, com os mesmos clientes e o mesmo brilho criativo, mas com uma pequena diferença que, na verdade, era uma vantagem: dois dos seus mais brilhantes profissionais passariam a ter a responsabilidade de sócios.

E pensei no nome W/Brasil também por outros dois motivos bastante ambiciosos. Em primeiro lugar, porque desde muito jovem, quando ganhei meu primeiro prêmio internacional, coloquei na cabeça que ia ser o responsável por deixar a publicidade brasileira conhecida no mundo, coisa que eu já vinha fazendo havia algum tempo e que uma agência com alta voltagem criativa e com o nome W/Brasil podia ajudar a fazer ainda mais.

Em segundo, porque eu achava que no meio de 1989, com o país sob uma nova constituição recém-promulgada e às vésperas das primeiras eleições diretas para presidente depois de 25 anos, estava na hora de os brasileiros voltarem a valorizar seus símbolos fundamentais, como a bandeira e o nome.

Durante o período militar, devido aos "Ame-o ou Deixe-o", os "Pra Frente Brasil", os "Eu te amo meu Brasil" e outras maluquices, símbolos sagrados como a bandeira e o nome começaram a ser fortemente rejeitados pela população em geral e pela intelectualidade em particular.

Uma empresa independente, de vanguarda, com prestígio, que não trabalhava para políticos nem para o governo, com o nome W/Brasil poderia ajudar a resgatar aqueles símbolos e o orgulho de ser brasileiro.

Coloquei a barra entre o W e o Brasil porque, de um lado, queria que a agência fosse percebida imediatamente como uma continuação da W/GGK, e, de outro, porque eu achava muito pretensioso da minha parte colocar o meu W colado no nome Brasil.

A W/Brasil foi instantaneamente um sucesso ainda mais estrondoso que a W/GGK. Continuamos conquistando clientes, ganhando todos os prêmios nacionais, como os prestigiadíssimos Prêmio Abril e Profissionais do Ano da Rede Globo de Televisão, e os internacionais, como Cannes, Clio e FIAP.

Em Cannes, quando o festival ainda era só de filmes, fomos por dois anos seguidos a agência mais premiada, fato que eu divulguei tão bem e com tamanho carnaval que logo depois os organizadores do festival, espertamente, resolveram criar o hoje ambicionado Prêmio Agência, que naquela época não existia.

Até o bicampeonato informal da W/Brasil, o festival premiava apenas filmes com o Grand Prix, Leões de Ouro, Prata e Bronze, e a produtora ganhadora do maior número de Leões com a Palma de Ouro.

■ ■ ■

EM 1991, NUMA DAS FAMOSAS festas de fim de ano da W/, que merecem um capítulo à parte, Jorge Ben Jor, entre uma música e outra, criou o refrão "Alô, Alô W/Brasil", que depois virou a canção completa, se transformou no maior hit do país durante dois anos seguidos e colocou o nome da agência literalmente na boca do povo.

Com o passar do tempo, a W/Brasil ficou famosíssima, entrou para a cultura popular brasileira e provocou de tudo – inclusive o meu sequestro.

Não tenho dúvida de que, devido à reputação da agência, aquele grupo de marginais me escolheu para ser sequestrado imaginando que eu tivesse muitíssimo dinheiro, quando, na verdade, o que eu tinha mesmo em grande quantidade era prestígio e visibilidade pública.

Depois que aquele trágico e violento episódio terminou, após intermináveis 53 dias, o motorista de um ônibus da linha 177 H, que subia a avenida Angélica a caminho da Cidade Universitária, desviou do seu trajeto normal, entrou na rua Novo Horizonte e parou na porta da agência para mostrar aos passageiros onde trabalhava "aquele cara, dono da W/Brasil, que foi libertado ontem à noite".

Uma moça da nossa contabilidade, que estava dentro do ônibus pronta para descer no último ponto da Angélica, testemunhou esse momento.

Assim que fui libertado, me programei para mudar a minha vida o mínimo possível, porque essas coisas ou você resolve imediatamente, ou não resolve nunca mais, e fui fazer uma viagem de dois meses com a minha mulher na tentativa de voltar zero quilômetro. Antes, porém, fiz uma coletiva de imprensa, da qual era impossível escapar, e nela avisei a todos que, a partir daquele dia, eu não falaria mais do assunto sequestro, para não ser pautado eternamente quando alguém fosse escrever sobre o tema.

E ainda acrescentei o comentário de que a minha especialidade – e eu me colocava à disposição para falar dela a qualquer momento – era a publicidade, em que eu já trabalhava há mais de trinta anos. De sequestrado eu só tinha 53 dias de experiência.

■ ■ ■

MEUS SÓCIOS GABRIEL E JAVIER sentiram o baque da minha ausência nos 53 dias do sequestro somados aos inéditos 60 dias de férias e, assim que voltei, se mostraram desmotivados com a agência. Começaram a se afastar gradativamente, passando a dar expediente na sede da nossa holding, a Prax, que administrava alguns outros negócios que a gente havia feito.

Na minha volta encontrei uma W/Brasil com menos brilho, mas ainda prestigiada, próspera e rentável, até que, em 2008, quando da grande crise econômica mundial, os resultados das agências em geral foram seriamente abalados e Javier e Gabriel resolveram se retirar definitivamente.

Eu resolvi continuar, até porque não sabia fazer outra coisa. Coloquei meu vice-presidente, Paulo Gregoraci, na sociedade e fui tocando em frente, mas já sentindo uma enorme vontade de fazer algo de novo.

Isso vinha de 2004, quando nasceram meus filhos gêmeos, Antônia e Theo, e eu comecei a pensar que não gostaria de ocupar a infância deles contando coisas do meu passado. Precisava continuar surpreendendo, inventando. Precisava continuar fazendo o novo de novo.

Essa necessidade se reforçou ainda mais em 2009, quando senti que era fundamental para mim começar um projeto de perpetuação da marca W/ e percebi que eu e o Paulo não tínhamos condições de fazer aquilo sozinhos.

Durante anos, Javier, Gabriel e eu recebemos propostas de todos os grupos internacionais interessados em comprar a W/Brasil e recusamos todas. Por que vender uma empresa que nos fazia felizes, ganhando nessa venda o mesmo que podíamos ganhar sozinhos sem ninguém dando palpites?

Mas, em 2009, devido às mudanças do mercado, a imortalização de uma marca como a W/ passava por uma série de investimentos nas áreas de planejamento, pesquisa, mídia e novas mídias, impossíveis de serem feitos por uma agência 100% brasileira – e eu sabia disso.

Pensei: como a W/Brasil já tinha feito tudo o que uma agência poderia fazer e como a minha pretensiosa missão de reerguer a autoestima do nome, da bandeira e das cores brasileiras estava mais do que cumprida, havia chegado a hora de promover o casamento do W com alguma marca mundial que tivesse a possibilidade de durar para sempre.

Analisei todos os grupos e suas agências, fiquei imaginando qual delas precisaria mais da gente e nós dela, e cheguei à conclusão de que a melhor seria também a mais difícil, por ser a mais tradicional e aquela que jamais trocaria de nome, coisa fundamental para o sucesso do negócio.

A melhor era a McCann – e eu resolvi tentar.

Comecei procurando meu amigo Marcio Moreira, na época vice-chairman mundial da McCann-Erickson.

Marcio foi o mais internacional publicitário que o mundo já produziu. Era capaz de virar japonês em Tóquio, francês em Paris, emiradense em Dubai e chileno em Santiago sem nunca deixar de ser brasileiro de nascimento e norte-americano de cidadania.

Marcio foi sempre McCann-Erickson, seu único emprego na vida, desde 1969 até 2011, quando se aposentou, tendo morrido em 2014.

Em 1987, Marcio fez a frase com o elogio de que eu mais gosto, dos muitos elogios que recebi na vida: "O Washington tem um dedo no pulso do Brasil."

No início de 2009, Marcio ouviu a minha ideia do casamento W e McCann. Ouviu também meu comentário de que eu duvidava que a McCann aceitasse mudar de nome no Brasil e afirmou que achava a ideia fascinante e considerava a mudança de nome fundamental para o sucesso da nova agência.

Semanas depois, marcou um encontro meu em Nova York com o John J. Dooner, CEO da McCann, e outro encontro meu, em São Paulo, com o Luca Lindner, presidente da McCann na América Latina.

Depois desses encontros, Luca Lindner, Paulo Gregoraci e eu fizemos várias reuniões secretas na minha casa e na casa do Luca, estruturando a agência que ia surgir, com o nome que eu tinha imaginado: WMcCann.

Dessa vez sem a barra, para deixar claro que não era a W nem a McCann, era a WMcCann, a somatória das qualidades das duas, se possível sem os defeitos de nenhuma delas.

Imaginei começar a nova agência no dia 1º de maio de 2010, Dia do Trabalho, numa insinuação mais do que óbvia de que íamos trabalhar bastante.

Para comemorar, fizemos duas feijoadas simultâneas, uma no escritório de São Paulo e outra no escritório do Rio.

Estive nas duas e não comi em nenhuma, porque preferi usar meu tempo dando atenção ao pessoal das duas equipes, que começava a se enturmar.

No dia 31 daquele mesmo maio, reunimos as equipes de São Paulo e do Rio, clientes, amigos e imprensa numa noite comemorativa, no Teatro Bradesco, em São Paulo, com direito a coquetel e jantar preparados pela Deca Fasano e a um show do Gilberto Gil, nosso ex-ministro da Cultura, que simbolizava melhor do que ninguém as duas culturas que se uniam.

Eu, que jamais dei palpites nos shows dos meus amigos, abri uma exceção e pedi ao Gil que encerrasse aquela noite com a sua clássica releitura do sucesso de Jackson do Pandeiro "Chiclete com banana": "Eu só boto bebop no meu samba/ Quando o Tio Sam pegar no tamborim."

14.

No auge da W/Brasil, com a agência muito badalada, sólida e rentável, Javier, Gabriel e eu não fizemos nada mais do que a nossa obrigação, nos transformando em empresários muito generosos.

Chegamos a pagar 16 salários por ano para todos os que trabalhavam na agência, dos office boys aos diretores mais estrelados, sem nenhuma exceção, fato que ficou famoso no mercado como se fôssemos uns anjos de criaturas – o que decididamente não era verdade.

Apenas acreditávamos que numa agência de publicidade a administração do astral é tão importante quanto a administração do caixa, e lutávamos para cumprir a minha promessa pública do dia da primeira coletiva de imprensa da W/GGK, no restaurante Manhattan, em São Paulo, quando eu disse que ia fazer a agência com os mais altos índices de felicidade per capita do planeta.

Partíamos do princípio de que a nossa telefonista não podia dizer "Alô, W/Brasil" melhor do que ela já dizia; que o pessoal da nossa contabilidade não podia emitir faturas melhor do que eles já emitiam; que os nossos boys não podiam levar e buscar encomendas melhor do que eles já levavam e buscavam. Portanto, todos eles também mereciam, nos anos de prosperidade, ganhar um número de salários extras, idêntico ao dos profissionais de atendimento, planejamento, criação, produção e mídia, que, com muito talento, criavam, aprovavam e produziam campanhas que acabavam gerando aumentos nas verbas dos clientes e, por consequência, no faturamento e no resultado da agência.

No auge dessa prosperidade também resolvemos montar a nossa holding para investir em novos negócios, a Prax, nome dado pelo Javier que eu e o Gabriel nem discutimos se era bom ou se era ruim, porque seria apenas um nome para uso interno. Aceitamos e pronto.

Bem antes da holding, já tínhamos montado uma segunda estrutura dentro da agência, uma empresa de design chamada Made in Brasil, que tinha o consagrado Alexandre Wollner como sócio.

Mas, com a holding, pretendíamos investir em coisas fora da agência, e até mesmo fora do Brasil, acrescentando sempre sócios gestores que pretendíamos que fossem majoritários. Um modelo novo e corajoso, para durar enquanto estivesse funcionando, sem a pretensão de um dia juntar todas as empresas e abrir o capital da holding, coisa que achávamos dificílima para um grupo de comunicação 100% brasileiro – e que eu particularmente continuo achando dificil até hoje.

Historicamente, uma agência de publicidade se internacionaliza quando seus clientes vão para outros países e ela vai junto com eles, coisa que os anunciantes norte-americanos proporcionaram para as suas agências há muitos anos, mas que infelizmente, até hoje, não aconteceu com os anunciantes e as agências brasileiras.

■ ■ ■

O PRIMEIRO INVESTIMENTO QUE FIZEMOS no exterior foi em Barcelona, numa agência que era para se chamar W/Espanha, mas que acabou se chamando Alta Definición Y Washington Olivetto.

Escolhemos Barcelona porque os três gostávamos da cidade. Javier tinha nascido lá e eu era bastante conhecido no meio publicitário local. Além disso, Barcelona já tinha tido a MMLB – que foi uma espécie de DDB ou DPZ de lá – e a RCP, brilhante agência dos meus amigos Ernesto Rilova, Luiz Casadevall e Salvador Pedreño, o que significava um mercado receptivo a agências criativas.

Quando começamos a procurar um publicitário catalão para ser o nosso sócio local, soubemos que a agência Alta Definición, do prestigado diretor de planejamento José Miguel Alonso, estava à procura de um sócio criativo e tinha a vantagem de já possuir alguns clientes.

Conversamos com o José Miguel, que não queria abrir mão do nome Alta Definición por causa dos clientes e prospects já habituados com ele, mas que se encantava com a ideia de ter o meu nome junto ao que ele havia criado.

Assim surgiu a Alta Definición Y Washington Olivetto, que foi lançada com uma coletiva de imprensa no Lola, o restaurante da moda em Barcelona no início dos anos 1990.

A coletiva de imprensa surtiu efeito. Fui matéria de capa da revista *Anuncios* e de todos os veículos especializados em propaganda e marketing e ganhei muito espaço também na grande imprensa.

Dei longas entrevistas para o *La Vanguardia*, que era o maior jornal local, para o *El País*, que mandou uma equipe de Madri, para a revista *Vogue España*, que era dirigida pelo Luiz Carta, fundador da *Vogue Brasil*, e para rádios e televisões catalãs e madrilenhas.

Apareci tanto na mídia aberta espanhola que, meses depois, virei assunto até na revista *Interview Spain*, que mesclava grandes entrevistas de famosos e famosas do mundo com fotos de lindas mulheres locais nuas, num formato que lembrava mais a *Playboy* brasileira do que a *Interview* americana, criada pelo Andy Warhol.

Naquela *Interview Spain*, uma linda moça de 22 anos, modelo e estudante de publicidade, aparecia nua numa meia dúzia de páginas. Entre as fotos, um pequeno perfil da moça e suas predileções, onde ela dizia que o homem que ela mais admirava no mundo atendia pelo nome de Washington Olivetto, fato que sinceramente não me desagradou, mas que não fez grande sucesso com minha mulher, Patrícia.

A Alta Definición Y Washington Olivetto foi muito bem nos seus primeiros anos, quando ainda era uma novidade. Fui trabalhar em Barcelona várias vezes, inclusive durante todos os feriados brasileiros, aproveitando para comer e beber nos meus favoritos Bottafumero, La Venta e Tragaluz, ver arte na Fundação Joan Miró, design na Vinçon, ouvir alguns concertos no Palau de la Música Catalana e acompanhar os preparativos para as Olimpíadas, que mudaram a cidade e puseram Barcelona definitivamente no mapa.

Mas já no terceiro ano a agência deixou de ser uma grande novidade e as dificuldades começaram a aparecer.

A publicidade espanhola passou a diminuir consideravelmente as suas margens de lucro, surgiram grupos de consultores que fizeram proliferar dispendiosas concorrências, com ou sem real necessidade, e a minha alta popularidade e prestígio entre os publicitários espanhóis se mostrou ineficiente para a conquista de novas contas. Na verdade, seria melhor que eu tivesse popularidade e prestígio com os anunciantes, que são aqueles que nos dão as contas, e não com os publicitários, que são aqueles que nos tiram as contas.

Analisando esses fatores, no sexto ano nós, que já tínhamos ganho algum dinheiro com a agência e havíamos recebido uma boa proposta de compra, resolvemos vender.

Quem comprou foi a Bassat Ogilvy, agência do Luis Bassat, conhecido publicitário espanhol e eterno candidato à presidência do Barça.

Além da carteira de clientes da Alta Definición Y Washington Olivetto, Bassat sonhava com o José Miguel Alonso dirigindo todo o planejamento da agência. Sendo assim, o negócio acabou bom para todos.

Depois disso, Barcelona voltou a ser para mim uma cidade que eu adoro visitar e onde possuo muitos amigos.

Quanto à moça da *Interview Spain*, antes que alguém me pergunte, eu nunca encontrei.

■ ■ ■

NA MESMA ÉPOCA DA ALTA Definición Y Washington Olivetto em Barcelona, nossa holding Prax acabou investindo em outra agência fora do Brasil, a W/USA, em Chicago.

A ideia de criar essa agência não foi nossa, mas do Laurence Klinger.

Conheci Laurence em 1973, quando fui trabalhar na DPZ e ele também estava começando por lá.

Reconheço que no nosso primeiro ano de DPZ Laurence fez um trabalho melhor que o meu, muito pelo seu imenso talento e um pouco porque atendia, em dupla com o competente diretor de arte argentino Hector Tortolano, contas mais leves do que as que eu atendia em dupla com Petit, que era um dos sócios da agência e assumia responsabilidades maiores.

Fora isso, no meu primeiro ano de DPZ tive que domar o Petit, um dos maiores diretores de arte do mundo, que antes de mim estava habituado a praticamente ditar os anúncios para os redatores que trabalhavam com ele, coisa que comigo não funcionava.

De todo modo, a verdade é que, naquele primeiro ano, Laurence fez um trabalho mais brilhante que o meu. As campanhas de lançamento dos copos plásticos ITAP (primeiros copos descartáveis do Brasil) e os anúncios da Fotoptica pareciam escritos por ícones da publicidade mundial, como Bill Bernbach e Carl Ally, ou, no mínimo, por seus discípulos John Noble e Ed McCabe, jamais por um jovem paulista, de uma família judaica ligada às artes, que trabalhava num casarão na esquina da rua Colômbia com a avenida Brasil.

Na época eu não tinha tanta consciência disso, mas poucos anos depois passei a ter essa consciência plena.

Outro redator que naquele ano fez um trabalho melhor que o meu foi João Augusto Palhares Neto, também recém-chegado na DPZ. Ele fazia dupla com o Zaragoza, que, segundo diziam no mercado, era mais fácil de trabalhar que o Petit.

Palhares, que era um estilista do texto, nascido em Americana, no interior de São Paulo, e apaixonado por Machado de Assis, Clarice Lispector e Dalton Trevisan, escreveu a brasileiríssima campanha "A Singer é do povo", que, entre os seus anúncios, tinha uma obra-prima que dizia: "Em casa que tem máquina de costura, nunca falta pão."

Ao contrário de mim, que desde o primeiro dia na rua Colômbia me imaginei com a missão de continuar para sempre a história da DPZ, que eu considerava um lugar sagrado, uma espécie de escritório do Le Corbusier ou do Mies van der Rohe, Laurence Klinger, João Augusto Palhares Neto e Hector Tortolano já tinham a ambição de ter a sua própria agência, com suas letras na porta, tal como a DDB nos EUA, a MMLB na Espanha e a DPZ no Brasil.

Menos de dois anos depois daquele início esfuziante, os três saíram da DPZ e montaram a KPT. Brilhantes criadores, mas sem talento para conquistar contas, eles patinaram no início, acrescentaram depois um quarto nome na sociedade, o então diretor de marketing do Banco Itaú, Alfredo Rosa Borges, mas a KPT não foi pra frente – e eles voltaram ao mercado de trabalho.

No tempo em que eles estiveram fora, eu cresci muito profissionalmente, virei diretor de criação da DPZ e, com poder para contratar grandes profissionais, trouxe o Laurence de volta.

Tanto em São Paulo quanto no Rio, onde acabou diretor de criação da DPZ da rua do Russel, no bairro da Glória, Laurence fez um grande trabalho, alguns deles com a minha participação, como as campanhas dos cigarros Continental e do Guaraná Taí, e outros com o time carioca da agência.

Sempre em evolução, foi convidado para ser um dos diretores de criação da Almap, em São Paulo. Tempos depois, assumiu a direção de criação nacional da Leo Burnett, que procurava se firmar no Brasil, e finalmente foi promovido a diretor de criação da Leo Burnett Chicago, onde a agência foi fundada.

Em Chicago, Laurence se transformou rapidamente num profissional respeitado, mas manteve o sonho de ter a própria agência, interrompido quando a KPT não deu certo.

Acompanhando a distância o sucesso da W/Brasil e as nossas aventuras no exterior, como na Espanha, Laurence veio ao Brasil propor que fizéssemos uma W/USA em sociedade com ele e sediada em Chicago.

Gostamos da ideia, mas, como sabíamos dos fortíssimos níveis de competição do mercado norte-americano e tínhamos consciência de que nos EUA teríamos o mesmo problema que enfrentávamos na Espanha – nos EUA eu também era muito famoso entre os publicitários, mas nada conhecido entre os clientes –, resolvemos fazer a W/USA estabelecendo um limite de tempo e de investimento na operação: três anos e uma boa quantidade de dólares.

A criação da W/USA – depois da Alta Definitión Y Washington Olivetto – foi muito badalada no Brasil e virou notícia no mundo.

A *Campaign* inglesa falou dela, a *Stratégies* francesa falou dela, a *Anuncios* espanhola falou dela e a minha amiga Laurel Wents, que dirigia a *Advertising Age International*, deu a matéria de capa da revista com uma foto minha e da Patrícia embaixo de um guarda-chuva gigante e colorido, num daqueles raros dias de chuva no mês de junho na praia do Carlton Hotel em Cannes.

Naquele ano, eu vivia uma lua de mel comigo mesmo. Sócio da mais badalada agência brasileira, com novos negócios na Espanha e nos Estados Unidos, premiadíssimo, vestindo roupas da Comme des Garçons, casado com uma mulher linda, elegante e sócia da produtora do momento, dirigindo um BMW conversível e hospedado no caríssimo Hotel du Cap, onde meus amigos Jay Chiat e Ed McCabe também se hospedavam e davam festas.

Como se tudo isso não bastasse, Jay, pouco depois, alugou a fabulosa Villa Dorane, ao lado do Hotel du Cap, com duas praias particulares, uma casa principal e uma casa de hóspedes, onde eu habitualmente era convidado e me hospedava. Conclusão: estava me achando e me sentindo o máximo dos máximos.

Apesar do seu trabalho impecável, a W/USA conquistou apenas pequenos clientes norte-americanos, sendo o principal deles o licor Amarula. Para piorar, o projeto da Grendene com a Xuxa nos Estados Unidos, que era a nossa esperança de ter um grande cliente por lá, acabou não vingando. Resultado: três anos e muitos dólares depois, resolvemos parar com a operação.

Ainda tentamos aproveitar o talento do Laurence em Barcelona, como diretor de criação da Alta Defición Y Washington Olivetto, mas ele não se entendeu muito bem com o academicismo do José Miguel Alonso, não se enturmou na cidade e acabou voltando para Chicago e para a Leo Burnett.

Muitos anos depois, em 2013, dirigindo uma operação da Leo Burnett em Chicago chamada Lapiz, Laurence, que nasceu no mesmo ano que eu, conquistou o título de diretor de criação do ano, o que não é nada comum para profissionais já consagrados e da sua idade.

Mas, como conheço bem seu talento e sei que o mercado norte-americano não padece de juniorizações, o fato não me surpreendeu.

Em 1992, fui fazer uma palestra em Lisboa, promovida pelas organizações do jornalista, empresário e político Francisco Pinto Balsemão.

Francisco Balsemão, que naquele momento possuía emissora de televisão, jornais e revistas, era uma espécie de Roberto Marinho e Roberto Civita numa só pessoa, sendo inclusive representante da Globo e da Abril em Portugal.

A palestra aconteceu no belíssimo São Luiz Teatro Municipal inteiramente lotado e foi uma das melhores palestras que já fiz na vida.

Apesar de bastante longa, com mais de duas horas de duração, a palestra tinha um timing impecável, com direito até a uma piada de português na abertura, enquanto eu falava das relações afetivas entre Brasil e Portugal.

Era uma famosa piada sobre o goleiro português Costa Pereira, titular do Benfica e da Seleção portuguesa de 1966, que tinha craques como Eusébio, Coluna e Simões, no ataque, e Vicente, na defesa, um dos três melhores marcadores de Pelé. (Os outros dois foram o defensor italiano Trapattoni e o quarto-zagueiro Aldemar, do Palmeiras.)

No outro dia, depois da palestra em Lisboa, que terminou comigo aplaudido de pé, fui convidado para dar uma entrevista no programa de rádio do Jaime Mourão Ferreira, que, além de fazer esse programa semanal sobre cultura e entretenimento, trabalhava como publicitário numa das poucas agências 100% portuguesas.

Fiquei muito bem impressionado com o nível cultural do Jaime e com os seus conhecimentos de Brasil, coisa que não acontecia de graça, pois ele era sobrinho do poeta David Mourão Ferreira, intelectual português amicíssimo do Vinicius de Moraes.

Durante a entrevista, Jaime me perguntou por que não montávamos uma agência em Portugal. Respondi que ia pensar no assunto, até porque adorava Lisboa. Quando a entrevista acabou, Jaime – já fora do ar – se ofereceu para dirigir uma futura W/Portugal.

Voltei para o Brasil, contei o ocorrido para os meus sócios e resolvemos fazer.

Uma das maiores razões do sucesso da W/Brasil – e da holding Prax – foi sempre a nossa capacidade de decidir as coisas rapidamente.

Dizíamos que tudo que precisasse de muitas reuniões não valia a pena. Ilustrávamos o fato com uma frase minha que virou um lema: "Tudo que não der pra gente decidir em pé é porque não deve ser feito."

A W/Portugal começou com alguns trabalhos para o Boticário, que era cliente nosso no Brasil, e conquistou alguns clientes locais, graças ao esforço do Jaime Mourão Ferreira, que, além de tudo, usou seus conhecimentos e contatos nas áreas de cultura para conseguir bem baratinho o aluguel de um andar num belíssimo prédio histórico pertinho do Shopping Amoreiras, onde instalamos a agência.

Estive várias vezes em Lisboa nos primeiros tempos da W/Portugal, dando entrevistas para divulgar a agência, participando de reuniões com clientes e prospects e cultivando hábitos de vida que mantenho até hoje.

Sempre que vou a Portugal me hospedo no Albatroz, em Cascais, janto um empadão de perdiz com uma garrafa de um tinto Barca Velha no Gambrinus, almoço peixes e mariscos no Porto Santa Maria, do Guincho, com uma garrafa de um branco Conde D'Ervideira, ando muito a pé, tomo suco de maracujá da ilha da Madeira e ouço muita música, dos fados tradicionais da maravilhosa Amália Rodrigues até os sucessos do momento, como o Madredeus daquela época e o António Zambujo de hoje.

Voltando ao início da agência, fomos percebendo com o passar do tempo que, devido ao tamanho do mercado, que é bastante pequeno, o resultado da W/Portugal, apesar de lucrativo, era irrisório e que as nossas retiradas não faziam justiça com o Jaime, que tocava a operação trabalhando 24 horas por dia.

O tempo da implantação, quando realmente pudemos colaborar, tinha passado. Naquele momento, nossas visitas a Portugal acabavam sendo muito mais para gastar dinheiro do que para ajudar a ganhar, até porque debitávamos as despesas de passagens, hotéis, transportes e restaurantes à agência.

Resolvemos vender a nossa parte para o Jaime Mourão Ferreira por um preço simbólico. Ele ficou com os clientes, as equipes, as instalações, os equipamentos e tudo o mais, inclusive o nome.

Durante vários anos, mesmo visitando Portugal com relativa frequência, não tive grandes notícias da W/Portugal nem do Jaime. Até que, em 2016, quando estive em Lisboa para ser o primeiro publicitário de língua portuguesa a receber o Prêmio Carreira, perguntei a alguém sobre a W/Portugal e me disseram que a agência havia terminado em 2010, quando o Jaime resolveu parar com a publicidade, trabalhar apenas como entrevistador na televisão e se dedicar integralmente a sua grande paixão futebolística, o Sporting de Portugal, rival grã-fino do Benfica.

Sobre ter sido o primeiro ganhador do Prêmio Carreira, representando os grandes publicitários da língua portuguesa, só posso dizer que fiquei muito honrado e feliz com a escolha. No entanto, se eu fosse um dos organizadores do prêmio, teria dado o primeiro para Fernando Pessoa, *in memoriam*, e o segundo para mim.

Não tenho nenhuma dúvida de que sou um publicitário infinitamente melhor do que foi o Fernando Pessoa, até porque ele teve apenas uma breve passagem pela publicidade, criando alguns slogans para a Coca-Cola, mas também não tenho dúvida de que a presença do Fernando Pessoa como primeiro ganhador daria mais prestígio ao prêmio.

■ ■ ■

ALTA DEFICIÓN Y WASHINGTON OLIVETTO, W/USA e W/Portugal foram as três aventuras internacionais da holding Prax no negócio de agências de publicidade fora do Brasil.

A espanhola, rentável; a americana, deficitária; a portuguesa, no empate. Mas as três gratificantes como experiências de vida e de negócios. Uma espécie de ensaios luxuosos para as atividades da Prax no Brasil, onde, na maioria dos casos, fomos muito bem-sucedidos.

A primeira agência em que a Prax investiu no Brasil foi a Propaganda Registrada, nome criado pelo Ricardo Freire, brilhante profissional de criação que convidamos para ser sócio e líder da agência. Convidamos, não, intimamos, praticamente obrigamos o Ricardo Freire a ser nosso sócio.

Conheci o Riq em 1986, quando criei a W/GGK e ele era um dos dois redatores da então pequenina GGK de São Paulo. A outra redatora era a Rose Ferraz.

Riq, que tinha sido o redator do ano em Porto Alegre dois anos antes e tomado coragem para tentar a vida em São Paulo, me idolatrava desde que começou na publicidade. Ele adorou o nosso breve encontro do dia 8 de julho de 1986, mas não deixou isso transparecer, devido a sua enorme timidez.

Tempos depois me confessou seu deslumbre com aquele dia, mas defendeu a tese de que, na verdade, já tínhamos estado juntos anteriormente, só que sem nos encontrarmos pessoalmente, no Beira-Rio, no dia 12 de dezembro de 1979, na final do campeonato brasileiro entre Internacional e Corinthians: ele no meio da torcida do Inter; eu no meio da torcida do Corinthians.

Riq no fundo gostava de fazer esse comentário para me sacanear, lembrando que naquele dia em Porto Alegre o Inter foi campeão brasileiro, ganhando de dois a zero daquele Corinthians que, dias antes, tinha promovido a famosa "Invasão do Maracanã" e derrotado a "Máquina Tricolor" do Fluminense.

Na W/GGK, o brilhante Riq fez alguns trabalhos excepcionais, como a campanha do "Horário não eleitoral nem gratuito", dos relógios Grand Prix, com uma série de comerciais interpretados pelo ator Cassiano Ricardo e dirigidos pelo Fernando Meirelles. Esses comerciais parodiavam os candidatos a governador de São Paulo Antônio Ermírio de Moraes, Eduardo Suplicy, Paulo Maluf e Orestes Quércia, e traziam uma nova estratégia de mídia, já que eram propositalmente programados para irem ao ar um pouquinho antes dos verdadeiros e chatíssimos horários eleitorais gratuitos.

Além dessa campanha, Riq fez muitos outros trabalhos brilhantes na W/GGK, até me dizer que ia embora, antes mesmo de a agência completar dois anos.

Para ir embora ele tinha duas razões, mas só me contou uma. A razão que ele não me contou é que, tímido e discreto que era, Riq se incomodava, e muito, com a personalidade espalhafatosa e agressiva do Nizan Guanaes, que de vez em quando saía aos berros pela agência. Só fiquei sabendo disso muito tempo depois.

E a razão que me deu era que ele tinha dúvida se era bom profissional mesmo ou se era bom profissional trabalhando ao meu lado.

Afirmei a ele que tinha absoluta certeza de que ele era muito bom com ou sem a minha presença, mas ele insistiu que precisava provar isso para ele mesmo e me pediu que o aceitasse de volta quando ele já tivesse certeza de que era bom mesmo.

Lamentei sua partida, garanti sua volta e ele foi para a DPZ. Na

DPZ fez um bom trabalho, como sempre, mas ficou pouco tempo, porque logo depois se transferiu para a Talent, onde criou a antológica campanha "Não é nenhuma Brastemp".

Depois do merecido sucesso da campanha Brastemp, que fez bem para o anunciante, para a agência, para o Riq, para o Fernando Meirelles e até mesmo para a autoestima do mercado publicitário brasileiro, Riq um dia me ligou dizendo que agora tinha certeza de que era bom mesmo e queria voltar. Foi contratado na mesma hora, pelo telefone.

Na W/Brasil, Ricardo Freire continuou fazendo um brilhante trabalho, integrando uma equipe sensacional, numa agência próspera que começava a ser procurada até pelos concorrentes dos seus clientes.

Por fidelidade a quem nos prestigiava, jamais fizemos qualquer troca, mesmo sendo procurados por alguns clientes maiores do que aqueles que já tínhamos naquela categoria. Mas percebemos que era hora de abrir uma segunda agência, totalmente independente, para abrigar clientes conflitantes e eventuais novas oportunidades de mercado.

Assim surgiu a ideia da Propaganda Registrada, para ser tocada pelo Riq, que a princípio se assustou com a ideia, mas, devido a nossa insistência, acabou topando, tanto que ele mesmo, em poucos dias, criou o nome e a marquinha da agência, com aquele R dentro de um círculo, tradicional como símbolo da expressão "marca registrada", o que deixava clara a intenção de criar uma agência que fizesse propaganda única, pertinente e inovadora.

O primeiro cliente da Registrada foi a Pioneer, que estava lançando um daqueles equipamentos de som três em um, batizado pelo Riq com um nome que fez com que eu, que sempre me achei muito bom criador de nomes, ficasse morrendo de inveja saudável: Pioneer

Putassom, nome que, lido, parecia estrangeiro, mas que, falado, deixava clara a sacanagem brasileira.

O comercial e os anúncios do Putassom eram ótimos e a agência começou a fazer barulho.

Logo depois, o Marcio Goldfarb, que estava procurando uma nova agência para as suas Lojas Marisa, confiou em mim e entregou sua conta para a Registrada sem nenhuma concorrência.

Riq e sua equipe criaram uma boa campanha para a Marisa, com uma novidade, que era a presença do então ídolo da mulherada Maurício Mattar como protagonista, mas tendo o bom senso de manter a perfeita e histórica assinatura daquela rede de lojas femininas: "De mulher para mulher, Marisa."

Mais alguns dias e o Unibanco, que já era cliente da W/Brasil havia vários anos, resolveu lançar um novo banco, o Banco 1, uma espécie de precursor dos bancos digitais de hoje em dia.

Também acreditando na minha recomendação e palavra, e já gostando do trabalho do Riq que ele conhecia da W/Brasil, Joaquim Castro Neto entregou a conta do novo banco para a Registrada, que logo depois colocou no ar uma campanha simplesmente espetacular, criada pelo Ricardo Freire e o Roberto Lautert e dirigida pelo João Moreira Salles.

Os dois primeiros anos da Registrada foram certamente os mais prósperos e lucrativos primeiros anos de uma agência lançada no Brasil em todos os tempos.

Mas é claro que uma agência não é apenas os momentos de euforia criativa e prosperidade negocial. Existem também as dificuldades do dia a dia, as burocracias, as recusas às vezes injustas, as perdas e as frustrações. Na Registrada, Ricardo Freire não era poupado dessas coisas. Não tinha apenas a responsabilidade da criação, como acontecia nos tempos em que esteve na W/Brasil. Trabalhando numa agência própria, ele tinha a obrigação de enfrentar os problemas, mesmo nunca tendo sonhado em ser dono de agência e só ter aceitado entrar nessa devido à nossa enorme insistência. Ainda tentamos aliviar a vida do Riq colocando na composição da Registrada o profissional de atendimento Meyer Cohen, com a função de poupá-lo, mas acabou não dando certo.

Tempos depois, o Banco 1, que, como operação, se mostrou avançadinho demais para aquela época, encolheu visivelmente, a Marisa voltou ao seu cotidiano com menos investimentos e o Riq, que já tinha na cabeça o seu sonho de viajar muito e trabalhar com turismo, quis sair.

Sem o Riq a Registrada não tinha razão de ser, mesmo contando com profissionais muito bons como o Fabio Meneghini, que ficou por lá durante algum tempo com o objetivo de fazer uma espécie de trabalho de pronto-socorro numa agência que começava a definhar.

Resolvemos então de comum acordo parar com a Registrada e passamos os clientes não conflitantes para a W/Brasil. Riq deu um stop geral na publicidade e começou a se dedicar ao turismo, dando os primeiros passos para se transformar no que eu defini como o vagabundo de bermuda, camiseta e Havaianas mais talentoso, bem-sucedido e trabalhador do planeta.

■ ■ ■

A CURTA MAS BOA EXPERIÊNCIA com a Propaganda Registrada nos motivou a investir numa outra agência de publicidade no Brasil. Foi assim que a Prax acabou comprando uma participação significativa, apesar de minoritária, na Lew Lara.

Eu já conhecia os dois sócios da agência – Jacques Lewkowicz e Luiz Lara – de outros velórios e carnavais.

Jacques eu conheci no dia em que ia começar a trabalhar na Lince Propaganda, bem no início da minha vida profissional, tendo apenas três meses de experiência anterior, na pequenina HGP.

Jacques, assim como eu, tinha sido contratado dias antes pelo diretor de criação Sergio Graciotti para trabalhar na nova equipe criativa da Lince.

Na segunda-feira em que começaríamos na nossa nova agência, encontramos o casarão da Lince, na avenida Pacaembu, fechado: o fundador e dono, Berco Udler, tinha morrido na noite anterior.

Nenhum de nós dois chegou a conhecer Berco pessoalmente, mas Jacques e eu acabamos muito amigos. Depois disso, contei a história daquele nosso dia de estreia milhares de vezes, acrescentando a mentira de que, na verdade, Berco Udler tinha morrido de desgosto quando soube pelos seus amigos da colônia judaica que o Jacques Lewkowicz havia sido contratado pela sua agência.

Luiz Lara eu conhecia do tempo em que ele trabalhava na Paulistur, empresa municipal de turismo responsável pelo carnaval de São Paulo desde antes da inauguração do Sambódromo do Anhembi, em 1991.

Com o passar dos anos, cheguei a ajudar Jacques e Lara informalmente, sem qualquer interesse comercial, apenas dando palpites nas duas agências que eles montaram antes da Lew Lara.

Em sua agência, Jacques tinha como sócio o Benjamin Steinbruch. Luiz Lara, por sua vez, tinha como sócios o João Doria e o Stalimir Vieira.

Essas duas sociedades acabaram não dando certo e os dois se juntaram para montar a Lew Lara, que, alguns anos depois e já bem-sucedida, estava negociando sua venda para a McCann. Resolvemos então ser mais ágeis que a McCann, dispensando os mecanismos de *due diligence* e avisando que a Prax pagaria à vista o valor que eles exigissem por 40% da Lew Lara.

Assim, o negócio foi fechado e celebrado com um jantar na minha casa. Nos comprometemos a ajudar a Lew Lara o máximo possível, principalmente não atrapalhando, apenas melhorando a administração, que era uma especialidade do Javier, gerando algumas economias de escala nas compras de pesquisas, indicando eventuais clientes conflitantes que procurassem a W/Brasil e dando, se perguntados, alguns palpites na criação, coisa que o Gabriel e eu sabíamos fazer.

Naquele mesmo mês, indiquei a Lew Lara para a Golden Cross, do meu amigo Alberto Bulus, que gostou da agência e entregou sua conta para eles.

Meses depois, num jantar dos sócios no restaurante Antiquarius, comentei com Jacques e Luiz que achava que a agência ia bem, criava peças esteticamente lindas, como as campanhas do Turismo de Aruba, mas precisava de alguém com formação de redator, que abrilhantasse o conteúdo das peças impressas e os roteiros dos comerciais. Eles me perguntaram quem podia fazer isso e eu fui atrás do Ricardo Freire, que estava longe da publicidade, formatando o seu Viaje na Viagem.

Riq aceitou a proposta de ir para a Lew Lara, desde que fosse pra trabalhar só na criação, sem responsabilidades empresariais, e se pudesse de vez em quando faltar ao trabalho para desenvolver o seu projeto ligado ao turismo.

Com o Riq, a Lew Lara cresceu muito e Jacques e Luiz souberam contratar outros bons profissionais, como o criador Dedé Laurentino, que hoje brilha na publicidade inglesa. A agência começou a conquistar grandes contas e num determinado momento chegou até a ter uma reputação melhor do que o seu trabalho, o que por um lado é arriscado junto aos clientes, mas por outro é delicioso para os sócios.

Sabendo que sua missão na Lew Lara tinha sido cumprida, Ricardo Freire me pediu pra voltar para a sua grande paixão, a W/Brasil, e acabou ficando com a gente por mais um bom tempo, até abandonar a publicidade definitivamente para se dedicar ao seu Viaje na Viagem, que se transformou num projeto multimídia e hoje é um negócio bastante bem-sucedido.

■ ■ ■

PASSA O TEMPO, CORTA PARA O INÍCIO DE 2006, e o panorama na Lew Lara já era outro, porque as ambições dos dois sócios majoritários tinham mudado.

Jacques Lewkowicz sonhava colocar um bom dinheiro no bolso e desacelerar o seu ritmo de trabalho no máximo em sete anos e Luiz Lara imaginava uma carreira internacional. Diante disso, os dois começaram a ficar tentados com as inúmeras propostas de compra que vinham recebendo.

Nós, na Prax, chegamos à conclusão de que a melhor maneira que tínhamos de ajudar naquele momento era não complicar na venda dos nossos 40%. Das muitas propostas que eles haviam recebido, a melhor era da TBWA, que tinha como CEO mundial o Tom Carroll, meu amigo desde a época em que ele era o número um do atendimento da Chiat Day em Los Angeles e Nova York, e eu era o menino prodígio da publicidade, queridinho do Jay Chiat.

Estive em Nova York garantindo ao Tom que ele estava fazendo um ótimo negócio comprando a Lew Lara e, em novembro de 2007, nós vendemos os nossos 40% à vista. Jacques e Luiz venderam os seus 60% em cinco anos. Assim, portanto, surgiu a Lew'Lara\TBWA que, pelo que percebo a distância, vai bem até hoje.

No período inicial da nossa sociedade de sucesso com a Lew Lara fomos procurados por outros grupos e profissionais interessados em fazer negócios com a Prax. Um deles foi o Ricardo Guimarães, que estava encerrando a sua agência de publicidade, a Guimarães Profissionais, e queria ampliar a sua empresa de branding, a Thymus.

Acabamos ficando sócios, fizemos algumas coisas em conjunto, envolvendo W/Brasil, Lew Lara e Thymus, principalmente para a Natura, que já tinha uma relação com o Ricardo. Mas não conseguimos muitos outros projetos conjuntos que justificassem a existência da sociedade e assim, tempos depois, o Ricardo Guimarães acabou recomprando a sua parte.

A última agência em que entramos como sócios via Prax foi a gaúcha Escala, em 2001.

É evidente que me lembro bem da minha ida a Porto Alegre para a festa de comemoração da entrada da Escala na Prax, que aconteceu no dia 10 de dezembro de 2001, porque 24 horas depois, já de volta a São Paulo, saindo no final da tarde da W/Brasil, fui sequestrado por aquele bando de covardes.

Fomos sócios da Escala durante nove anos, com bons resultados para todos, até que, em 2010, quando aconteceu a fusão W/ e McCann, me comprometi a não mais participar de outras sociedades de empresas de publicidade e, por causa disso, tive que vender minha parte. Javier e Gabriel me acompanharam e os nossos corretíssimos sócios gaúchos fizeram a recompra.

■ ■ ■

ALÉM DOS NEGÓCIOS DAS AGÊNCIAS, que foram sempre a nossa prioridade, a holding Prax, enquanto esteve ativa, se envolveu também com alguns outros negócios de outras áreas, desde a Dubar, que foi uma operação inteligente na compra, competente no desenvolvimento e lucrativa na venda, até uma desconhecida e insignificante fábrica de casquinhas de sorvete, negócio pequeniníssimo em que a gente só entrou por causa da paixão que o Javier tinha por casquinhas desde o tempo em que foi diretor de marketing da Kibon e fundador da Gelatto.

Nos anos de atuação da holding Prax, ganhamos muito mais do que perdemos e fizemos negócios com alegria e respeito pelos nossos sócios e colaboradores.

Ainda hoje recordo com saudades de alguns dos nossos princípios, que certamente não eram suficientes para se construir um império mundial, mas que foram fundamentais para quem só queria viver bem e com a consciência tranquila.

Lembro, por exemplo – e com orgulho –, de que a W/Brasil jamais dispensou profissionais por ter perdido uma conta. Preferíamos não ganhar nada ou até mesmo perder a abrir mão de qualquer um dos nossos colaboradores por causa de um acidente de percurso.

Não dispensamos ninguém nem quando deixamos de trabalhar para o Unibanco, que era o nosso maior cliente, num ano particularmente difícil.

Acabei me lembrando disso tudo quando o Bradesco, de forma surpreendente para nós e para o mercado, abandonou a WMcCann e fomos obrigados a fazer cortes de pessoal. Foi terrível, me senti extremamente mal, mas tive que encarar o fato de que a filosofia de um grupo como o IPG ou de qualquer outro grande grupo internacional é outra, onde gerar lucro para os acionistas é sagrado, mesmo que isso custe sacrifícios emocionais para sócios e gestores.

■ ■ ■

APRENDI COM O PASSAR DOS ANOS que as coisas que realmente valem a pena na vida ou custam caro, ou são de graça.

Desde que comecei tenho feito muitos trabalhos para ganhar dinheiro e alguns por diletantismo, mas todos com o mesmo prazer. Dos trabalhos que fiz totalmente de graça, um dos mais divertidos foi o filme que criei para o Consórcio Aracaju, em Sergipe, em 1982, a pedido do meu primeiro sogro, José Medeiros Costa. Seu Medeiros era uma figura adorável, de quem eu gostava imensamente, a ponto de dizer para sua filha Luiza, minha primeira mulher, que na verdade eu tinha casado com ele, e não com ela, o que evidentemente era uma brincadeira com a bonita e inteligente Luiza, que me deu meu filho Homero.

Diga-se de passagem, Homero também sempre foi apaixonado pelo avô, a ponto de ter dedicado a ele o seu primeiro longa-metragem, *Reza a lenda*, estrelado por Cauã Reymond, vencedor do Festival de Cinema da Estônia de 2016.

Seu Medeiros era um nordestino acariocado que lembrava na linguagem e na postura o elegante Fernando Pamplona, descobridor do Joãosinho Trinta.

Nascido em Sergipe, estudou e viveu no Rio, mas criou os filhos em São Paulo. Foi fiscal da Fazenda e depois se transformou em prestigiado advogado e consultor tributarista, com escritório na imponente – e decadente – avenida São Luís, pertinho do Terraço Itália.

Apaixonado pela gramática correta, Seu Medeiros assistia aos telejornais para pegar erros de português. Torcedor fanático do Fluminense, se correspondia com o Nelson Rodrigues, sugerindo ao grande dramaturgo que fizesse uma campanha em sua coluna no *Globo* para que o Fluminense nunca mais jogasse com o seu segundo uniforme, aquele todo branco, que na opinião de Seu Medeiros emprestava um aspecto virginal à equipe, despertando assim a agressividade dos adversários. Sem dúvida nenhuma, um ponto de vista absolutamente rodriguiano.

Nas férias de julho de 1982, Seu Medeiros, que tinha uma casa de veraneio numa pequena ilha quase deserta, em Aracaju, chamada Atalaia Nova, resolveu levar a família inteira para fugir do frio de São Paulo. Eu, que fazia parte dessa comitiva, passei uma semana tomando sol, nadando, comendo, bebendo e conversando com Seu Medeiros e seus amigos sergipanos.

Comíamos os famosos caranguejos de Aracaju, que eu adorava, e bebíamos whisky com água de coco, coisa de que eu não gostava, como nunca gostei de Mimosa.

A propósito, acho Mimosa uma maneira inventada pelo barman Frank Meyer, do Ritz Hotel de Paris, de estragar um bom champagne e um bom suco de laranja. E acho whisky com água de coco uma maneira que os brasileiros nordestinos inventaram de estragar um bom whisky e uma boa água de coco.

Apesar de não gostar, eu bebia por delicadeza e também porque não tinha outra coisa.

Certa tarde, apareceu para quebrar caranguejo e beber com a gente o Carlinhos Mesquita, filho mais velho de um amigo do Seu Medeiros. Assim que se sentou à mesa, Carlinhos começou a se queixar do seu negócio, o Consórcio Aracaju, especializado em veículos da Ford, que, segundo contou, por ser regional, estava sendo esmagado por seus concorrentes nacionais, como o Consórcio Sonnervig e o Consórcio Nacional Ford.

Comentei que achava que ele podia reverter essa situação transformando a deficiência de ser local numa vantagem competitiva. Carlinhos então pediu que eu explicasse isso um pouco melhor e eu expliquei. Seu Medeiros, do alto da meia dúzia de doses de whisky com água de coco que já havia tomado, disse que eu, como "seu genro e gênio da publicidade", tinha a obrigação de criar um comercial que resolvesse o problema do consórcio do nosso querido amigo Carlinhos.

Claro que eu criei, e usando o próprio Carlinhos como garoto-propaganda. Apesar das dúvidas que ele tinha, dois dias depois fomos até a TV Sergipe gravar um vídeo, com o Carlinhos sentado atrás de uma mesa de escritório, em plano americano, falando para a câmera um texto mais ou menos assim:

"Olá, amigos, vocês me conhecem. Sou o Carlinhos, do Consórcio Aracaju. Vocês me conhecem desde menino, conhecem meus pais, sabem onde eu moro, onde eu estudei, com quem eu sou casado.

Por isso, quando vocês forem entrar para um consórcio, escolham o meu, o da minha família, o de gente amiga de vocês: o Consórcio Aracaju.

Eu tenho certeza de que vocês nunca na vida encontraram pessoalmente o tal do seu Sonnervig, nem têm a mínima noção de quem seja o seu Nacional Ford, se é que ele existe.

Mas eu e a minha família vocês conhecem. Somos da sua confiança, da nossa terra, de Sergipe, da nossa Aracaju.

Consórcio Aracaju: é o negócio da minha família, mas é como se fosse o da sua."

Nesse instante se sobrepunha à imagem do Carlinhos uma foto de um pátio com uns automóveis novos da Ford estacionados. Em cima da foto aparecia o logotipo do Consórcio Aracaju. Uma locução em off, gravada pelo locutor de cabine da emissora, encerrava o comercial dizendo: "Consórcio Aracaju. Desse ninguém desconfia."

Quando assisti ao vídeo gravado percebi que a interpretação do Carlinhos era ruim, mas tão ruim que acabava até ficando boa, porque o texto decorado, dito com aquela insegurança, parecia espontâneo e verdadeiro, dito por alguém que acreditava no que falava, mas tinha vergonha de aparecer na televisão. Perfeito.

Duas semanas depois eu já estava de volta a São Paulo quando recebi um telefonema do Carlinhos me agradecendo mais uma vez, prometendo me trazer uns caranguejos quando viesse a São Paulo para as compras de Natal e me informando que o comercial estava fazendo o maior sucesso.

Era verdade, tanto que, antes do final de outubro, o Consórcio Aracaju já tinha se transformado no vice-líder de vendas e nas eleições gerais daquele ano, que aconteceram no dia 15 de novembro de 1982, o Carlinhos, que não era candidato a coisa nenhuma, acabou sendo o terceiro sergipano mais votado para deputado federal. Uma espécie de Cacareco daquelas eleições.

Cacareco, para quem não sabe, foi um rinoceronte do Zoológico de São Paulo que em 1959 recebeu mais de 100 mil votos nas eleições, inaugurando o chamado voto de protesto, de eleitores que, descontentes com os candidatos de verdade, optaram por escrever o nome do rinoceronte nas cédulas de votação.

15.

Comentei que a palestra que fiz em Lisboa, no São Luiz Teatro Municipal, foi das melhores da minha vida, mas agora, pensando no capítulo palestras, cheguei à conclusão de que fiz muitas outras bastante bem estruturadas, tanto antes quanto depois daquela.

Um exemplo recente é a palestra que fiz para o pessoal da Alshop, a associação que reúne os lojistas dos grandes shopping centers do Brasil. O evento ocorreu em Nova York, durante a NRF Big Show, a maior feira de varejo do mundo.

A palestra aconteceu no hotel The Pierre, no Cotillion Room and Garden, e começava com algumas cenas do filme *Perfume de mulher*, rodadas exatamente naquele salão.

Eram as emocionantes cenas de Al Pacino, no papel do cego tenente-coronel Frank Slade, dançando o tango "Por una cabeza" com a acompanhante de luxo – eufemismo para puta – Donna, interpretada pela atriz Gabrielle Anwar.

Depois daquelas cenas, comentei o contexto em que elas foram filmadas e falei durante quase duas horas sobre as peculiaridades geográficas e históricas da cidade de Nova York, sob o ponto de vista do consumo e do entretenimento, e sobre as estratégias mercadológicas que essas áreas utilizam para gerar bilhões de dólares.

Cada um dos meus comentários era ilustrado por material visual de excelente qualidade, tanto que tenho certeza de que, com o material que preparei para aquela palestra, poderia perfeitamente ter feito um pequeno livro-guia útil ou até mesmo um documentário bastante razoável.

Muitos, ingenuamente, podem imaginar que quem assiste a palestras aprende muito, mas na verdade quem aprende mesmo são os próprios palestrantes.

Preparar e dar palestras (não vou usar o termo proferir porque acho pedante) é uma ótima oportunidade para um profissional reavaliar o próprio trabalho, descobrir o que foi feito a partir do raciocínio organizado e o que foi resultado do intuitivo.

Boa parte do que eu contei na minha vida para prospects, mostrando casos de sucesso e deixando esses prospects com a sensação de que eu era um magnífico planejador, quase um vidente, capaz de prever e antecipar o futuro, na verdade foram coisas que eu racionalizei sobre os trabalhos enquanto preparava palestras.

Explicar o sucesso depois que ele já aconteceu não é difícil e qualquer pessoa inteligente, analisando o que pode ser interessante dizer em público, é capaz de estabelecer como propositais e planejadas coisas que muitas vezes aconteceram de surpresa ou por casualidade; coisas que aconteceram porque tinham que acontecer.

Comecei a fazer palestras empurrado pelo Roberto Duailibi, logo no meu início na DPZ. Naquela época, os publicitários que faziam palestras eram poucos, basicamente o Roberto Duailibi, o Mauro Salles, o Alex Periscinoto e o Neil Ferreira. Dos quatro, eu só tinha assistido a uma palestra do Neil, um pouquinho antes do meu primeiro e único estágio na HGP, quando eu ainda comparecia às aulas da Faculdade de Comunicações.

Lembro que era uma noite de inverno, fazia frio, e o Neil, com menos de 30 anos de idade, vestindo pulôver de lã e calça Lee de veludo cotelê, com seus cabelos longos encaracolados parecidos com os do Caetano, uma cara que lembrava um pouquinho o rei Roberto Carlos, caminhando de um lado pro outro, mostrando anúncios e comerciais premiados que ele tinha criado e fazendo algumas frases de efeito, encantou as meninas, não desagradou os rapazes e eu imaginei que não seria ruim ser como ele.

Lembrei disso quando, já na DPZ, o Roberto me disse que eu devia aprender a fazer palestras.

Antes de mim, na DPZ, só ele fazia palestras, coisa que o Zaragoza fingia não dar bola e o Petit odiava.

Na verdade os dois catalães não gostavam do fato de o Roberto ser visto fora da agência como uma espécie de presidente da DPZ, já que os três tinham paticipações e poderes iguais. Mas é claro que a presença frequente do Roberto na mídia especializada, dando entrevistas, e a figura do Roberto como palestrante, representando a agência, acentuava essa percepção externa de que era ele quem mandava – o que irritava os outros dois sócios.

Petit, sempre mais radical e menos político, dizia para quem quisesse ouvir que os grandes profissionais de criação da publicidade mundial jamais faziam palestras – o que não era verdade – e que o Roberto só fazia palestras porque não era um grande redator – o que também não era verdade –, e que, além de tudo, as palestras do Roberto eram péssimas, coisa que o Petit dizia sem jamais ter assistido a uma palestra do Roberto.

Quando contei ao Petit que ia começar a fazer palestras, ele não elogiou, mas também não me criticou. Tempos depois, como me adorava, Petit começou a dizer para amigos, clientes e prospects que eu era um dos melhores palestrantes da publicidade mundial, entre os muitos grandes criadores que faziam palestras, acrescentando que as minhas palestras eram absolutamente geniais, sem jamais na vida ter assistido a uma.

Roberto queria que eu aprendesse a fazer palestras porque achava que eu levava jeito, que eu podia substituí-lo naquelas que ele não tivesse tempo de fazer, e que isso seria bom para a DPZ.

Não precisou fazer nenhum esforço para me convencer, já que resolvi na hora assistir a algumas palestras dele para aprender alguns truques e meter a cara.

Assistindo ao Roberto aprendi coisas básicas, como a necessidade de uma boa história na abertura, para prender as atenções desde o início, e de alguma coisa inesquecível no final, que deixe a plateia com gosto de quero mais.

Igualzinho a um livro, que precisa de um bom início e um bom final, mas no meio precisa de um escritor, uma palestra precisa de um bom início e um bom final, mas no meio precisa de um palestrante.

Um palestrante era tudo o que eu não era quando, recomendado pelo Roberto Duailibi, fui fazer a minha primeira palestra num lugar mais do que habituado a receber bons palestrantes: o auditório da Fundação Getúlio Vargas em São Paulo.

Na FGV, a partir dos anos 1970, acontecia a Semana de Comunicações, criada pelo Bruno Ferro e ansiosamente esperada pelos alunos.

Eu até que me virei direitinho falando pela primeira vez naquele lugar importante, tanto que a partir daquele dia peguei gosto pela coisa, fui me aperfeiçoando, criando um estilo próprio, baseado em muita informação, nenhuma prepotência, nenhum ar professoral, senso de humor, capacidade de rir de si próprio e boa noção de timing. Tudo isso fez com que eu me transformasse, em pouco tempo, na grande estrela das semanas de comunicações da FGV.

Obviamente, o fato de eu aparecer cada vez mais na mídia também ajudava. Por causa disso, o Bruno Ferro me escalava sempre no último dia da semana, nas noites de sexta-feira. Segundo ele, sabendo que ia ter palestra minha, a garotada não viajava nem ia para as baladas, duas coisas que aqueles jovens de classe média alta gostavam de fazer nas sextas-feiras – apesar do termo baladas ainda não existir naquela época.

Escrever garotada e público jovem lembrando do meu início como palestrante fica até engraçado, porque, como comecei muito cedo, durante uns bons anos eu fui um palestrante mais novo do que boa parte das plateias.

Desde que comecei a fazer palestras, me programei para fazer disciplinadamente umas duas ou três por mês. Dá trabalho, mas vale a pena, gerando inclusive, direta ou indiretamente, negócios para o meu negócio.

Já fiz palestras no Brasil e no mundo inteiro, a maioria delas muito bem-sucedidas, com algumas zebras no meio do caminho, o que também faz parte. (Só perde pênaltis quem bate todos os pênaltis.)

Quando comecei, os recursos tecnológicos não eram como os de hoje. Muitos lugares não tinham projetores de filmes 35 ou 16 milímetros, que era o que usávamos para projetar os filmes, alguns sistemas de som não eram os ideais e existia muita improvisação, coisas que felizmente mudaram muito nos últimos anos com os avanços da geração Steve Jobs.

Minhas palestras de hoje têm estrutura de show, com material visual e sonoro sempre impecável. Daniel Bragio, que trabalha comigo há anos, visita o lugar da palestra dias antes, para ter certeza de que teremos tudo que precisamos, e no dia da palestra chega ao local bem antes que a plateia, deixando tudo prontinho pra hora que eu pisar no palco.

Não dou entrevistas, não faço fotos nem converso com ninguém antes de palestras. E não é por frescura, mas porque tira a concentração mesmo.

Depois das palestras sou a pessoa mais afável e disponível do mundo. Dou entrevistas, tiro fotos, converso com Deus e o mundo, assino livros, faço de tudo, só não convido a moça mais bonita da plateia para jantar porque isso eu fazia quando era garoto e solteiro, mas hoje seria descabido e ridículo.

Eu fazia, e acho que outros palestrantes também faziam, ou fazem, simplesmente porque moças bonitas de todos os lugares adoram palestrantes, particularmente aqueles que vão embora da cidade no dia seguinte.

Entre as palestras que fiz e deram zebra, duas se destacaram particularmente.

Uma em Buenos Aires, no FIAP, quando um dos caras da organização esqueceu num táxi todo o material audiovisual da minha palestra e só teve a coragem de me contar isso dez minutos antes de eu subir as escadinhas para o palco.

Claro que eu tive vontade de matar o tal sujeito, mas felizmente, como àquela altura já era bastante experiente, abri a palestra contando o que tinha acontecido. Improvisei uma nova estrutura, transformando boa parte do que era monólogo numa espécie de debate com o auditório. E ainda fiz charme pedindo desculpas pelo meu péssimo castelhano, que na verdade não é tão ruim assim, tanto que até mereceu um elogio de uma moça da plateia que veio me tietar no final.

O cara perder meu material da palestra em Buenos Aires foi péssimo, mas acabei virando o jogo e me saindo bem. Agora trágica mesmo foi a minha ida à Venezuela para uma palestra em Maracaibo.

O problema começou quando decidi aceitar ir à Venezuela pela segunda vez, sendo que a Venezuela não é um lugar pra você ir mais de uma vez, a menos que você seja a Miss Venezuela ou o namorado da Miss Venezuela.

Eu tinha estado naquele país para uma palestra em Caracas e já não tinha gostado, mas aceitei o convite para Maracaibo porque queria conhecer os outros palestrantes do evento, que eram o Ted Turner, na época casado com a Jane Fonda, e o Giorgio Armani.

Maracaibo havia sido considerada o lugar mais poluído do mundo por causa da bacia petrolífera, mas tinha sido restaurada pelos venezuelanos, ficando depois disso com a carinha de Cubatão, fato que só fui constatar quando cheguei lá.

O evento, com as três palestras, era para comemorar a restauração da cidade. Ted Turner falaria sobre o que a televisão de notícias podia fazer por um mundo melhor, Giorgio Armani falaria sobre o que a moda podia fazer por um mundo melhor e eu falaria sobre o que a publicidade podia fazer por um mundo melhor. Tudo isso naquele fim de mundo.

Patrícia foi comigo e a barra começou a pesar assim que chegamos. O aeroporto de Maracaibo (primeiro fizemos uma escala em Caracas) era minúsculo e estava caindo aos pedaços. O carro que foi nos buscar, uma espécie de Galaxie 1968, tinha as molas aparecendo nos buracos do estofado. Fazia um calor de mais de 40 graus naquelas ruas esburacadas e engarrafadas com outras latas velhas parecidas com a nossa, e o hotel era uma coisa horrível de arquitetura e decoração, com plantas de plástico em grande quantidade e o ar-condicionado ligado na temperatura de uma câmara frigorífica de um dos açougues do István Wessel.

O choque térmico que atingia quem chegava da rua, com 40 e tantos graus na sombra, e entrava naquele lobby pavoroso, com a temperatura da Sibéria, era mortal.

Fomos colocados numa suíte horrorosa, pedimos alguma coisa do *room service*, que também era péssimo, e eu tentei descansar embaixo de umas cobertas, naquela geladeira que era a tal suíte, para fazer a palestra no dia seguinte.

Em geral, não gosto de ar-condicionado, sou até meio alérgico, começo a espirrar. Em 2015, cheguei a apoiar publicamente os comentários do Caetano Veloso no jornal *O Globo* contra as temperaturas exageradamente geladas e artificiais dos cinemas, teatros e restaurantes do Rio de Janeiro.

Mas, voltando à palestra de Maracaibo, antes do auditório onde o evento ia acontecer e que ficava no fundão do hotel existia uma espécie de anfiteatro, com água e café. Passei por lá antes de ir para a coxia e vi que a minha plateia seria formada por homens vestidos de Julio Iglesias se o Julio Iglesias não tivesse dinheiro e mulheres cheias de joias pavorosas, no mais puro estilo árvore de natal que fala castelhano.

Todos os homens e mulheres que vi quando passei estavam aos berros nos seus telefones celulares – e alguns desses telefones tocaram durante a minha palestra. Um horror.

Fiz a palestra o mais rápido que pude, na verdade me livrei dela, até porque o ar-condicionado continuava a mil e eu preferia passar muito calor lá fora a ficar àquela temperatura congelante.

Por causa da temperatura, não fui assistir às palestras do Turner nem do Armani. Aliás, eles também não foram à minha. Patrícia e eu tentamos ir a um museu que nos recomendaram, mas que estava meio depredado, e à noite o programa de índio continuou, com um jantar oferecido pelo prefeito da cidade aos três ilustres conferencistas.

O lugar do jantar também era feio, as pessoas idem, os discursos insuportáveis, a comida meio na base de empanadas frias com cerveja quente, e nós, palestrantes, ganhamos a chave da cidade, que eu imaginei usar para trancar todo aquele povo lá e depois jogar fora.

Detalhes que eu nem precisava contar: Ted Turner foi sozinho, não levou a Jane Fonda, que eu queria conhecer desde 1969, quando assisti ao filme *A noite dos desesperados*, e tanto o Turner quanto o Armani não me deram a mínima bola.

Quando chegamos de volta ao Brasil, Patrícia foi direto ao médico, porque tinha pego uma pericardite por causa daquele ar-condicionado assassino.

■ ■ ■

CONTEI ESSAS DUAS ROUBADAS, mas a verdade é que, nesse tempo todo de palestrante, as roubadas têm sido poucas, e a maioria tem sido extremamente gratificante.

No Brasil, fiz palestras em tudo quanto é canto, nos mais variados auditórios, e até mesmo em estádios, como a que fiz anos atrás em Recife, ao lado do Amyr Klink, num evento para as donas de casa pernambucanas promovido pelos Supermercados Bom Preço.

A primeira coisa que faço antes de começar uma palestra é eleger uma pessoa da plateia para ser o meu ponto focal. Escolho essa pessoa e faço a palestra olhando praticamente o tempo todo para ela. Já aconteceu de gente me escrever ou telefonar na agência dizendo que teve a sensação de que eu estava fazendo a palestra só para ela. Mas, assim como sei que a pessoa escolhida pode perceber, tenho certeza de que o resto do auditório não percebe, então eu falo tranquilo, para uma porção de gente, como se estivesse falando para uma só pessoa.

Esse é o meu estilo, típico de quem não gosta de falar sem estar olhando nos olhos de alguém.

Mas existem outros estilos, como o do Sir Alex Ferguson, lenda viva do Manchester United, que no seu livro *Liderança* conta que, quando fala em público sobre qualquer assunto, procura olhar para o infinito e se abstrair da presença da plateia.

Chego a pensar que talvez ele tenha desenvolvido esse estilo no seu início, quando falava em público apenas sobre futebol, assunto que todo mundo entende e que, às vezes, provoca reações ou gestos de desagrado em alguns ouvintes.

Talvez ele tenha desenvolvido esse estilo pra não ver ninguém balançando a cabeça em sinal de reprovação, num momento em que elogiava o Éric Cantona ou criticava o Bryan Robson.

Eu também falo de um assunto que todo mundo entende, que é publicidade, mas para plateias bem menos fanáticas do que um bando de *hooligans*.

Tanto que, fazendo palestras há muitos e muitos anos, raramente tive discussões ou polêmicas com alguém da plateia, mesmo nas sessões de perguntas e respostas, quando discordâncias poderiam aparecer.

Na verdade, que eu me lembre, porque acabou sendo divertido, só tive um episódio desse tipo anos atrás, numa palestra no MIS (Museu da Imagem e do Som), em São Paulo. Gosto do astral do MIS e já tinha feito outras palestras lá. A audiência era jovem e receptiva e eu não tinha a mínima pressa de ir embora. Por isso, no final da minha apresentação, apesar de o tema já estar esgotado, resolvi atender ao pedido dos organizadores e abri para uma sessão de perguntas. Para as perguntas, existia um microfone fixo, de pé, colocado bem em frente ao púlpito onde eu estava. As pessoas caminhavam num corredor entre as fileiras de cadeiras, chegavam ao tal microfone e faziam a sua pergunta.

O segundo perguntador era um rapaz de uns 30 anos que veio lá de trás do auditório com a evidente intenção de complicar a vida do palestrante. No entanto, como a sua pergunta era sobre o tema daquela noite, não me importei e respondi.

Depois de mais um perguntador, no caso uma moça, o rapaz da pergunta impertinente voltou com mais uma. Dessa vez, pela sua introdução, deu para perceber que era um daqueles caras que não gostavam de publicidade nem de publicitários, com uma cabeça da época em que existia o Muro de Berlim. Depois de um introito interminável e bastante crítico à minha atividade, ele finalmente fez a sua segunda pergunta, que, apesar de ainda mais mal-intencionada do que a primeira, continuava sendo sobre o tema da palestra. Eu não tinha outra coisa a fazer senão responder normalmente, como respondi.

Vieram mais perguntas de outras pessoas, mas, de repente, o chato das duas perguntas impertinentes caminha em direção ao microfone, o que já provoca um certo burburinho de reprovação na plateia, me deixando à vontade para dar um chega pra lá nele. Ele se aproxima do microfone e num tom irônico diz:

"Uma última pergunta: você, que usa umas roupas tão diferentes, uns paletós, umas camisas transadas, umas gravatas que até já foram assunto de programas na televisão; você, que tem esse conhecimento de moda, essa obsessão por moda, nunca pensou em lançar uma grife sua?"

A má intenção, a sacanagem e o ar de deboche do rapazinho ficaram claros, a plateia percebeu e se incomodou, e eu não demorei nem um minuto para pegar o microfone e responder olhando bem para ele:

"Nunca pensei não, por dois motivos.

Primeiro porque moda não é o meu negócio; o meu negócio é publicidade.

Se eu entendo um pouquinho de moda, é porque faz parte do negócio da publicidade entender um pouquinho de tudo.

E segundo porque, se eu me metesse com o negócio de moda, lançando uma grife minha, eu correria o risco de um dia encontrar um babaca como você vestido como eu."

A galera foi ao delírio. E o bobo escafedeu-se.

■ ■ ■

NO FIM DE 1989, ESTIVE EM MOSCOU, no período da Perestroika, como o primeiro estrangeiro a falar de publicidade para os russos, num evento chamado Reclama 90.

A experiência foi ao mesmo tempo interessantíssima e decepcionante. Preparei minha apresentação durante meses, detalhe por detalhe. Mandei confeccionar para vestir no dia um jogging vermelho, com a marca W/Brasil escrita em amarelo, homenageando as cores da bandeira soviética.

Pedi para fazer a palestra em português, com tradução para o russo, eliminando qualquer jargão ou palavra em inglês. Fiz o melhor possível, mas no final muitos dos quase 600 espectadores saíram frustrados com o que viram – ou com o que não viram.

Aconteceu um fato que eu não podia imaginar quando estava preparando a palestra e que só fui compreender em Moscou. A verdade é que estive lá falando de publicidade num período em que o consumo naquele país praticamente não existia, não havia o que comprar, e quando uma mulher encontrava numa loja um sapato número 41, ela comprava mesmo que calçasse 37, na esperança de depois encontrar uma outra mulher que calçasse 41 e tivesse comprado um 37 para as duas fazerem uma troca.

A cultura do escambo prevalecia em Moscou, e isso quando existia o que trocar, o que era bem raro.

Meus dias ali, apesar de fascinantes, foram difíceis. De um lado, a emoção de ver ao vivo a Praça Vermelha, um carnaval arquitetônico em verde e rosa, parecendo uma mistura do Antoni Gaudí com a Estação Primeira de Mangueira. Do outro, a dificuldade de se hospedar num hotel que tinha sido o mais luxuoso da cidade e havia se transformado numa espelunca, com quartos mal-ajambrados, móveis descascados, tapetes puídos, banheiros caindo aos pedaços, chuveiros jorrando água gelada ou escalpelante, um sabonete minúsculo num canto da pia e uma toalha de rosto fazendo as vezes de toalha de banho.

Faltava comida em Moscou e só comemos mais ou menos bem no dia em que fomos convidados pelo embaixador para saborear queijos e vinhos na Embaixada brasileira, que, graças aos privilégios diplomáticos, podia trazer alguma comida de fora.

Nos outros dias passamos mal, com comida ruim e racionada, num frio tremendo e quase sem vodka, porque a única que existia por lá era a apimentadíssima Stolichnaya Pepper, que tinha encalhado nas exportações e estava sobrando.

Nesse contexto, num país sem ter o que consumir, com as pessoas sonhando com a existência de algum produto, seja ele qual fosse, eu fiz uma palestra repleta de comerciais brilhantes, de produtos consagrados ou recém-lançados, que representavam o que se fazia de melhor na publicidade mundial, sob o ponto de vista de potências do consumo e da criatividade como os Estados Unidos, a Inglaterra e o Brasil.

Trocando em miúdos, mostrei coisas totalmente desinteressantes para aquela plateia de russos, que não queriam ver homens conquistando mulheres por estarem bem barbeados – queriam ver os barbeadores –, e de russas, que não queriam ver mulheres atraindo olhares de homens por estarem bem maquiadas – queriam ver os estojos de maquiagem.

Percebi o erro conversando com o meu tradutor, um rapaz de menos de 30 anos que, sem nunca na vida ter saído de Moscou, falava um bom português e conhecia Fernando Pessoa e seus heterônimos melhor do que eu.

Meu tradutor me contou que, antes de mim, já tinha ouvido falar de cinco brasileiros: Pelé e Garrincha, lendas do jogo Brasil x União Soviética de 1958; Sócrates, por ser o comunista que melhor jogava futebol no mundo; Lucélia Santos, por causa da novela *Escrava Isaura*, que tinha passado na televisão local; e Ivo Pitanguy, que era o grande ídolo do seu pai.

O pai do meu tradutor era cirurgião plástico e ganhava o mesmo salário de um motorista de ônibus, porque os dois exerciam cargos de utilidade pública, lembrando que na União Soviética só existia a plástica corretiva, não existia a plástica estética. Só existiam os Ivo Pitanguys das crianças queimadas no circo incendiado em Niterói, não existiam os Ivo Pitanguys das atrizes de Hollywood depois dos 40 anos de idade.

No meio das nossas conversas, o tradutor me disse gentilmente que gostou muito da minha palestra, mas que achava que ela podia ter agradado muito mais se, em vez de mostrar aqueles comerciais com histórias, eu tivesse mostrado pura e simplesmente os produtos.

Portanto, teria sido melhor se eu tivesse feito uma palestra sobre publicidade sem a publicidade.

Hoje, pensando nisso, chego à conclusão de que aquela Moscou de 1989 era mesmo muito estranha, pelo menos pra mim.

Lembro que, no dia seguinte à palestra, resolvi visitar o túmulo do poeta Vladimir Maiakovski, que eu imaginava programa obrigatório para moscovitas e turistas, mas fiquei decepcionado quando cheguei lá e não encontrei absolutamente ninguém.

Em compensação, na volta, num lugar pertinho do túmulo do Maiakovski, vi uma fila enorme de homens, mulheres e crianças de todas as idades e resolvi descobrir o que era aquilo que despertava tanto interesse. Era a fila para visitar as obras do primeiro McDonald's de Moscou, que estava sendo construído naquele ano.

■ ■ ■

O MCDONALD'S NASCEU NOS ESTADOS UNIDOS E, antes de invadir o mundo, já estava na maioria das cidades norte-americanas, mas eu não me lembro de ter visto nenhum quando em 2000 estive em Nova Orleans, na Louisiana.

Claro que devem existir McDonald's em Nova Orleans, mas a preferência absoluta dos habitantes da cidade, também conhecida como The Crescent City, é pela comida creole, servida com fartura nos botequins e com requinte em restaurantes excepcionais, como o Commander's Palace, o Brennan's e o Muriel's Jackson Square.

Estive em Nova Orleans, lugar de respeito, onde nasceram Louis Armstrong e Truman Capote, fazendo uma palestra para o pessoal da INMA, a Internacional Newspaper Marketing Association.

Me programei para chegar a Nova Orleans dois dias antes da palestra, porque tinha muita curiosidade de conhecer a cidade, e já no dia em que cheguei passei exatas doze horas na histórica Bourbon Street, das 6 da tarde às 6 da manhã.

Entrei na maioria dos bares daqueles treze quarteirões, ouvi jazz e bebi alguma coisa em quase todos eles. Voltei para o hotel com o dia claro, feliz da vida, como se nada tivesse acontecido, a ponto de tomar um banho e ficar fazendo hora um tempão, lendo e revisando a minha palestra, para depois ir ao aeroporto buscar Patrícia, minha mulher, que chegava de Nova York.

O tema da palestra era a comunicação da *Folha de S.Paulo*, com comerciais institucionais premiados com Leões em Cannes, como *Hitler*, *Collor Antes e depois do Impeachment* e *Explicação*, além das campanhas de classificados, extremamente populares, como a famosa campanha do Rato que cantava o número do telefone dois, dois, quatro, quatro mil.

Por causa desses e outros trabalhos, a INMA escolheu a *Folha* como o jornal que melhor tinha se comunicado nas duas décadas anteriores, numa eleição em que também foram finalistas outros dois jornais reconhecidos por sua *excellence in advertising*, os ingleses *The Independent* e *The Guardian*.

A palestra aconteceu, num auditório do próprio hotel onde estávamos hospedados, o Ritz Carlton. Na abertura, assim que eu disse boa tarde, o alarme do hotel disparou e todo mundo, inclusive eu, saímos em disparada.

Fomos todos para fora do hotel, mas uns dez minutos depois o pessoal da conciergerie apareceu para nos informar que não havia problema algum, nada tinha acontecido, e que aquilo tinha sido apenas um alarme falso.

Voltamos para o auditório e aproveitei o susto que todo mundo tinha levado com o disparo do alarme para abrir a palestra dizendo: "Eu sempre procuro criar algo de forte impacto para a abertura das minhas palestras, mas acho que dessa vez exagerei um pouco."

O pessoal adorou o comentário e daí em diante falei por quase duas horas sobre como fazíamos a publicidade da *Folha* para uma plateia formada por donos, editores e diretores de marketing de jornais do mundo inteiro.

Posso afirmar, sem dúvida nenhuma, que aquela foi uma das melhores audiências que peguei em toda a minha vida, com algumas perguntas bem melhores do que as minhas respostas.

■ ■ ■

OUTRA BOA AUDIÊNCIA QUE PEGUEI foi em Sydney, na Austrália, num ciclo de palestras promovido pela Australia Television, hoje Australia Plus. Os palestrantes eram Dan Wieden, John Sculley e eu.

Dan Wieden, brilhante publicitário, sócio da Wieden&Kennedy, responsável por campanhas sensacionais como as da Nike, e que eu já conhecia havia algum tempo por causa dos júris dos Andy Awards, quando viajamos juntos para Miami, Barcelona, Paris e Marraquexe.

E John Sculley, que eu não conhecia pessoalmente, mas não ia muito com a cara dele, por ter sido o homem que saiu da Pepsi, convidado por Steve Jobs para dirigir a Apple, e um pouco depois teve a infeliz ideia de demitir o próprio Steve.

Gostei de estar com o Dan Wieden, que adorou a abertura da minha palestra, a ponto de anos depois dar uma entrevista para a *Campaign* inglesa relembrando essa abertura. E acabei tendo um bom relacionamento com John Sculley, com quem conversei muito sobre um amigo em comum, o publicitário norte-americano Phil Dusenberry, que havia criado a magnífica campanha "Pepsi, The choice of new generation", com peças de altíssimo nível, como o comercial *The Arqueologist*.

Também gostei muito de Sydney, do trânsito nada caótico, da arquitetura de vanguarda, da Ópera de Sydney, do clima sempre ensolarado e dos charmosos *water taxis*, que levam você a magníficos restaurantes de peixes e frutos do mar localizados à beira d'água.

Fiquei cinco dias em Sydney e teria ficado mais se pudesse. Mas ainda bem que não pude, porque, se tivesse ficado uns dias a mais, certamente teria morrido, já que em Sydney, além de pegar uma boa audiência, eu também peguei uma terrivel bactéria que só mesmo um gênio como o Zyun Masuda, meu amigo e médico no Brasil, conseguiria descobrir e curar, como descobriu e curou.

A história foi a seguinte: na última noite em Sydney, fui convidado para entregar um prêmio num jantar black tie da Australia Television, que premiava atores, jornalistas, cantores, apresentadores, humoristas e até mesmo o melhor comercial, prêmio que eu entregaria.

Estávamos, na mesa de um dos sócios da emissora, ele e sua esposa, Patrícia, eu e meu filho Homero, que tinha viajado com a gente para conhecer a Austrália.

No meio do jantar comecei a transpirar fortemente, pedi ao Homero que passasse a mão nas minhas costas e ele se assustou quando sentiu o paletó do meu smoking encharcado.

Achei que tinha pego a maior gripe do mundo, não tinha apetite para nada, mas aguentei firme, entreguei o prêmio e só fomos embora no final da festa. No dia seguinte embarcamos para Los Angeles, onde íamos ficar dois dias hospedados no Beverly Hills Hotel. Naquela época, Homero, que hoje é diretor e roteirista de cinema, era garotão, mas já sonhava conhecer Los Angeles e o Beverly Hills Hotel, lugares literalmente cinematográficos. Em Los Angeles, continuei me sentindo mal, mas me aguentando, até que, quando chegamos ao Brasil, tive uma febre terrível e acabei no Einstein.

Fiz uma porção de exames que não deram nada.

Desde que me viu, Masuda achava que eu havia contraído alguma bactéria, mas a bactéria não aparecia nos exames de sangue. Como eu tinha feito um checkup havia menos de dois meses, com resultados ótimos, a minha situação era kafkiana, porque a minha pessoa jurídica (a papelada do checkup recente e os exames feitos aquele dia) estava perfeita, mas a minha pessoa física, o meu corpo, tinha 40 graus de febre.

Mais dias se passaram, mais exames foram feitos e nada de a bactéria aparecer.

Masuda resolveu então apostar que eu tinha contraído aquela bactéria que provoca a endocardite, matando a vítima do coração, e, por via das dúvidas, começou o tratamento com todos os antibióticos utilizados nesses casos.

Não deu outra: dias depois a bactéria finalmente apareceu nos novos exames de sangue, e era ela mesma. Como afortunadamente eu já estava medicado, acabei não tendo nada, apenas a chateação de pegar veias todas as manhãs e todas as tardes, porque o cateter fixo me dava flebite.

Até hoje desconfiamos que eu peguei a tal bactéria quando fiz um pequeno corte no pé pisando numa pedra de uma praia de Sydney, mas pode também ter sido através de uma espinha que espremi na longa viagem de ida para a Austrália.

■ ■ ■

POR FALAR EM VIAGENS LONGAS, também fiz palestra em Xangai, na China, a 18.500 quilômetros de São Paulo. Fui o primeiro publicitário ocidental a falar naquele país, em julho de 2001.

A China estava mudando para valer e Xangai impressionava pela mistura da sua cultura milenar com lugares moderníssimos, como o Hotel Grand Hyatt, que surpreendia com seu lobby no 54º andar e um bar com uma vista de tirar o fôlego no 86º.

Fiz minha palestra em Xangai num auditório grande e moderno para uma plateia de mais de 4 mil pessoas, traduzida do português para o chinês por uma doce e encantadora jovem chinesa, neta de portugueses por parte de mãe e estudiosa da língua da avó.

A palestra começou às 6 da tarde e terminou às 8 da noite, quando fomos convidados para jantar no restaurante M on the Bund, um lugar belíssimo, lotado de gente do mundo inteiro, com uma comida simplesmente deliciosa.

Aproveitei também os outros dias que fiquei na China para conhecer os museus tradicionais, as novas galerias de arte, lançadas naquele momento em que a arte contemporânea chinesa começava a invadir o mundo, e os designers de moda, que, por sua vez, estavam fazendo na Xangai do início dos anos 2000 uma revolução estética parecida com a que Kenzo Takada começou a fazer na Tóquio do início dos anos 1960.

Enfim, foi uma viagem espetacular, com direito inclusive a

um dos momentos mais engraçados de toda a minha vida. Aconteceu no zoológico de Xangai, onde fui convidado para plantar uma árvore, deferência e convite feito somente a visitantes muitíssimo ilustres.

Quem me colocou nessa história foi meu amigo José Alberto de Camargo, na época presidente da CBMM (Companhia Brasileira de Metalurgia e Mineração), a maior produtora de nióbio de todo o mundo.

Os homens que realmente mandavam na China eram grandes compradores do nióbio da CBMM e Camargo era amigo íntimo de todos eles.

Camargo, que, além de brilhante empresário, sempre foi um visionário, fez da CBMM uma gigante mundial, criou sistemas para que todos os operários das minas, na cidade de Araxá, tivessem casa própria, num conjunto habitacional que ele construiu com residências e escolas modelo, e foi pioneiro em gestos de preservação ecológica e proteção ambiental.

Instituiu na CBMM a tradição – talvez chinesa – de os visitantes ilustres plantarem uma árvore no jardim da casa de hóspedes e começou a trazer para Araxá aves e animais do Brasil e do mundo. Um dos seus sonhos era que o Brasil um dia tivesse um casal dos raríssimos pandas e para isso começou a fazer agrados aos dirigentes dos zoológicos chineses.

Os zoológicos são considerados importantíssimos pelos chineses e a presidência do zoológico é um dos cargos de maior status em todas as cidades. Isso se deve ao amor que os chineses têm pelos animais em geral e em particular pelos seus raríssimos pandas.

Apenas a título de curiosidade, no inverno pandas são alugados para zoológicos como o do Central Park, em Nova York, por alguns milhões de dólares.

Quando soube que eu ia pra China, Camargo avisou a seus amigos chineses que o publicitário brasileiro que visitaria Xangai era merecedor da honraria de plantar uma árvore no zoológico e poderia inclusive, em nome dele, visitar o casal de lobos-guarás brasileiros que ele tinha acabado de mandar de presente para o zoológico de Xangai.

Fui ao zoológico acompanhado da Patrícia, de um diretor da CBMM local e da minha chinesinha tradutora, porque o presidente do zoológico não falava inglês. Plantei minha árvore, o presidente do zoológico me fez uma saudação em chinês, a chinesinha traduziu para o português, eu agradeci a saudação em português, a chinesinha traduziu para o chinês, e depois fomos todos visitar os raros lobos-guarás recém-doados pelo nosso amigo comum, doutor Camargo.

Quando chegamos às jaulas, olhei as placas de identificação dos animais e li os nomes que o gozador do Camargo tinha mandado colocar, aproveitando o fato de que os chineses não iam entender mesmo.

Piroca era o nome escrito na placa da jaula do lobo-guará macho e Xoxota era o nome escrito na placa do lobo-guará fêmea.

Tentando me controlar para não me esborrachar de rir, pedi a palavra e disse ao presidente do zoológico que em nome do nosso amigo comum, doutor Camargo, eu manifestava a minha satisfação por ter visto aquele grande Piroca e aquela maravilhosa Xoxota num lugar tão nobre do zoológico de Xangai.

A chinesinha traduziu todas as minhas palavras, preservando os nomes Camargo, Piroca e Xoxota. O homem ficou feliz e quando saímos de lá Patrícia quis me matar.

■ ■ ■

HISTÓRIAS ENGRAÇADAS ACONTECEM quando se viaja para fazer palestras, e, entre as muitas que eu já vivi, a melhor aconteceu num lugar onde as coisas não estavam nem um pouco engraçadas: o Chile do general Augusto Pinochet.

Era um evento promovido pelo Círculo de Criativos do Chile, composto por quatro palestras no mesmo dia: uma de manhã, na abertura, feita pelo criativo inglês Dan White; outra na sequência, feita pela diretora do Círculo de Criativos, a chilena Gelly Walker; mais uma, logo depois do almoço, feita pelo presidente do Círculo de Criativos, o chileno Martin Subercaseaux; e uma última, no encerramento, feita por mim.

Eu já conhecia todos os palestrantes pessoalmente e sabia que o extravagante Dan White ia chamar atenção, até porque, sozinho, valia por uma passeata gay, coisa não muito apropriada para aquele Chile onde os militares tinham instituído um toque de recolher a partir da meia-noite.

Dan White chegou ao Chile com roupas coloridíssimas e um namorado a tiracolo. Foi muito simpático com todos durante o jantar de boas-vindas e me perguntou se eu gostaria de ser o seu *toy boy*, coisa que ele me perguntava sempre que me encontrava em Cannes, já sabendo que a minha resposta seria não. Brilhou naquele grupo de amigos liberais e voltou cedo com o namorado para o hotel, assim como todos nós voltamos para os nossos hotéis e os chilenos para as suas casas, porque tínhamos palestra no dia seguinte e toque de recolher nas ruas.

Na manhã seguinte, uma plateia composta de profissionais de criação, anunciantes, representantes da mídia e estudantes nos esperava no auditório do Hotel Carrera, que era uma espécie de Copacabana Palace de Santiago do Chile.

Depois do bom-dia a todos, dado por um apresentador da TV Chilena, o multicolorido Dan White assumiu o púlpito e iniciou sua palestra lendo um papelzinho que tirou do bolso.

Leu lentamente e até com certa dificuldade uma frase em espanhol que dizia:

"Gostaria muito de fazer a palestra na língua de vocês, mas sou obrigado a fazer em inglês, porque as únicas palavras que conheço em espanhol eu aprendi numa cama."

A plateia riu muito, gostou, aplaudiu e eu pensei comigo mesmo: Oba!

O dia correu rapidamente. Na hora do almoço a abertura do Dan White foi supercomentada e, no fim da tarde, quando chegou a minha vez de falar, eu não tive dúvidas de fazer o que já tinha pensado no início da manhã.

Dei um boa-tarde a todos em espanhol e prossegui dizendo nessa mesma língua:

"Eu vou tentar fazer minha palestra em espanhol e acho que vocês vão conseguir me entender, até porque eu passei muito mais tempo naquela cama do que o meu amigo Dan White."

A plateia adorou e o Dan White, que tinha um tradutor do espanhol para o inglês especialmente contratado pelos organizadores para ele, pôde também entender e se divertir com a brincadeira que fiz em cima da brincadeira dele.

■ ■ ■

PALESTRAS NO EXTERIOR como essas que eu comentei e outras tantas que tenho feito pela vida afora são úteis para conhecer novos lugares, conviver com outras culturas, fazer novas amizades, praticar línguas, aprender coisas inesperadas e massagear o próprio ego. É sempre gostoso ser reconhecido fora do seu país de origem.

Mas, para um publicitário como eu, que passou a vida tendo sua principal base de negócios no Brasil, as palestras mais lucrativas sempre foram as que fiz no meu próprio país, porque nelas estavam presentes os estudantes e os profissionais que um dia eu ia contratar, os jornalistas que ajudavam a construir a imagem da agência e os futuros clientes.

Um dos melhores clientes que tive em toda a minha vida profissional foi indiretamente conquistado numa das minhas muitas palestras na FGV. A palestra aconteceu numa sexta-feira, no início de dezembro de 1988.

Naquele auditório superlotado, com gente sentada nas cadeiras, nas escadarias e no chão, estavam alunos da FGV e de outras faculdades, alguns professores da casa, meia dúzia de convidados meus e um jornalista experiente, o Garibaldi, editor e repórter especial da *Gazeta Mercantil*.

Garibaldi, que assinava Garibaldi Otavio, mas se chamava Garibaldi Otávio de França e Silva, era pernambucano, jornalista rodado e poeta, reconhecido por intelectuais como o Gilberto Freyre, além de ser também compositor popular, parceiro do Carlinhos Vergueiro.

Garibaldi já tinha me entrevistado algumas vezes, gostava da minha paixão pelo Brasil e pela cultura popular e resolveu assistir minha palestra, achando que ela podia render uma excelente matéria fria, que, traduzindo para quem não é jornalista, são aquelas matérias que podem ser publicadas num jornal a qualquer momento.

Em 1988, a *Gazeta Mercantil* ainda reinava sozinha no jornalismo econômico brasileiro, vivia algumas dificuldades financeiras, mas se mantinha com enorme prestígio, sendo a primeira leitura dos homens de negócios e reconhecida como uma grande escola de jornalismo, com uma postura à frente do seu tempo.

Muitos anos antes de se falar em empoderamento feminino, a *Gazeta Mercantil* já tinha na sua redação uma geração de mulheres poderosíssimas, onde brilhavam jovens como a Lillian Witte Fibe e a Íris Valquíria Campos.

A minha palestra daquela noite de dezembro de 1988 estava bastante bem estruturada, misturando casos de sucesso da minha vida profissional antes da W/ com casos de sucesso da W/, num número verdadeiramente impressionante para uma agência com menos de um ano e meio de vida.

Entre esses casos estavam a recente – mas já histórica – campanha do Posto São Paulo, com o tema "A maior rede em simpatia", e os premiadíssimos comerciais *Valisère, o primeiro sutiã* e *Hitler*, da *Folha de S.Paulo*.

Temendo que toda aquela exuberância criativa que eu fazia questão de exaltar pudesse passar ao público uma certa ideia de soberba ou prepotência, resolvi encerrar a palestra com uma história que publicamente baixasse a minha bola, exercitando minha capacidade de rir de mim mesmo.

A história funcionou como um grande desfecho e Garibaldi, que assistiu a tudo, resolveu publicar já na terça-feira seguinte uma matéria de página inteira descrevendo a minha palestra e o seu encerramento, com direito a chamada de capa, ilustrada com uma das tradicionais caricaturas da *Gazeta Mercantil*.

Um empresário de Curitiba, que já vinha cogitando entregar sua conta para a W/Brasil, leu a matéria e gostou. Resolveu nos procurar, esclarecendo que ainda era um pequeno anunciante, mas que pretendia crescer. Nós garantimos que pretendíamos crescer com ele e começamos a trabalhar.

Trabalhamos mais de 11 anos juntos, com excelentes resultados para ambos os lados. O empresário era o Miguel Krigsner, fundador do Boticário.

Quanto à matéria da *Gazeta Mercantil*, era realmente esplêndida. Começando pelo título, surpreendente para um jornal de negócios: "Washington Olivetto já foi um sapo que fala".

E continuava com um texto muitíssimo bem escrito, reproduzindo tudo o que eu dissera com precisão, incluindo a história que eu havia contado naquele dia, no encerramento daquela palestra, e volto a contar agora com os mesmos detalhes, no encerramento deste capítulo.

"Era uma vez uma princesa linda, muito linda, que morava num castelo grande, bem grande.

Do lado do castelo existia um bosque e dentro do bosque existia um lago.

Todos os dias, fizesse chuva ou fizesse sol, a princesa saía para caminhar no bosque.

Um belo dia a princesa saiu para caminhar no bosque e, quando chegou perto do lago, ouviu uma voz masculina que dizia: 'Princesa, princesa, por favor, me tire daqui.'

A princesa olhou para um lado, olhou para o outro e não viu homem nenhum, mas ouviu a mesma voz masculina, que repetiu: 'Princesa, princesa, por favor, me tire daqui.'

A princesa olhou mais em volta, olhou mais um pouco e de repente viu, na beira do lago, preso entre as pedras, um sapo coberto de lama.

A princesa se aproximou, se abaixou e tirou o sapo enlameado do meio das pedras.

O sapo disse: 'Muito obrigado.'

Logo depois, a princesa levou o sapo para o seu castelo, deu um banho nele e os dois começaram a conversar amenidades sobre o tempo e a primavera que se aproximava.

Um pouco mais tarde, a princesa ajeitou uma coberta para o sapo num cantinho do seu quarto e foi para a sua cama dormir.

No outro dia, os dois acordaram e voltaram a conversar. E assim foi dia após dia, com os assuntos ficando cada vez mais profundos e o sapo se mostrando um bom conhecedor das coisas em geral.

Muito amigos, os dois conversavam sobre tudo: sobre a vitória do George Bush nas eleições norte-americanas, sobre a estreia do *TV Pirata* na TV Globo, sobre o dopping do Ben Johnson nas Olimpíadas de Seul e até sobre quem teria matado Odete Roitman.

A amizade entre a princesa e o sapo foi crescendo cada vez mais, outras conversas foram acontecendo, algumas confidências por parte da princesa foram feitas, até que num belo dia, num final de tarde, o sapo tomou coragem e disse: 'Querida princesa, eu preciso te revelar uma coisa e te pedir um favor.'

A princesa respondeu: 'Que coisa? Que favor?'

O sapo tomou coragem e disse: 'Princesa, eu na verdade não sou um sapo. Sou um publicitário famoso que uma bruxa má, muito má, enfeitiçou e transformou num sapo, mas, se você fizer o favor de me dar um beijo, o feitiço da bruxa desaparece e eu volto a ser um publicitário.'

A princesa abaixou a cabeça, pensou e respondeu:

'Não vou dar o beijo, não; eu tenho um sapo que fala, pra que que eu quero um publicitário?'"

16.

FRANCESC PETIT DIZIA que não contratava diretores de arte malvestidos, sem estilo próprio, porque caras que não sabiam fazer o próprio layout não iam saber fazer os layouts dos clientes.

Eu copio o raciocínio dele, acrescentando que a analogia vale também para publicitários que não circulam bem na imprensa. Quem não sabe cuidar da própria imagem não vai saber cuidar da imagem dos outros.

Sempre tive uma boa relação com a imprensa e não tenho dúvida de que isso me ajudou, e muito.

A primeira vez que apareci na imprensa eu tinha 7 anos de idade – e minha mãe deve ter o recorte do jornal guardado até hoje.

Naquele tempo, minha mãe já ensaiava ser o eficiente serviço informal de clipping em que se transformou depois que comecei a trabalhar para valer. Desde então, ela vê tudo, elogia, recorta e guarda. Só não recorta televisão, rádio e internet, porque não dá para recortar e guardar.

Apareci no jornal aos 7 anos quando ganhei o campeonato

de damas da *Gazeta Esportiva*, derrotando uma porção de homens adultos.

Aprendi a jogar dama aos 4 anos com meu avô Paulo, que foi meu professor, treinador e sparring. Depois de ganhar da família inteira, inclusive do meu pai, que diziam ser o que melhor jogava, resolvi me perfeiçoar e me tornar imbatível, jogando horas e horas comigo mesmo, com um espelho na frente, para ter o meu ponto de vista e o ponto de vista do adversário. Foi quando meu avô resolveu me inscrever no campeonato da *Gazeta Esportiva* – e eu ganhei.

Não existe grande mérito nessa minha vitória, porque damas é um jogo fácil, que dá pra aprender a jogar bem até se você for meio burrinho, diferente do xadrez, que exige inteligência e concentração para quem quer se tornar um jogador mais ou menos, e genialidade de quem quer se transformar num José Raúl Capablanca, que foi o maior de todos.

O cubano Capablanca foi o maior jogador de xadrez de todos os tempos e sobre ele, que era gozador, boêmio inveterado e mulherengo incorrigível, existem histórias deliciosas.

Uma das que eu mais gosto se passou num navio de luxo, em 1926, quando ele já era campeão mundial fazia cinco anos. Seu nome era uma lenda entre os enxadristas, mas seu rosto, praticamente desconhecido, já que a mídia dos anos 1920 se resumia às rádios, a maioria em ondas médias e algumas poucas em ondas curtas, e aos jornais e revistas, que eram basicamente locais.

Jornal Nacional ou Google, nem pensar. Pois bem, num transatlântico, no verão de 1926, o elegante José Raúl Capablanca estava de férias, vestindo um dos seus ternos de linho branco, com seu chapéu-panamá, e fumando um charuto Cohiba, quando viu dois homens sentados num dos bares do navio bebendo Old Fashioned e jogando xadrez.

Capablanca perguntou se podia jogar a próxima partida com o vencedor, os homens perguntaram se ele sabia jogar e Capablanca respondeu que estava aprendendo.

Um dos homens, com jeitão meio blasé, acrescentou o comentário de que era muito desagradável jogar com aprendizes, mas que, assim que vencesse a partida que estava jogando, ia abrir uma exceção e jogar com ele. Disse inclusive que jogaria com algumas peças a menos, para a partida ficar mais equilibrada. Passou algum tempo, o sujeito blasé realmente ganhou e foi jogar com Capablanca. Tirou algumas peças, mas mesmo assim venceu sem esforço. Obviamente, Capablanca deixou. E assim eles jogaram mais algumas partidas, com o adversário de Capablanca começando com cada vez menos peças e vencendo cada vez mais fácil. Depois de cinco derrotas seguidas, em partidas quase relâmpago, Capablanca disse: "Já entendi, com menos peças fica mais fácil olhar as posições no tabuleiro, e é por isso que você ganha. Vamos jogar uma comigo começando com menos peças e você com todas."

O cara comentou que aquilo era um absurdo, mas Capablanca insistiu e o cara aceitou.

Capablanca ganhou dele com enorme facilidade e o cara não entendeu coisa alguma.

Capablanca propôs mais uma, dessa vez com ele jogando com menos peças ainda, e venceu novamente, fato que se repetiu mais três vezes, até que eles parassem de jogar, com Capablanca se retirando para jantar com uma linda passageira da primeira classe, deixando o sujeito blasé sozinho e atônito, sem entender o que havia acontecido.

Na manhã seguinte, Capablanca descobriu o número da cabine onde aquele homem estava hospedado e deixou um bilhete por debaixo da porta: "Foi um prazer jogar com o senhor. Muito obrigado. José Raúl Capablanca".

■ ■ ■

DEPOIS DA MINHA PRODIGIOSA APARIÇÃO na *Gazeta Esportiva*, aos 7 anos de idade, a mídia em geral não deu mais nenhuma atenção aos meus novos feitos, como o fato de, antes de completar 13 anos, eu ter executado, no pior dos sentidos, no Teatro Municipal de São Paulo, "O Guarani", de Carlos Gomes, num acordeom Scandalli de 120 baixos, representando os formandos do Conservatório Musical Heitor Villa-Lobos, como também não registrou minhas proezas como ala armador e imitador do Wlamir Marques, primeiro jogando no Tênis Clube, da rua Nilo, na Aclimação, e depois no Corinthians, sempre sonhando com a famosa quadra com piso de madeira do ginásio do Parque São Jorge, onde Wlamir, Amaury, Rosa Branca, Ubiratã, Renê, Edward, Pedro Yves, Eduardo e Mical derrotavam as melhores equipes de basquete do mundo.

Só voltei a aparecer nos jornais já mocinho, quando fui estagiar na HGP Publicidade.

Naquela época, o jornal *Shopping News*, que era distribuído gratuitamente todos os domingos nas casas e apartamentos da cidade de São Paulo, tinha uma coluna sobre publicidade assinada pelo jornalista Cícero Silveira. Todos os domingos, Cícero elegia o melhor anúncio da semana entre os publicados nos jornais e revistas na semana anterior. O anúncio escolhido era reproduzido no cabeçalho da coluna, o nome da agência e dos criadores, citados e os vencedores ainda ganhavam quatro garrafas do licor Cointreau, que patrocinava o prêmio.

Nas doze semanas dos meus três meses de HGP, ganhei quatro anúncios da semana, minha mãe ficou orgulhosa por ver meu nome no jornal repetidas vezes e eu fiquei com Cointreau suficiente para tomar um porre daqueles onde a eutanásia é permitida e até mesmo recomendada.

Meus quatro anúncios da semana certamente influenciaram para que logo depois eu fosse contratado por uma agência maior, a Lince Propaganda.

Cícero Silveira, além da coluna do *Shopping News*, representava o Clio Awards no Brasil e tinha um programa na TV Tupi onde mostrava comerciais premiados no mundo inteiro e entrevistava donos de agências brasileiras sobre as campanhas que estavam entrando no ar.

Quando ganhei meu primeiro Clio, apareci pela primeira vez na televisão porque Cícero, que só entrevistava donos ou presidentes de agência, resolveu abrir uma exceção e entrevistou um jovem criativo. Na gravação, acabei ficando amigo de sua filha Cecília Silveira, na época uma menina começando a faculdade, que logo depois, com a morte precoce do pai, herdou a responsabilidade de representar o Clio no Brasil.

Lembrei de tudo isso em 2014, quando entrei para o Lifetime Achievement do Clio em Nova York, e pensei que o Cícero ia gostar de me ver recebendo o Clio de todos os Clios.

Meses depois de ser citado como criador de alguns dos melhores anúncios da semana e de ganhar garrafas de Cointreau, voltei a aparecer no *Shopping News*, mas dessa vez numa matéria de meia página, com foto e tudo. Eu já estava trabalhando na Lince Propaganda e o primeiro comercial que criei na vida, o filme *Pingo*, das torneiras Deca, foi premiado com o Leão de Bronze no Festival Internacional do Filme Publicitário.

Naquela época, o festival – que tinha sido criado originalmente em Veneza, tendo como troféus os Leões de Ouro, Prata e Bronze, reproduzindo os leões da Piazza San Marco – começou a acontecer entre Veneza e Cannes, cada ano numa das duas cidades.

Quando eu soube do prêmio em Veneza, como não tinha experiência alguma com comerciais, fiquei na dúvida a respeito de quem teria errado: eu ou os jurados do festival. Mas, a pedido do meu diretor de criação, Sérgio Graciotti, escrevi um anúncio da Lince Propaganda falando da conquista e tentando chamar a atenção de possíveis novos clientes.

O anúncio, que tinha como título "O pingo que inundou Veneza", no mínimo chamou a atenção do editor do *Shopping News*, que resolveu mandar entrevistar o criador do filme premiado. Quem leu a minha entrevista e ficou impressionado com a pouca idade do ganhador do prêmio em Veneza foi o Hélio Ribeiro, figura lendária do rádio AM brasileiro, que tinha o seu programa *Correspondente musical*, líder absoluto de audiência em todas as rádios em que ele trabalhava, como a Panamericana, a Bandeirantes e a Piratininga.

Nesse programa diário, do meio-dia às 2 da tarde, que depois trocou seu nome para *O poder da mensagem*, Hélio Ribeiro, com sua voz grave e sua personalidade de reformador do mundo, tocava canções nacionais e internacionais, traduzia algumas canções, dava conselhos, lia textos com lições de moral e dizia o nome de quem ouvia o programa, na maior parte gente conhecida, e de vez em quando algumas figuras inventadas por ele, como a diariamente citada moça do Karmann Ghia vermelho.

Era mais ou menos assim: "Este programa é ouvido pelo Tarcísio Meira, galã das novelas, pelo Ademir da Guia, craque do Palmeiras, pelo Plínio Marcos, autor de *Dois perdidos numa noite suja*, pelo prefeito de São Paulo, Olavo Setúbal, e pela moça do Karmann Guia vermelho."

Foi no programa do Hélio Ribeiro que o meu nome foi falado numa rádio pela primeira vez: "Este programa é ouvido pelo ganhador de um Leão em Veneza, o publicitário Washington Olivetto."

Hélio Ribeiro foi pioneiro em citar pessoas conhecidas como suas ouvintes, coisa que o Osmar Santos foi fazer depois nas suas transmissões esportivas da Jovem Pan e da Rádio Globo, e que o Fausto Silva faz há anos na televisão, todos os domingos, no seu *Domingão do Faustão.*

Na televisão, antes do Fausto, quem citava nomes de pessoas, de preferência com sobrenomes como Mayrink Veiga, Souza Dantas ou Marcondes Ferraz, era o Chacrinha, numa estratégia criada pelo seu diretor, Uajdi Moreira, para atingir os anunciantes de alto nível e alguns formadores de opinião, que inicialmente achavam o Chacrinha destinado única e exclusivamente ao público brega e sem poder aquisitivo.

A estratégia do Uajdi e os elogios dos tropicalistas Caetano, Gil e Tom Zé elevaram Chacrinha ao patamar de grande comunicador para todos os públicos.

A verdade é que a equipe do Chacrinha era de altíssima competência. No ano em que ele resolveu dar o seu Troféu Velho Guerreiro, que elegia os melhores do ano, também para o melhor publicitário, fui o primeiro ganhador.

Obsessivo por pontualidade, cheguei ao Teatro Fênix, no Jardim Botânico, no Rio de Janeiro, onde o programa era gravado, meia hora antes e fiquei observando os testes dos equipamentos, as chacretes e o auditório sendo ensaiados. De repente o Chacrinha passou por mim, notou o meu encantamento com aquele ambiente, me cumprimentou – "Como vai, vai bem?" – e perguntou se eu estava gostando do que estava vendo. Respondi que sim, e que estava impressionado com a organização da produção do programa. Chacrinha então me disse: "Sabe por que é tudo tão organizado? Porque aí eu entro e desorganizo. Se não estiver organizado, não dá pra desorganizar."

■ ■ ■

VOLTANDO AO HÉLIO RIBEIRO, logo após ele começar a falar de mim no seu programa de rádio, nos conhecemos e ficamos amigos. Anos depois, um dia, sem que eu esperasse, ele apareceu na agência meio transtornado e querendo conversar comigo urgentemente. Me disse que tinha comprado um revólver e que não sabia se usava a arma para dar um tiro na própria cabeça ou na cabeça do Chico Anysio.

Naquele ano, Chico Anysio tinha criado mais um dos seus geniais personagens, um locutor de rádio, totalmente baseado na figura de Hélio Ribeiro, desde a voz grave até as sobrancelhas enormes, chamado Roberval Taylor. Hélio não se conformava com os amiguinhos dos seus filhos dizendo para os meninos que eles eram filhos do Roberval Taylor nem com o entregador de jornais da sua casa no Pacaembu, em São Paulo, que, depois de receber a caixinha de fim de ano e ouvir da sua voz grave os votos de feliz Natal e próspero Ano-novo, olhou pra ele e disse: "Roberval Taylor".

Amansei a fera dizendo que ele estava absolutamente errado, que na verdade devia se sentir orgulhoso por virar personagem do genial Chico Anysio e que ele devia convidar o Chico Anysio para o seu programa e celebrar aquele duplo sucesso envolvendo criador e criatura.

Hélio Ribeiro se convenceu, convidou Chico Anysio e os dois juntos fizeram um dos maiores programas da história do rádio brasileiro.

Sempre fui fascinado por rádio. Ainda garoto, ganhei do meu pai um Transglobe da Philco. Com esse potente rádio de ondas curtas, eu ouvia, além das rádios de São Paulo, algumas rádios internacionais e os programas noturnos dos cariocas Adelzon Alves e Big Boy. Adelzon Alves com muitos sambas e Big Boy com rock and roll: "Hello, crazy people. Here speak Big Boy."

Já adulto, tempos depois de conhecer o Hélio Ribeiro, fiquei amigo do Osmar Santos, que me deu o privilégio de assistir na sua cabine à final de 1977 entre Corinthians e Ponte Preta e o primeiro campeonato brasileiro conquistado pelo Corinthians contra o São Paulo, em 1990.

As narrações do Osmar Santos dos gols do Corinthians nesses jogos me emocionam até hoje.

Fausto Silva, que era repórter de campo do Osmar, é meu amigo também dessa época.

Quando Osmar Santos saiu da Joven Pan, fui um dos criadores da campanha de estreia do Osmar na Rádio Globo, com o tema "Imita o Osmar Santos". Criamos essa campanha porque na época o Osmar era imitado na maioria das rádios e tínhamos que deixar claro que o verdadeiro Osmar estava na Rádio Globo.

Anos depois, no final do meu sequestro, quando percebi que tinha sido abandonado trancado num cubículo sem ar e que podia morrer asfixiado, gritei pedindo socorro, dizendo "Chamem a polícia! Chamem as rádios!", por saber que as rádios eram os veículos de comunicação mais instantâneos e, portanto, os que mais rápido poderiam providenciar socorro para mim.

Dias depois, na coletiva de imprensa sobre o sequestro, um dos repórteres presentes me perguntou por que eu tinha gritado "Chamem as rádios" e eu respondi, resumindo os meus sentimentos daquele momento: "Porque eu sou AM."

■ ■ ■

DEPOIS DAS MINHAS PRIMEIRAS APARIÇÕES nos jornais, rádios e até mesmo na televisão por causa dos primeiros prêmios, minha presença na mídia, particularmente na especializada, passou a ser bastante frequente.

Estava sempre no *Propaganda & Marketing*, desde a época do caderno Asteriscos. Fui capa da revista *Propaganda*, junto com o Andrés Bukowinski, quando conquistamos o segundo Leão de Ouro brasileiro em Cannes. Um ano depois desse bicampeonato, apareci com destaque no primeiro número do *Meio & Mensagem*. Também apareci praticamente todas as semanas nas colunas do Eloy Simões, em São Paulo, e do Marcio Ehrlich, no Rio. E ganhei espaço em publicações estrangeiras, como a *Advertising Age*, em Nova York, a *Campaign*, em Londres, a *Anuncios*, em Madri, ou a *Publicidad e Mercadeo*, em Bogotá.

Mas o que realmente me transformou num publicitário conhecido foi a minha presença constante, desde o meu início até os dias de hoje, na grande imprensa, seja ela escrita, falada, televisada ou digitalizada.

Isso aconteceu por alguns motivos imponderáveis e por outros que eu consigo explicar. O primeiro deles é que eu sempre fui um bom fazedor de frases sobre qualquer assunto, coisa de que os jornalistas gostam e precisam. Alguns exemplos de diferentes momentos:

Para a *Folha de S.Paulo*, no auge da briga entre Caetano Veloso e Paulo Francis: "Uma pena este país onde os inteligentes brigam e os burros ficam de mão dadas."

No *Jornal Nacional* do sábado, dia 30 de julho de 1988, um dia antes do jogo Corinthians x Guarani em que o Corinthians foi campeão com um gol de Viola: "Não percam amanhã, aqui na Rede Globo, direto de Campinas, a Filarmônica Corinthiana executando o Guarani."

No *Estadão*, quando perguntado por que eu nunca tinha aceitado fazer nenhuma campanha de nenhum candidato político: "Prefiro anunciar produtos que o consumidor possa devolver se não gostar."

Fora a minha facilidade para fazer boas frases, acho que os outros dois motivos para os jornalistas gostarem de mim são os seguintes: como fonte, nunca planto notícias com interesses pessoais, não falo mal de ninguém e sempre agi com a maior sinceridade; nas raras vezes em que precisei de uma notícia, deixei claro que aquela notícia me favorecia.

Um exemplo disso foi a fusão da W/ com a McCann, gerando a WMcCann, que eu dei em primeira mão para a coluna do Lauro Jardim na *Veja*. Lauro achou a notícia quente e publicou, mesmo eu deixando claro que a sua publicação me favorecia. A notícia era quente mesmo, tanto que acabou virando assunto no *Jornal Nacional*, do William Bonner.

Aliás, o sempre bem informado Lauro Jardim foi a primeira pessoa da imprensa a escrever sobre este *Direto de Washington*, na sua coluna de *O Globo* de 26 de novembro de 2017, e dessa vez não fui eu que contei para ele; foram os meus editores Marcos Pereira e Pascoal Soto.

Outra coisa que considero importante e que ajudou a construir as minhas boas relações com a imprensa foi o fato de eu sempre atender todo mundo, de todas as áreas, independentemente do seu status.

Por uma questão de personalidade, gosto de ser gentil e delicado com as pessoas, e tenho uma enorme curiosidade de conhecer tudo e todos.

Mas, no caso da minha relação com os jornalistas, esse atender todo mundo sempre me favoreceu, pelo óbvio motivo de que o foca de hoje será o editor de amanhã.

Da minha primeira aparição, aos 7 anos de idade, na *Gazeta Esportiva*, até os dias de hoje, estive incontáveis vezes presente em veículos de comunicação do Brasil e do mundo.

Desde o *The New York Times*, da Oitava Avenida de Nova York, até o jornal *Panorama*, da inesquecível Maracaibo, incluindo veículos de vários continentes e de todo o território brasileiro.

Um ponto em comum dessa minha presença assídua na mídia foi sempre a tentativa de tirar o máximo de proveito profissional preservando ao máximo a vida pessoal.

Não gosto de invasões de intimidade, nem de evasões de intimidade, fenômenos que sempre aconteceram, mas que têm se multiplicado nos últimos anos.

No Brasil e no mundo, tive momentos folclóricos e curiosos nessa minha relação com a mídia. Quando fui o primeiro não anglo-saxão entrevistado pela revista *Archive*, um dos entrevistadores era o alemão Hermann Vaske, na época amigo íntimo do casal Jeff Koons, badalado artista plástico norte-americano, autor da controversa escultura *Michael Jackson and Bubbles*, e Ilona Staller, atriz pornô húngara que ficou famosa na Itália com o nome de Cicciolina.

Hermann Vaske me achava o máximo e por isso insistia em plantar nas minhas respostas as suas convicções pessoais, que não eram necessariamente as minhas, mas que ele imaginava ganharem status se avalizadas por mim. Acabei dobrando o Hermann, explicando que, por exemplo, ser amigo íntimo do original casal Koons/Cicciolina não era um dos meus projetos prioritários de vida, mas que eu respeitava como prioridade dele.

Assim, eu e o Hermann acabamos virando amigos a ponto de ele até vir me visitar no Brasil e me entrevistar algumas vezes para os documentários da sua produtora Emotional Network.

■ ■ ■

QUANDO VOLTEI DE MOSCOU, onde fiz uma palestra que apareceu quase duas horas na televisão local, porque naquele momento da Perestroika os soviéticos não tinham o que colocar no ar, encontrei num almoço, no Rio de Janeiro, o Zózimo Barrozo do Amaral, a grande estrela do colunismo de *O Globo*.

Contei a história para o Zózimo, que me perguntou como era a televisão em Moscou. Respondi que era um Henry Maksoud atrás do outro.

Zózimo adorou a resposta, publicou no dia seguinte e por isso sobrou para mim aceitar um convite para dar uma entrevista no programa do Henry Maksoud, coisa da qual eu fugia fazia tempo. Assim que viu a nota do Zózimo, Henry Maksoud me ligou e eu não tive como fugir mais. Só não disse nada na minha entrevista, porque ele não me deixou dizer nada.

Henry Maksoud, que alugava o horário na televisão para fazer o seu programa, entrevistava sem deixar o entrevistado falar, porque gastava o tempo inteiro do programa defendendo um sistema de governo que ele tinha inventado, chamado demarquia, uma mistura de democracia com monarquia.

Outro momento engraçado das minhas entrevistas foi quando, em fevereiro de 1986, fui capa da *Veja* São Paulo, entrevistado pelo hoje grande biógrafo e na época grande jornalista Ruy Castro.

Naquele ano, eu morava com minha primeira mulher, Luiza, e nosso filho Homero no Edifício Guaimbê, projeto histórico do Paulo Mendes da Rocha, na rua Haddock Lobo, quase em frente ao Rodeio. Eu tinha comprado um apartamento no primeiro andar e, depois, um no último.

Transformamos o apartamento do primeiro andar em inteiramente social e o do último em absolutamente íntimo.

Quando dávamos festas, pegávamos o elevador e íamos embora para o último andar no instante em que os derradeiros convidados saíam para a rua; assim nunca convivíamos com copos, pratos e cinzeiros sujos, que ficavam no apartamento social para serem limpos na manhã seguinte pela dedicada e sempre sorridente Célia Bispo dos Santos.

Nesse apartamento social eu tinha um amplo bar onde Ruy Castro me entrevistou por três ou quatro noites seguidas, e confesso que nessas entrevistas tanto eu quanto ele bebemos bastante.

Quando saiu a matéria, Ruy Castro me engrandeceu como profissional, como homem, como estilo de vida, como tudo, mas me encolheu de altura: reduziu o 1,71m, que meço desde a adolescência – quando cheguei à conclusão de que não ia dar pra ser um grande jogador de basquete –, a 1,61m, altura ideal para um boxeador peso-galo.

Ruy Castro me tirou 10cm de altura certamente por causa das suas anotações manchadas de vodka e whisky, mas me acrescentou tantas qualidades que até hoje existe gente que vem comentar comigo aquela matéria de capa da *Veja* São Paulo de 1986.

Outro jornalista que sempre me exaltou, contando a minha vida do jeito que eu gostaria que ela fosse, e não necessariamente do jeito que ela é, foi o Wagner Carelli. Certa vez encontrei o Wagner, que já tinha me entrevistado algumas vezes, no P.J. Clarke's, em Nova York.

Eu estava acompanhado da Patrícia, da jornalista Valéria Monteiro e de uma amiga da Valéria: um trio de lindas mulheres. Conversamos por algum tempo, observados pelo ex-pugilista Jake LaMotta, que conversava com o gerente do P.J. Clarke's.

Jake LaMotta foi o pugilista inspirador do filme *Touro Indomável*, de Martin Scorsese, protagonizado por Robert De Niro.

Quem notou que o Jake LaMotta nos observava foi o Wagner Carelli, de quem nos despedimos logo, pois nossa mesa tinha ficado pronta na parte de trás do P.J. Clarke's e o Wagner e a sua mulher já estavam sentados na parte da frente.

Mais ou menos uns dois meses depois desse encontro, vejo uma matéria do Wagner, se não me engano na revista *Vogue*, contando que certa noite, no P.J. Clarke's, em Nova York, um homem entrou com três mulheres belíssimas e o famoso ex-pugilista Jake LaMotta, que estava no bar, perguntou ao gerente quem era aquele rapaz com aquelas mulheres tão bonitas. Segundo a matéria do Wagner, o gerente teria respondido que aquele era o famoso brasileiro Washington Olivetto, o melhor publicitário do mundo.

Tenho certeza de que essa resposta o Wagner inventou por conta própria e colocou na matéria.

Na verdade, o gerente do P.J. Clarke's deve ter dito, no máximo, que aquele cara era um brasileiro que ia sempre lá de madrugada quando estava em Nova York.

■ ■ ■

NÃO TENHO DÚVIDA DE QUE grandes jornalistas me ajudaram a construir uma reputação criativa e sólida. Como José Roberto Guzzo, que em julho de 1986 interrompeu suas tarefas de chefão da revista *Veja* para se dar ao trabalho de redigir pessoalmente uma matéria com o título "O salto da estrela", que narrava a minha saída da DPZ para montar a W/GGK.

Eram quase três páginas naquela revista que vivia o seu auge como uma das três maiores do mundo, com mais de um milhão de assinantes semanais, números que impressionavam qualquer anunciante ou agência de publicidade, e principalmente a mim, que, apesar de estar começando como empresário, ainda me sentia um menino ou, como diria o Telmo Martino, me sentia Washington Olivetto, o *golden boy* da publicidade brasileira.

Conheci Telmo Martino no Rodeio, numa noite em que ele estava jantando com seu editor, Murilo Felisberto. Eu, que morava em frente e estava sozinho, resolvi entrar no restaurante para ver se encontrava alguém conhecido para dividir uma mesa. Acabei jantando com os dois e Telmo ficou impressionado com a minha empolgação, quase que juvenil, com os trabalhos que vinha fazendo, os prêmios que vinha ganhando e os lugares que tinha acabado de conhecer, como Paris, Cannes, Saint-Tropez e Nova York.

Naquela mesma semana, Telmo Martino escreveu pela primeira vez na sua temida coluna a frase: "Washington Olivetto, o *golden boy* da publicidade brasileira."

A coluna de Telmo era uma mistura de crítica cultural com coluna social que citava gente conhecida, incensava alguns poucos e perseguia a maioria.

Tive a sorte de entrar para o grupo dos incensados, que contava também com Gloria Kalil, Fausto Silva, Constanza Pascolato, Aurelio Martinez Flores, Rita Lee, Osmar Santos, Miro, Beatriz Segall, Madalena de Paula e Mino Carta, mas sempre tive a consciência de que, na verdade, Telmo Martino tratava a todos nós como seus personagens, como uma espécie de seu casting particular, fossem os incensados ou os perseguidos, e se divertia loucamente com isso.

De todo jeito, publicamente, era bem mais agradável estar entre os incensados, que recebiam elegantes elogios, do que entre os perseguidos, que eram atingidos por frases cruelmente bem escritas como esta: "Toda vez que ela entra numa sala dá a impressão de que, para o terror dos corvos, ela acaba de inventar o espantalho."

Além de apelidos definitivos como " O *golden boy* da publicidade", para mim, "A encantadora", para Gloria Kalil, ou "O Mallarmé do afoxé", para Caetano Veloso, Telmo Martino criou também várias turmas inesquecíveis, como "A turma do quibe-e-quilate", para os árabes ricos, "A turma do fendi-e-funghi", para os italianos chiques, "A turma da barba-e-bolsa", para os jornalistas de esquerda, "A turma do kosher-e-kibutz", para os judeus de Higienópolis, "A turma do poncho-e-conga", para os fãs de música andina, e "A turma do tempura-e-mesura", para os amigos da pintora Tomie Ohtake.

Telmo foi, sem dúvida alguma, o mais requintado e mordaz texto da imprensa brasileira, resultado da combinação de um talento natural para escrever com uma escolaridade sólida e leituras bem escolhidas.

No Colégio Santo Inácio, do Rio de Janeiro, Telmo Martino estudou com outros dois grandes jornalistas, Paulo Francis e Ivan Lessa, que viraram seus amigos para toda a vida.

Antes de ser trazido por Murilo Felisberto para o *Jornal da Tarde*, em São Paulo, Telmo Martino trabalhou no *Última Hora*, do Rio de Janeiro, nas revistas *Senhor* e *Diners*, consideradas até hoje as mais requintadas publicações brasileiras, e morou em Londres, onde trabalhou na BBC.

Quando Murilo Felisberto saiu do *Jornal da Tarde*, Telmo se desencantou com o jornal e resolveu aceitar a proposta do Mino Carta para fazer a sua coluna no *Jornal da República*, publicação que o Mino estava lançando.

O *Jornal da República* não deu certo, Telmo saiu de lá e nos anos seguintes trabalhou em diferentes lugares, como a *Veja*, a *Folha de S.Paulo*, *O Globo* e até mesmo no site Babado, do iG, levado pelo Matinas Suzuki. Acompanhei de perto todas essas mudanças do Telmo, porque ficamos muito amigos e passamos várias noites de sexta-feira, invadindo até quase as manhãs de sábado, bebendo e conversando sobre jornalismo, literatura, cinema, teatro, jazz, utilidades e futilidades. Telmo dominava com maestria todos esses e muitos outros assuntos, e era do tipo de pessoa que, se lhe dessem o supérfluo, dispensava o essencial. Para me irritar, Telmo, que era Flamengo, chamava o Corinthians nas suas colunas de "aquele outro time", sem jamais escrever o nome Corinthians.

No meio das idas e vindas de Telmo pelas diferentes redações, eu, que tinha a W/Brasil vivendo uma fase de grande prosperidade, tive a ideia de levar Telmo para trabalhar com a gente.

Disse a ele que pretendia contar com seu talento de redator na criação da agência, mas na verdade eu não imaginava Telmo escrevendo publicidade; o que eu queria mesmo era que ele convivesse com a minha jovem e brilhante equipe, polindo, com sua cultura e seu senso crítico, a inteligência daquela turma.

Telmo Martino ficou na W/Brasil apenas quatro meses e, como eu previa, não conseguiu escrever nenhum anúncio. Foi adorado pela equipe, também como eu previa, mas no início do quinto mês me pediu para ir embora. Insisti para que ficasse, mas ele me disse que não dava, porque era um jornalista, não um publicitário.

Depois que o Telmo saiu, meu diretor financeiro da época, o Waldir Marassi, veio me informar que tinha descoberto, através do nosso banco, que Telmo não havia retirado nem um centavo dos meses de salário que depositamos para ele.

Liguei pro Telmo perguntando por que ele não havia retirado seus salários e ele me disse que não achava justo receber, porque não tinha feito nada. Dei uma bronca no Telmo e ele finalmente retirou seu dinheiro, que era um pouco mais do que ele receberia se tivesse trabalhado aqueles meses como o jornalista consagrado que era. Naquela época, a publicidade pagava bem mais do que o jornalismo. Nos seus últimos anos de vida, Telmo Martino achava que, em pouquíssimo tempo, profissionais como ele não teriam mais espaço na imprensa mundial e, sem dúvida, estava certo no seu raciocínio. Basta observar as mudanças que aconteceram na mídia nos últimos anos para perceber que, nos dias de hoje, um texto como o do Telmo Martino só teria espaço em raríssimas publicações, como a revista *The New Yorker* e o caderno Weekend, do jornal *Financial Times* de Londres.

Em 2004, a Editora Planeta teve a elegância de publicar um livro com uma antologia do melhor das colunas do Telmo no *Jornal da Tarde* de 1975 a 1985.

Tive o privilégio de colaborar com a feitura do livro, dando o nome: *Serpente encantadora: O veneno e a doçura de Telmo Martino no JT*. Pedi ao Jaguar, também amigo e admirador de Telmo, que desenhasse a capa.

Quem trabalhou na pesquisa e seleção dos textos foi o estagiário da W/Brasil João Vicente de Castro, filho de outra figuraça do jornalismo brasileiro, um dos fundadores do *Pasquim*, Tarso de Castro.

João Vicente, que na época era um garoto no seu primeiro estágio, hoje é um dos sócios do bem-sucedido Porta dos Fundos.

17.

Não foi só o João Vicente de Castro que estagiou na W/Brasil antes de virar sócio do Porta dos Fundos, ator de novela da Globo, apresentador do *Papo de segunda* e colecionador de namoradas bonitas e talentosas. Luciano Huck, que outro dia foi citado pelo Fernando Henrique Cardoso como possível candidato à presidência da República, também estagiou na W/Brasil antes de começar na televisão. E a Tati Bernardi foi estagiária da W/ muito antes de ficar conhecida como cronista e escritora, quando era só uma menina talentosa e trabalhadora que eu apelidei de "A loirinha gostosinha da avenida Angélica".

Tati Bernardi, que em fevereiro de 2002 tinha apenas 22 anos de idade, escreveu naquele mês o texto mais maduro e que mais me emocionou a respeito do fim do meu sequestro.

Quem tiver curiosidade de ler encontrará esse texto na internet. O título é "53 dias normais" e está no blog da Tati, chamado "Mas eu sou meiga, porra!".

Assim como aconteceu com o João Vicente, o Luciano Huck e

a Tati Bernardi, a W/Brasil foi o primeiro estágio de muita gente que hoje é famosa e bem-sucedida, como a Fernanda Lima e alguns talentos hereditários como o Kim Ricelli, filho da Bruna Lombardi e do Carlos Alberto Ricelli. Foi também o lugar que alguns já famosos e bem-sucedidos elegeram para aprender como funcionava uma agência de publicidade.

Entre os estagiários que chegaram à W/ já famosos, a mais brilhante foi a Regina Casé, que me pediu para passar uns tempos na agência vendo como funcionava o nosso processo de criação.

Curiosa profissional e profissional curiosa, Regina, que é neta de Ademar Casé, um dos pioneiros do rádio brasileiro, e filha de Geraldo Casé, o homem que criou o *Sítio do Picapau Amarelo* na TV Globo, começou a participar de algumas reuniões com clientes da agência e logo se mostrou capaz de fazer apresentações de campanhas tão competentes quanto as minhas, que faço isso desde que nasci.

Quando fomos apresentar uma campanha da Forum para o Tufi Duek, Regina não só fez a apresentação como conseguiu a aprovação da campanha praticamente sozinha, fazendo o papel da agência e do cliente, numa espécie de diálogo dela com ela mesma.

As razões para a W/Brasil ter uma enorme capacidade de atrair talentos iniciantes ou já consagrados sempre foram muitas, mas três se destacaram.

A primeira foi a busca constante da agência por fazer uma publicidade que, além de cumprir suas obrigações de vender produtos e construir marcas, tivesse a ambição de entrar para a cultura popular brasileira. Quem não sonharia em estagiar na agência que criou *Popular são os outros*, comercial do Fiat Uno, ou *Gordinhos do DDD*, da Embratel?

A segunda foi o prazer que a agência sempre teve em criar condições de trabalho para publicitários que fossem brilhantes, mas que não fossem apenas publicitários, como a Camila Franco, o Marcelo Pires e o Jarbas Agnelli, que na sua época de W/Brasil inventaram o livro *Liga-desliga*, que acabou gerando uma divisão de livros infantis da Companhia das Letras, chamada Companhia das Letrinhas.

Outro exemplo é o roteirista Alexandre Machado, que, quando trabalhava na W/Brasil, escreveu com a sua mulher, Fernanda Young, filmes como o *Bossa Nova*, do Bruno Barreto, e séries de TV como *Os Normais*, com a Fernandinha Torres e o Luiz Fernando Guimarães.

E a terceira razão para a agência ter uma enorme capacidade de atrair grandes talentos ainda iniciando ou já consagrados foi o fato de sermos muito premiados internacionalmente, coisa que, diga-se de passagem, impressiona bem mais quem está fora de uma agência do que os que vivem dentro dela.

Telmo Martino inventou o apelido "Washington Olivetto, o *golden boy* da publicidade" maravilhado com os Leões de Ouro que eu ganhei em Veneza e em Cannes, mas eu, apesar de ser grato a esses prêmios, sempre tive total consciência de que criei algumas peças bem melhores do que muitos daqueles trabalhos premiados, que não ganharam Leão nenhum por serem 100% brasileiras e nada traduzíveis.

Fui muito beneficiado, em termos de imagem, pela coincidência histórica de que a maioria das premiações começou a ganhar maior relevância, tanto nacional quanto internacional, no início da minha carreira, o que me permitiu ser o primeiro brasileiro a conquistar quase todos os prêmios e me faz ser lembrado até hoje como o maior ganhador de todos eles, incluindo alguns de que eu jamais participei nem ganhei.

Fui realmente o mais jovem ganhador do Leão de Bronze do Festival Internacional do Filme Publicitário, num ano em que o festival ainda se alternava entre Cannes e Veneza. Ganhei em Veneza, aos 19 anos, com o filme *Pingo*, das torneiras Deca. Fui também o primeiro ganhador do Leão de Ouro para o Brasil nesse mesmo festival, novamente em Veneza, quando Francesc Petit, Andrés Bukowinski e eu fomos premiados pelo comercial *Homem de 40 anos*.

No ano seguinte, ganhei com Andrés o segundo Leão de Ouro brasileiro, em Cannes, com *Homem frustrado*, que criei para o Bamerindus e inscrevi com o pseudônimo George Remington, história já contada em páginas anteriores.

Depois dos primeiros ouros, ganhei Cannes, Veneza e novamente Cannes diversas vezes, na categoria filmes, que sempre foi a que mais me encantou por ser a categoria que deu origem ao festival.

Enquanto o festival premiava apenas filmes, até 1990, o número de premiados era pequeno e o ritual dos ganhadores vestirem black tie para receberem seus prêmios era sagrado.

Eu gostava daquilo, até porque acho a vida sem rituais bastante sem graça.

Depois de 1990, com a gigantesca ampliação do número de categorias, a frequência e o número de premiados se multiplicou barbaramente, a ponto de eu ter feito o maldoso comentário de que, hoje em dia, qualquer publicitário que passar por Cannes na semana do festival pode ser atingido por um prêmio.

A verdade é que o festival mudou, deixou de ser uma competição de elite para se transformar num feirão da comunicação, com festas de todos os tipos e palestras sobre os assuntos mais variados.

Esperteza dos organizadores, que a partir da multiplicação das mídias multiplicaram sua capacidade de ganhar dinheiro com um evento que, quando começou, não tinha fins lucrativos. Sua única e exclusiva ambição era contribuir para a qualidade dos comerciais que eram veiculados nos cinemas, preservando assim a paciência dos espectadores.

■ ■ ■

GANHEI MEU PRIMEIRO CLIO em Nova York, na categoria rádio – mídia que eu sempre adorei e que os festivais norte-americanos, desde sempre, prestigiaram –, com um jingle criado para as máquinas de escrever Olivetti.

A ideia de criar um jingle com música orquestral tendo a percussão feita por uma máquina de escrever tinha a ver com a minha infância. Desde menino, no Conservatório Musical Heitor Villa-Lobos, eu já conhecia o trabalho do revolucionário compositor francês Erik Satie, que em 1917 tinha criado um concerto para orquestra e máquina de escrever para o balé *Parade*, que contava com cenários de Pablo Picasso. Pensando que essa ideia de música instrumental clássica com a percussão de um objeto mecânico, até então desconhecida do grande público, poderia fazer sucesso na publicidade das máquinas Olivetti, convidei o maestro Rogério Duprat para criar o arranjo.

Rogério, que foi figura-chave do Tropicalismo, tendo feito inclusive o histórico arranjo da canção "Domingo no parque", de Gilberto Gil, obviamente conhecia a obra de Erik Satie e fez um trabalho sensacional, que encantou nas rádios brasileiras e deslumbrou os jurados do Clio em Nova York.

Depois desse primeiro Clio com uma peça de rádio, ganhei vários outros, alguns com peças de mídia impressa e a maioria com comerciais de televisão.

Lembro de alguns deles com especial carinho, por motivos que extrapolam o prêmio, como o Jay Chiat me levando para receber o Clio das mãos do Carl Ally em Nova York; ou como o Grand Prix do Clio para o comercial *A semana*, da revista *Época*, que recebi em Miami, na companhia dos criadores, Alexandre Machado e Jarbas Agnelli, e do cliente, o diretor da Editora Globo, Paulo Gregoraci, que tempos depois virou meu sócio.

Costumo dizer que o Paulo Gregoraci, que sempre foi um homem de agência e trabalhou como anunciante uma única vez na vida, iniciou e encerrou a sua carreira como anunciante no auge, já que aprovou um único comercial, *A semana*, e esse comercial se tornou um dos mais premiados da história da publicidade mundial, sendo inclusive o único Grande Prix do Clio não anglo-saxão.

Ainda sobre prêmios, ganhei o FIAP muitas vezes e fui o primeiro eleito para o Hall da Fama desse festival. Ganhei o melhor comercial do mundo dado pela Tóquio Television duas vezes. Fui o primeiro e maior ganhador do Profissionais do Ano da Rede Globo e o primeiro e maior ganhador do Caboré.

Mas a história mais marcante de todos os prêmios que já recebi na vida aconteceu em Los Angeles, há mais de 40 anos, na semana em que eu não fui para a cama com a Jennifer O'Neill.

Para quem não sabe, a belíssima Jennifer O'Neill foi a atriz do filme *Verão de 42*, lançado em 1971 com enorme sucesso.

Adorei o filme e adorei a atriz, que depois descobri ter nascido no Rio de Janeiro, por ser filha de uma inglesa com um adido cultural meio brasileiro, meio irlandês que esteve baseado por um algum tempo na então capital federal brasileira.

No final de 1975, os americanos resolveram fazer uma espécie de festival dos festivais em Hollywood, no qual só podiam concorrer filmes já premiados, no período de 1972 a 1975, em Veneza, em Cannes e no Clio.

Meu filme *Homem de 40 anos*, que havia ganho o primeiro Leão de Ouro brasileiro em Veneza, estava entre os concorrentes. Petit, que tinha medo de avião e por causa disso não viajava para o exterior, mas adorava que eu fizesse tudo que ele não podia ou não tinha coragem de fazer, resolveu que a DPZ tinha que me mandar para o festival em Los Angeles, com direito a hospedagem no Hotel Bel-Air e um smoking feito por um daqueles famosos alfaites da rua Barão de Itapetininga, em São Paulo.

Meu filme, que, apesar de tratar de uma causa social, não era impedido de concorrer ao Grand Prix – ao contrário do que acontecia em Veneza, em Cannes e no Clio –, acabou sendo o grande vencedor, e a responsável por fazer a entrega do prêmio, no TCL, Chinese Theatre, foi a atriz do momento, a espetacular Jennifer O'Neill.

Fiquei tão abestalhado olhando para ela, que era só três ou quatro anos mais velha do que eu, que acabei ficando com as mãos moles e derrubando o prêmio no chão, quase nos pés da moça.

Peguei o prêmio no chão, agradeci com dois beijinhos no rosto e saí do palco aplaudidíssimo, de braços dados com ela, conforme a tradição hollywoodiana.

Já no caminho para os bastidores, comentei afoitamente que sabia que ela havia nascido no Brasil e perguntei se ela não queria jantar comigo.

Jennifer respondeu que podíamos jantar no dia seguinte e imediatamente sugeri o Musso & Frank Grill, que eu tinha lido ser o restaurante favorito dos atores de Hollywood.

Marcamos o jantar para o dia seguinte, às 8 da noite, e eu passei aquela madrugada no Bel-Air comemorando por antecipação a minha espetacular conquista.

No outro dia, pontualmente às cinco para as oito, eu estava no Musso & Frank Grill quando Jennifer, sem dúvida achando que era só pra jantar mesmo, chegou acompanhada do namorado.

Hoje, séculos depois, quando leio que a atriz aposentada Jennifer O'Neill, atualmente morando em Nashville, no Tennessee, só de casamentos teve nove, me sinto à vontade para perguntar: "Por que só eu não?"

■ ■ ■

NOS ÚLTIMOS ANOS, apesar de discordar de muitas coisas, tenho tomado cuidado com minhas posturas críticas em relação aos festivais, não só por ter sido grande beneficiário deles como também por compreender que um jovem que está começando nessa atividade se encanta com a ideia de um dia ser reconhecido pelas premiações, como eu me encantei no início da minha carreira. Portanto, não é legal da minha parte baixar a bola de nenhuma delas.

Tenho inclusive a consciência de que, nos últimos anos, as premiações em geral têm sido bem mais generosas comigo do que eu com elas.

Dois exemplos bastante recentes aconteceram em 2014 e em 2015, em Nova York.

No dia 1º de outubro de 2014, numa noite de gala realizada no

Cipriani Downtown, com apresentação da atriz Whoopi Goldberg, recebi o Lifetime Achievement do Clio. Desde a sua criação, em 2001, até aquele momento, a lista de ganhadores tinha apenas dois brasileiros – Marcello Serpa e eu – e uma maioria absoluta de anglo-saxões, entre eles Dan Wieden, John Hegarty, David Abbott, Jeff Goodby e George Lois.

Naquela noite de 2014, foram também homenageados o ator Jerry Seinfeld, com o Clio Award Recipient, e a banda Blondie, com o Clio Music Recipient. Estiveram presentes amigos queridos e famosos do mundo inteiro, mas a coisa que mais me impressionou foram as reações do rapper Aloe Blacc, responsável pelo show, ao ver seu ídolo Jorge Ben Jor na plateia.

No dia 30 de janeiro de 2015, também em Nova York, no tradicionalíssimo Gotham Hall, entrei para o Hall of Fame do One Club, onde estão nomes como Bill Bernbach, David Ogilvy, Leo Burnett, David Abbott, Jay Chiat e Steve Jobs. A partir daquela noite, passei a ser o único não anglo-saxão naquele Hall of Fame.

Não dava para escapar de fazer um discurso agradecendo e resumindo os meus sentimentos sobre premiações e homenagens.

Fiz um discurso que me disseram não ter sido chato de ouvir naquela noite. Espero que não seja chato de ler agora:

"Boa noite. Eu preciso confessar uma coisa a vocês: eu só estou aqui hoje porque o pneu do meu carro furou.

Eu explico: eu tinha 18 anos de idade, estava indo para a universidade onde eu estudava, quando senti algo estranho na direção do carro.

Estacionei e vi que o pneu tinha furado.

Olhei para o outro lado da rua e observei um casarão com uma placa onde estava escrito: HGP Publicidade.

Resolvi não trocar o pneu; preferi atravessar a rua e pedir um estágio.

Entrei na agência e disse para a recepcionista:

– Eu quero falar com o dono!

O dono estava chegando naquele momento, olhou para mim, um menino com os cabelos nos ombros, tamancos coloridos e jeitão de hippie, e então me disse:

– O dono sou eu, o que você quer?

Eu continuei:

– É que o meu pneu furou do outro lado da rua e eu resolvi vir aqui pedir um estágio.Tenho certeza de que eu vou ser muito bom nesse negócio da publicidade. Na verdade, o senhor está no seu dia de sorte. Trata-se de uma ótima oportunidade, que o senhor não pode perder, até porque o meu pneu não costuma furar duas vezes na mesma rua.

O homem gostou da minha conversa e me deu o estágio.

No mês seguinte, fui oficialmente contratado e quatro meses depois, já em outra agência, ganhando um pouquinho mais, escrevi o meu primeiro comercial de televisão, que ganhou um Leão de Cannes, que aquele ano foi em Veneza.

Como eu não tinha nenhuma experiência (era o meu primeiro comercial), fiquei na dúvida.

Quem teria errado? Eu ou o júri?

Mas, voltando ao meu início, a verdade é que eu sempre acreditei que todos nascem com algum talento para fazer bem alguma coisa na vida.

Mas são poucos os que têm a sorte de descobrir qual é essa coisa.

Por isso são poucos os felizes e bem-sucedidos nos seus trabalhos.

Tive a sorte de descobrir para o que eu servia já na adolescência.

Naquele momento, a situação era bastante favorável para um jovem talento ambicioso: a publicidade já tinha sido profissionalizada no Brasil pelas gerações anteriores.

Depois que ganhei o meu primeiro Leão de filmes aos 19 anos de idade, numa época em que os prêmios eram poucos e raros, fui apelidado pela imprensa de o *golden boy* da publicidade.

Comecei a ficar conhecido no meio publicitário e fui convidado para trabalhar na DPZ – uma agência que representava nos anos 1970, em São Paulo, o que a DDB representou nos anos 1960 aqui em Nova York.

Foram 14 anos muito felizes, até que, em 1986, eu percebi que estava na hora de montar a minha própria agência. Assim surgiu a W/GGK, que logo depois se transformou na W/Brasil.

A W/Brasil foi um sucesso estrondoso, conquistou grandes clientes, ganhou todos os prêmios da publicidade mundial e fez tantas campanhas populares que acabou até inspirando um hit do mundialmente famoso compositor e cantor Jorge Ben Jor.

O tempo foi passando, a W/Brasil continuou extremamente bem-sucedida, mas 23 anos depois da sua fundação, em 2009, eu senti que estava na hora de fazer o novo de novo.

Para isso, imaginei um gesto de grande impacto: juntar a mais internacional das agências brasileiras – a W/Brasil – com a mais brasileira das agências internacionais – a McCann.

Assim surgiu a WMcCann.

Na WMcCann, eu tenho algo que sempre tive na minha vida e que, junto com aquele pneu furado, me trouxe até aqui: a companhia de brilhantes profissionais.

Sempre mantive com as minhas equipes a filosofia de que é melhor ser coautor de muitas coisas brilhantes do que autor solitário de algo medíocre.

Acredito em talento, acredito em trabalho, acredito em gente de bom caráter.

Costumo dizer que, se tenho alguma qualidade, é o meu intuitivo, tenho o intuitivo de uma comitiva de mulheres.

Meu intuitivo sempre me disse para desconfiar do sucesso profissional, mas saber aproveitá-lo.

Aprendi muito jovem que o sucesso profissional pode nos dar muitas coisas boas, como ganhar algum dinheiro, ser reconhecido publicamente, viajar pelo mundo, namorar lindas e inteligentes mulheres.

Mas tenho a convicção de que a melhor coisa que o sucesso profissional pode nos dar é a oportunidade de ficar amigo dos nossos ídolos.

Há muito tempo tenho o privilégio de ser amigo de muitos dos meus ídolos.

Entrar hoje para este Hall da Fama, do qual fazem parte amigos que eu prezo e ídolos que eu venero, me orgulha bastante e reafirma a minha convicção sobre o que eu considero sucesso.

Agradeço a presença de todos, particularmente da minha mulher, Patrícia, que sempre me acompanha em tudo, inclusive quando eu perco.

Sim, de vez em quando eu também perco.

Prometo a vocês continuar trabalhando duro, até porque essa é a única coisa que eu sei fazer direito.

E termino com uma observação:

Sinceramente, acho bem difícil nos dias de hoje acontecer com um garoto de 18 anos o que começou a acontecer comigo há 45 anos.

Até porque as coisas mudaram muito nos últimos anos.
Os pneus, por exemplo, hoje raramente furam.
Obrigado."

18.

ANDRÉ MIDANI E JOSÉ BONIFÁCIO DE OLIVEIRA SOBRINHO, o Boni, já eram homens muito bem-sucedidos quando eu comecei na publicidade.

André havia sido um dos responsáveis pelo lançamento da Bossa Nova no Brasil e no mundo, tinha dirigido a gravadora Capital, no México e em Los Angeles, e ocupava a presidência da Phillips, hoje Universal Music, onde tinha montado um casting com praticamente todas as estrelas da Música Popular Brasileira, a ponto de ter publicado um anúncio nos jornais e revistas com o título: "Só nos falta o Roberto Carlos. Mas também ninguém é perfeito."

Boni tinha começado no rádio aos 15 anos de idade. Foi redator, produtor e diretor de TV aos 17, diretor da Lintas Publicidade aos 20 e, antes dos 35, na TV Globo, já havia renovado a linguagem das novelas, criado o *Jornal Nacional* e estava pronto para lançar o *Fantástico*.

Os dois eram os meus ídolos, e como a melhor coisa que o sucesso profissional pode te dar é a possibilidade de ficar amigo dos seus ídolos, eu, que, assim como eles, tinha feito sucesso cedo, acabei amigo dos dois.

Aprendi muito com André e com Boni, tanto de comunicação quanto de vida, e continuo aprendendo até hoje.

Participei da vida deles e eles participaram da minha, em diferentes momentos, inclusive alguns que entraram para a cultura popular brasileira, como quando dei para o Osmar Santos tocar no seu programa de rádio, em primeiríssima mão, a gravação de "Inútil", do Ultraje a Rigor, que o André Midani ia lançar. A canção acabou se tornando o hino do Diretas Já.

Lembro também de quando, atendendo a um pedido meu, Boni ajudou na tentativa de reviver a Democracia Corinthiana, em 1985, colocando o ator Mário Gomes jogando no ataque do Corinthians, ao lado de Walter Casagrande, em alguns capítulos da novela *Vereda tropical*.

Num outro episódio de nossas vidas, André foi jurado do Festival Internacional do Cinema Publicitário realizado em Veneza em 1983, quando meu filme *Guaraná Taí, o primeiro beijo*, uma espécie de precursor do comercial *Valisère, o primeiro sutiã*, ganhou um Leão de Ouro naquele festival.

E Boni foi quem deu a autorização para que a Rede Globo de Televisão veiculasse, pela primeira vez, um comercial com um minuto e meio de duração, o que até então havia sido proibido por ele mesmo, para não quebrar o ritmo da programação. O comercial era o *Valisère, o primeiro sutiã*.

O número de episódios que vivemos juntos são tantos e tão reveladores da nossa amizade que talvez fosse preciso um livro à parte para contar tudo. Figuras fáceis na minha vida, eles não faltaram num dos meus momentos mais difíceis: o meu sequestro.

André Midani, que dirigia a Warner Music em Nova York e estava de passagem pelo Brasil, acabou ficando os 53 dias do sequestro em

São Paulo, dando apoio a minha família e servindo como uma espécie de possível negociador, para o caso de haver alguma negociação. Enquanto isso, Boni se dedicava a conseguir dinheiro, na verdade, dólares, em cash, para o caso de haver necessidade de um pagamento.

Por erros dos sequestradores, eu acabei solto, sem a necessidade de pagamento algum.

No dia seguinte, com a sensação de dever cumprido, André Midani voltou para Nova York, enquanto Boni apareceu na minha casa com uma garrafa de 1.500ml do vinho Château Mouton Rothschild, da histórica safra de 1953, para ser bebida, exorcizando assim os 53 dias que eu havia sido mantido no cativeiro. Ao ver aquele vinho – e imaginar o preço dele –, apesar de ainda traumatizado com o episódio, não pude deixar de comentar que seria mais prático o Boni ter usado o dinheiro que gastou naquele vinho para pagar aqueles vagabundos e me livrar logo do sofrimento.

André Midani e José Bonifácio de Oliveira Sobrinho, o Boni, foram dois grandes produtores de conteúdo, bem antes de a palavra conteúdo entrar na moda, e eu acabei virando um terceiro, muito influenciado por eles.

Conscientes disso, nós três registramos, anos atrás, uma empresa que ainda não usamos, mas que eu ainda sonho usar. Chama-se BOM CONTEÚDO. BOM de Boni, de Olivetto e de Midani.

■ ■ ■

LANÇAR UM DISCO EXPERIMENTAL como *Araçá azul*, que teve recorde de vendas quando lançado – e recorde de devoluções depois de ouvido –, mas que consagrou de vez a carreira de Caetano Veloso;

ou colocar no ar uma novela como *Roque Santeiro* – censurada pelos militares assim que descobriram que o texto daquela novela era uma adaptação do já censurado texto teatral de Dias Gomes *O berço do herói* – são aulas de André Midani e Boni sobre respeito ao talento, à liberdade criativa e à liberdade de expressão.

Foi em atitudes como essas que me espelhei, desde o início da minha vida profissional, mesmo tendo a consciência de que a minha atividade não tem a mesma importância cultural nem o mesmo poder da música e da televisão.

■ ■ ■

PARTINDO DO PRINCÍPIO DE QUE a aventura pode ser louca se o aventureiro for lúcido, tive a oportunidade de fazer trabalhos extremamente gratificantes, mas tive também algumas frustrações, o que é normal numa atividade que convive com autocensuras e censuras, tanto dos seus criadores quanto dos clientes.

Acho que a maior parte das frustrações que tive aconteceram por erros meus de julgamento, quando hipervalorizei ideias de menor qualidade, e por erros de alguns clientes, que não souberam perceber e valorizar momentos de real brilhantismo.

Uma das minhas grandes frustrações aconteceu em 2010, logo após a fusão da W/ com a McCann, com um cliente que a McCann já possuía desde 1937. Eu imaginava que aquele seria o momento perfeito para a criação de uma primeira peça espetacular da nova agência que estava surgindo.

O cliente era a General Motors, para quem eu tinha trabalhado em 1975, quando a empresa completou cinquenta anos de Brasil e resolveu abrir uma exceção, encomendando a sua campanha de aniversário a uma agência 100% brasileira, a DPZ, que na época era a agência da moda.

Francesc Petit e eu criamos uma campanha sensacional, que ganhou todos os prêmios daquele ano, por ser inovadora e clássica ao mesmo tempo. A campanha tinha como personagens o cantor Orlando Silva, o tenista Thomaz Koch, a atriz Djenane Machado e o poeta Vinicius de Moraes.

Eu entrevistava cada personagem sobre sua vida, sobre como tinha sido sua primeira experiência com um carro da GM e depois escrevia os textos, tentando reproduzir os cacoetes verbais do entrevistado. Petit, por sua vez, fotografava cada personagem ao lado de um carro daquele ano, 1975.

Orlando Silva me contou e eu escrevi que no seu auge, como "O cantor das multidões", chegava a encontrar mulheres escondidas no porta-malas do seu Chevrolet 1937.

Thomaz Koch, que na época formava com Edson Mandarino a grande dupla de brasileiros da Taça Davis, lembrou que na sua infância existiam poucos Chevrolets em Porto Alegre, mas seu avô tinha um.

Djenane Machado me confessou que quando seu pai era considerado "O rei da noite carioca", por causa dos seus espetáculos de teatro de revista, ela era considerada a menina mais rica do colégio, porque ia pra escola num Chevrolet com motorista de luvas brancas.

Vinicius de Moraes me contou que a sua primeira experiência sexual tinha sido no banco traseiro de um Chevrolet.

Resolvi que escreveria todos os textos da campanha, menos o do Vinicius, porque achei descabido escrever podendo ter o privilégio de pedir ao próprio Vinicius que escrevesse o texto do anúncio que seria protagonizado por ele. A decisão me pareceu inteligente, mas acabou me dando uma mão de obra danada. Combinei numa conversa com o Vinicius, que aconteceu durante a sessão de fotos, lá pelas 4 da tarde, que pegaria o texto com ele às 23h30, num restaurante da rua Pamplona chamado A Carreta.

Vinicius chegou ao restaurante depois da meia-noite, acompanhado de um copo de whisky e de umas moças bonitas, entre elas a irmã da atriz Susana Vieira, que na época também era atriz e se chamava Susana Gonçalves. Ele então me convidou pra sentar. Bebemos até as 5 da manhã. E nada de texto.

Combinamos então que eu pegaria o texto às 7 da noite daquele mesmo dia, no apartamento do violonista, compositor e corintiano Toquinho, na rua Peixoto Gomide, onde Vinicius estava hospedado. No dia seguinte, os dois tinham uma viagem para o Uruguai, onde fariam shows.

Cheguei pontualmente às 7 da noite, fui convidado a entrar e encontrei Vinicius pelado, dentro de uma banheira, bebendo whisky Something Special e comendo Línguas de Gato, da Kopenhagen.

Ele me disse que ainda não tinha feito o texto, mas que escreveria no outro dia, no avião, e me mandaria do Uruguai. Foi quando perdi as esperanças e cogitei escrever eu mesmo o texto, baseado na história do banco de trás que ele havia me contado.

Para minha surpresa, alguns dias depois recebi uma carta de Vinicius, enviada de Montevidéu, com o texto pronto e um gesto de precaução, típico de quem conhecia as relações entre clientes e agências de publicidade:

"Escrevi dois títulos para o mesmo texto: o primeiro um pouco mais direto e o segundo para você usar se o pessoal do cliente achar o primeiro forte demais."

O primeiro era assim: "Perdi minha virgindade num Chevrolet."
O segundo: "Perdi minha pureza num Chevrolet."

Achei o segundo mais sutil, recomendei ao cliente, que aprovou na hora, e o anúncio foi o mais comentado da campanha e, meses depois, eleito o melhor do ano de 1975.

Lembrei de toda essa história 35 anos depois, quando em 2010 resolvi apresentar para a GM a ideia de um comercial para televisão, cinema e internet que eu planejava ser o primeiro trabalho de forte impacto da recém-inaugurada WMcCann. A ideia me surgiu quando li que 27% dos brasileiros ainda não usavam cinto de segurança nos automóveis, número que revelava um país com sérios problemas de educação, onde gestos de mera civilidade como usar o cinto de segurança não eram praticados, enquanto depredações nas ruas e preconceitos continuavam arraigados nas pessoas.

Escrevi o texto do filme num sábado, no meu apartamento em São Paulo, imaginando que um ator negro, elegante e carismático como o Seu Jorge seria o porta-voz ideal para aquele tipo de mensagem. Contei a ideia para o Seu Jorge, que se empolgou e me disse que gostaria de fazer.

Liguei então para o Andrucha Waddington, da Conspiração Filmes, que tinha feito com Seu Jorge o longa-metragem *Casa de areia*. Expliquei a ideia, que era simples, e pedi a Andrucha que encaixasse a produção daquele filme na produção de algum outro filme que ele estivesse fazendo naquele momento, até porque eu não tinha dúvida de que ele seria aprovado. Portanto, valia a pena correr o risco de apresentar o filme pronto.

Poucos dias depois, Andrucha me mandou um DVD com um trabalho perfeito, onde um elegante Seu Jorge, de terno e gravata, filmado em preto e branco, num plano americano que lembrava as melhores fotos de Irving Penn, dizia aquele texto com sua voz única e suas expressões convincentes:

"Você sabia que, no Brasil, 27% das pessoas ainda não usam cinto de segurança e que muitos acabam morrendo por causa disso? Pois é, tem gente andando em carro supermoderno que se comporta como se tivesse estacionado na Pré-história.

Achar que andar sem cinto é normal é o mesmo que achar que é normal sair no braço com quem torce para outro time, que é normal poluir a praia, pichar o monumento, furar o sinal vermelho, estacionar na faixa de pedestres, estranhar quem tem uma religião, uma preferência sexual ou uma cor diferente.

Para a General Motors do Brasil, nada disso é normal. Para a GM, normal é fabricar bons carros e incentivar as pessoas a utilizarem esses carros com sabedoria e bom senso.

Este comercial é uma mensagem da General Motors, mas vale também para quem tem carro de qualquer uma das outras excelentes marcas fabricadas e comercializadas no Brasil."

Dias depois, reuni o pessoal do marketing da GM na agência e mostrei o comercial que tínhamos criado e produzido de surpresa para eles.

As primeiras reações foram ótimas, com muitos elogios, mas logo depois alguém comentou que havia muitos anos, por decisão interna, a GM não se comunicava dizendo GM, mas apenas Chevrolet. Comentei que, apesar de nesse caso achar que valia a pena assumir uma postura de empresa líder, dizendo GM, não haveria nenhum problema em refilmar, se necessário, aquelas falas, substituindo GM por Chevrolet, uma vez que isso não alterava em nada a ideia central do filme.

Todos concordaram e ficamos de voltar ao assunto o mais rápido possível. Mas, alguns dias depois, fui comunicado pelo meu pessoal de atendimento que a Chevrolet tinha decidido não fazer nada institucional naquele ano.

Hoje, em 2017, sete anos depois da não aprovação daquele comercial, um quinto dos passageiros de automóveis do Brasil continua sem usar cinto de segurança, torcidas organizadas ainda saem na porrada, monumentos são pichados, sinais vermelhos, furados e possíveis candidatos à presidência da República baseiam seus discursos na defesa radical de religiões e nos ataques aos representantes de outras etnias e outras preferências sexuais.

O espaço de empresa líder e intelectualmente superior, que finalizava o texto daquele comercial elogiando os concorrentes, também ainda não foi ocupado por ninguém.

■ ■ ■

OUTRA FRUSTRAÇÃO QUE TIVE com um trabalho pronto – e de excelente qualidade – que acabou não sendo veiculado aconteceu com um dos melhores clientes com que já trabalhei em toda a minha vida, o Boticário.

Com a presença cotidiana do seu brilhante fundador Miguel Krigsner e um departamento de marketing enxuto, dirigido pelo competente Eloi Zanetti, o Boticário foi um cliente excepcional e tive o privilégio de participar do seu crescimento.

Em dez anos, fomos de 200 a 2 mil franquias no Brasil e implantamos mais de 100 lojas no exterior. Criamos e produzimos qualidade em quantidade.

Comerciais inesquecíveis como o filme *Marina*, com a linda Ana Paula Arósio se maquiando, aos 13 anos de idade, ao som do clássico de Dorival Caymmi, na gravação original de Dick Farney, que dizia: "Marina, morena Marina, você se pintou."

Ou como o comercial de lançamento da linha de bronzeadores com a canção "Preta Pretinha", cantada por Moraes Moreira.

Para o Boticário, utilizamos também clássicos da música internacional, como a canção "Kiss Me", que virou trilha sonora de uma campanha para o Dia dos Namorados, com cenas de beijos famosos do cinema em todos os tempos. Nesse comercial, "Kiss Me" era interpretada por Marilyn Monroe, que, para quem não sabe, além de famosa atriz e sex symbol, foi também excelente cantora.

Além de comerciais famosos no Brasil e no mundo, fizemos para o Boticário ações de marketing pioneiras, como perfumar todos os cinemas da cidade de Curitiba. E criamos também um calendário de datas promocionais, com campanhas para o Natal, Dia das Mães, Dia dos Pais e Dia dos Namorados.

Expressões como "Perua odeia" foram implantadas a partir das nossas campanhas. O Boticário acabou se tornando o cliente queridinho da agência, a ponto de profissionais de todos as áreas disputarem a tapa o privilégio de trabalhar para ele. Foi o anunciante que, com a campanha do perfume Insensatez, venceu pela primeira vez o Prêmio Abril nas duas categorias – Melhor campanha e Melhor utilização do meio revista – e pouco tempo depois virou capa da *Business Week*, com a campanha da linha de maquiagens Natural Colors, escolhida como exemplo de marketing de qualidade na América Latina.

Nesse clima de responder com brilhantismo aos pedidos do anunciante e estar sempre antenado para criar ideias que pudessem gerar imagem, prestígio ou novos negócios, resolvi sugerir um comercial institucional de toda a linha de produtos femininos do Boticário, na época o seu carro-chefe.

A ideia me surgiu na ilha de Ischia, na Itália, pertinho de Nápoles, onde eu tinha alugado um veleiro para umas miniférias com Patrícia, tendo como convidados nossos amigos Karin e Fabio Fernandes.

Caminhando por Ischia, passei por uma loja de discos e resolvi comprar uma caixa com todos os CDs do napolitano Roberto Murolo. O cantor, compositor e violonista Roberto Murolo foi uma espécie de João Gilberto do sul da Itália, famoso por cantar baixinho e com doçura, num dialeto em que antes dele só cantavam aos berros e com braveza, o napolitano.

Eu já conhecia bem as canções do Murolo, mas tinha apenas um CD, e fiquei contente quando encontrei a obra completa.

Levei a caixa para o barco e a música do Murolo virou a trilha musical das nossas velejadas entre Ischia, Ventotene e Nápoles. Até que um dia, ouvindo o maior clássico do Murolo, a canção "Malafemmena", me surgiu a ideia de fazer um filme com cenas de homens desesperados por terem sido largados por suas mulheres, tendo a canção "Malafemmena" como trilha sonora e uma locução no final que diria: "Produtos Boticário. Para meninas más. Muito más."

Eu não tinha dúvida de que aquela ideia levaria a mulherada ao delírio. Quando cheguei ao Brasil conversei com o Julinho Xavier da Silveira, que não só adorou a ideia como me disse que, no meio daqueles homens desesperados, ia colocar um jovem ator chamado Rodrigo Lombardi, que tinha tudo para se transformar no novo ídolo do público feminino.

Mostrei a música e o roteiro para o Miguel Krigsner e o Eloi Zanetti, que adoraram, e partimos para a produção. Mas, enquanto o filme era produzido, começou a trabalhar no Boticário uma senhora que havia sido contratada, por recomendação de uma consultoria, para cuidar do futuro do Boticário, que estava crescendo cada vez mais. Essa senhora odiou o filme pronto, odiou o clássico "Malafemmena" e odiou o Rodrigo Lombardi. Disse que aquilo não era o que ela queria para o futuro da empresa – e assim tivemos o nosso primeiro trabalho recusado depois de anos.

Resolvi tentar superar aquele episódio, mas logo depois o Eloi Zanetti saiu da empresa, o Miguel Krigsner deixou de se envolver com o marketing, o dia a dia foi ficando insuportável e eu, lamentando profundamente, resolvi abrir mão daquele que era um dos nossos melhores clientes.

O Boticário, por iniciativa daquela senhora ou sugestão do Miguel, não sei até hoje, entregou a conta para a Talent, agência que eu sempre elogiei muito e merecidamente.

Pouco tempo depois, o Julio Ribeiro, dono da Talent, me ligou perguntando como eu tinha aguentado aquela senhora por quase um ano e me contou que estava abrindo mão da conta do Boticário, depois de poucos meses de trabalho.

Por sorte dos meus amigos de Curitiba, não passou muito tempo e aquela senhora abandonou a empresa para trabalhar numa concorrente, o que fez com que o Miguel Krigsner voltasse ao comando, acompanhado do seu cunhado Arthur Grinbaum, e o Boticário retomasse o seu caminho vitorioso.

Do comercial recusado, além da minha frustração, sobraram coisas boas:

Rodrigo Lombardi, como o Julinho Xavier da Silveira previa, se transformou num astro da televisão brasileira e a canção "Malafemmena", que tinha inspirado o comercial em 1998, inspirou também, em 2011, a novela *Passione*, outro dos grandes sucessos do Silvio de Abreu.

Fora isso, me gratifica observar que a linguagem de vanguarda daquele comercial de vinte anos atrás faz parte da comunicação do Boticário nos dias de hoje.

■ ■ ■

PARA O FILÓSOFO FRANCÊS HENRI BERGSON, o instinto é o impulso da vida; a inteligência, a expressão da vida; e a intuição, o conhecimento da vida.

No dia a dia de um publicitário, saber interpretar o que está acontecendo por instinto, por inteligência ou por intuição é fundamental, mas nem sempre acertamos.

Trabalhei anos para o Boticário, fazendo um trabalho exuberante, com características bastante instintivas, tive dois grandes acertos com a Natura, na base da inteligência, mas meu lado intuitivo dizia que ia ter dificuldades trabalhando para a L'Oreal.

Minha relação com a L'Oreal se materializou em 2010, quando começamos a WMcCann. (A L'Oreal já era cliente da McCann no mundo inteiro desde 1977.)

Por intuição, imaginava que a L'Oreal tivesse um tom internacional muito acentuado, coisa que as brasileiríssimas Boticário e Natura não tinham, e que os níveis criativos seriam bastante cerceados por uma comunicação quase ditada, num tom nitidamente francês.

Nunca fui um apaixonado pela publicidade francesa, que cheguei a definir radicalmente como erótica ou neurótica, num artigo provocante que escrevi, em 1981, para a publicação novaiorquina *Ad's*

Magazine a pedido do editor Lawrence Dobrow, mas confesso que tive bons momentos acompanhando o trabalho da L'Oreal.

O melhor deles envolve uma frustração quase prevista, que acabou se transformando numa surpresa agradável. No início de 2012, recebi em primeira mão o novo disco do compositor, cantor e arranjador Pedro Luís, fundador do Monobloco, com quem eu já tinha feito dez anos antes um comercial das sandálias Rider, misturando, no meio de muita percussão, as canções da Blitz "Weekend" e "A dois passos do paraíso".

Ouvindo o novo disco do Pedro Luís, descobri uma canção romântica, que me interessou na hora, chamada "Menina do salão de beleza".

Quem, como eu, já trabalhava com a indústria de cosméticos havia muito tempo sabia da importância que os mais de 600 mil salões de beleza que existem no Brasil têm para esse mercado. E também conseguia imaginar o que uma canção com o verso "Eu coloramo você todinha" poderia fazer pela L'Oreal, que tinha comprado a brasileiríssima Esmaltes Colorama.

Na mesma hora, conversei com o Guime Davidson e preparamos uma campanha que foi apresentada na semana seguinte para um francês da L'Oreal de Paris que tinha acabado de ser transferido para o Brasil. Obviamente, e como eu mais ou menos já imaginava, o francês, que não tinha a mínima intimidade com a cultura brasileira, não conseguiu perceber o que aquela canção poderia fazer pelo seu produto. Moral da história: o projeto não foi para a frente.

Pouco tempo depois, "Menina do salão de beleza" se transformou no tema musical de *Avenida Brasil*, a novela da Rede Globo de maior sucesso nos últimos anos. E Vivi Pepe, diretora de criação da WMcCann Rio, responsável pelo cliente L'Oreal, inconformada com a recusa, passou a dedicar boa parte do seu tempo à busca de aprovar algo espetacular, que fugisse do dia a dia e compensasse a perda daquela oportunidade incrível.

No Dia Internacional da Mulher, 8 de março de 2015, Vivi Pepe conseguiu. Colocou no ar uma campanha institucional da L'Oreal com uma personagem até então desconhecida, uma mulher transgênero chamada Valentina Sampaio.

O filme mostrava a história real de Valentina no dia em que ela finalmente teria sua identidade retificada para ser reconhecida como a mulher que sempre foi.

Quando vi a peça, gostei da ousadia e da simplicidade da realização, mas achei que, por ter uma veiculação reduzida, apenas na internet e sem a presença da TV aberta, o filme se transformaria em mais um daqueles que conquistam todos os prêmios nos festivais, mas acabam quase que desconhecidos do grande público.

Meus prognósticos em relação aos prêmios estavam certos: o filme *Meu primeiro Dia da Mulher* ganhou todos as premiações nacionais e internacionais de que participou. Mas meus prognósticos sobre a repercussão do filme estavam errados. No primeiro dia de exibicão, *Meu primeiro Dia da Mulher* foi o filme on-line mais visto do Brasil e, em apenas 24 horas, ficou conhecido nas Américas, Ásia e Europa.

A L'Oreal criou uma ação para a maior Parada LGBT do mundo, onde centenas de novas fotos para retificação de identidade foram feitas. Valentina Sampaio foi contratada oficialmente como a primeira porta-voz trans da história da marca e a iniciativa que começou no Brasil acabou replicada em outros países, como os Estados Unidos. Valentina participou de diversas campanhas, virou o rosto mais lembrado da São Paulo Fashion Week e, um ano depois, foi internacionalmente consagrada como modelo quando estrelou a capa da *Vogue Paris*.

Surpresas do mundo da publicidade, onde uma simples iniciativa, feita para aplacar a frustração causada pela recusa de um bom trabalho, acabou se transformando em algo bem maior, que jogou luz na discussão sobre os direitos das pessoas e ajudou a L'Oreal a assumir a liderança mundial no debate sobre diversidade, equidade de gênero e beleza feminina.

■ ■ ■

VIRA E MEXE alguém me pergunta:

O que fazem hoje em dia os "Gordinhos do DDD"?

O "Cachorro da Cofap" tinha filhotes? Quem ficou com eles? E a menina do *Compre Baton, Compre Baton*, que fim levou?

Pode parecer incrível, mas a verdade é que só existem dois países no mundo onde campanhas de publicidade veiculadas há mais de trinta anos são lembradas e comentadas como se estivessem na mídia na noite anterior.

Esses países são o Brasil e a Inglaterra, onde o consumidor é muito receptivo à publicidade criativa e adora falar desse assunto, tanto que só nesses países publicitários acabam famosos e conhecidos fora do seu ambiente profissional, como aconteceu comigo, no Brasil, e com John Hegarty, na Inglaterra.

Para os anunciantes, esse carinho que o consumidor tem pela boa publicidade é um privilégio incrível, que empresta perenidade a muitos trabalhos. Se as crianças de trinta anos atrás, que eram o público-alvo daquela campanha de sucesso, hoje são pais e mães das crianças que continuam sendo o público-alvo do mesmo anunciante, o privilégio é ainda maior.

Pensei nisso quando, em 2013, resolvi descobrir que fim tinha levado a menina do *Compre Baton, Compre Baton.*

Eu tinha a nítida consciência de que em 2013 não seria possível criar um comercial com crianças ou para crianças que tivesse uma mensagem de venda tão explícita, tão enfática quanto aquela mensagem criada em 1988. Os tempos mudaram e as liberdades criativas, tanto para o bem quanto para o mal, diminuíram bastante.

Mas eu também tinha consciência de que podia me utilizar do prestígio e da popularidade daquele comercial, que aparecia em todas as pesquisas como o mais lembrado e querido da história da Garoto, para criar algo de novo e adequado aos novos tempos.

Eu sabia que não podia fazer um comercial com uma criança dizendo "Compre Baton, compre Baton", por mais adorável que essa criança fosse, nem queria fazer isso, mas sabia que podia me utilizar daquele passado para criar uma mensagem contemporânea, que deixasse claro que crianças bem alimentadas podiam e mereciam ganhar um Baton. Para isso, no entanto, eu precisava descobrir onde estava Vanessa Labonia, a menina que aos 7 anos de idade tinha protagonizado o comercial *Compre Baton*, e torcer para que ela tivesse se transformado numa mulher saudável, bonita, bem-sucedida e mãe.

Como Deus ajuda a quem acorda cedo e trabalha bastante, encontramos a Vanessa Labonia, que, em 2013, estava com 32 anos, saudável e bonita como sempre, advogada bem-sucedida e mãe da Flávia Labonia, uma menina de 5 anos de idade, parecidíssima com ela quando estrelou o famoso comercial.

Contei a ideia para o presidente da Garoto, Liberato Milo, que adorou, e para o meu amigo Juan Carlos Marroquín, presidente da Nestlé, empresa dona da Garoto, que também gostou muito.

Confiante, chamei o Julinho Xavier da Silveira, que tinha dirigido o primeiro filme e descoberto a Vanessa Labonia, para dirigir esse novo filme de Baton, protagonizado pela Vanessa e sua filha Flávia. Essa seria a surpresa que eu mostraria para o marketing da Nestlé.

O filme começava com um close de um televisor onde aparecia a famosa cena do comercial de 1988, com a Vanessa Labonia garotinha dizendo: "Compre Baton, compre Baton, seu filho merece Baton." Cortava para a cena da Vanessa adulta, ao lado daquele televisor e da filha. Nesse instante, Vanessa falando para a câmera: "Tempos atrás, eu era essa garotinha dizendo 'Compre baton, compre baton', mas agora que sou mãe eu reconheço que o bom mesmo é que os nossos filhos comam frutas, verduras e legumes. Aí, se eles fizerem tudo direitinho, não custa nada dar um Baton para eles. É até uma questão de..." Imediatamente, a menina Flávia complementava a fala da mãe dizendo: "Meritocracia." E Vanessa acrescentava o comentário "Muito bem, mocinha", enquanto a Flávia saía de cena dando um tchauzinho para ela.

Depois disso, aparecia um superclose da embalagem de Baton, com uma locução em off que relembrava o filme original. "Baton. Seu filho merece."

O comercial ficou perfeito e eu não tinha dúvida de que ia ser um grande sucesso. Mas, no dia da apresentação, o pessoal do marketing da Nestlé se mostrou preocupado com o fato de o filme não ter passado por nenhuma das etapas do processo Ultimate Brief, que monitora mundialmente, passo a passo, a feitura das campanhas da Nestlé.

O projeto acabou emperrando e, como já existia um comercial de Baton em produção, monitorado pelo processo Ultimate Brief, resolvi não atrapalhar o que estava em andamento e parei com o projeto "A volta do Compre Baton".

Fiz isso com dor no coração, pois não tinha dúvida do estouro que podia ser aquele filme, até porque tenho uma espécie de instituto de pesquisas particular, que são as minhas palestras, onde habitualmente mostro novos trabalhos para sentir as reações do público, aproveitando a informalidade da situação, a espontaneidade das reações e o tamanho da amostragem, que é normalmente grande, para saber, com antecedência e em condições reais se um determinado trabalho vai ou não vai fazer sucesso.

Pouco tempo depois de eu ter colocado "A volta do Compre Baton" na geladeira, recebi um telefonema da produção da TV Record perguntando se eu sabia que fim tinha levado a menina do comercial *Compre Baton, Compre Baton*, porque eles estavam preparando uma matéria para o *Domingo Espetacular* sobre grandes personagens da história da publicidade brasileira. No entanto, como eu não tinha autorização do marketing da Nestlé para falar do assunto, preferi não dizer nada.

Lembrei de tudo isso em 2017, quando, depois de ter decidido escrever este capítulo sobre frustrações, recebi um telefonema da agência F. Biz, que trabalha para a Embratel, me pedindo autorização para relançar os "Gordinhos do DDD", que foram originalmente criados na W/Brasil, em 1998, quando a Embratel foi privatizada.

Autorizei na mesma hora.

Plágios, paródias e revivals são as maiores provas do sucesso de uma campanha publicitária. Ninguém plagia, parodia ou faz revivals do desconhecido.

■ ■ ■

EM 2016, ANO DAS OLIMPÍADAS no Rio de Janeiro, eu já ostentava, havia muito tempo, vários recordes olímpicos de uma modalidade em que sou um verdadeiro Michael Phelps: a modalidade "Publicitário que mais fez trabalhos bem-sucedidos com música popular".

Só no departamento releituras de clássicos, o que significa escolher um sucesso de alguém para ser interpretado por um outro alguém de sucesso, eu já tinha feito, e para um único cliente, o Rider, as releituras de "País Tropical", de Jorge Ben Jor, com os Paralamas do Sucesso; de "Felicidade", do Lupicínio Rodrigues, com a Rita Lee; de "Como uma onda", do Lulu Santos, com o Tim Maia; de "Nem luxo, nem lixo", de Rita Lee, com a Marina Lima; de "Vem quente que eu estou fervendo", de Erasmo Carlos, com o Barão Vermelho; de "Paris", de Carmen Miranda, com a Elba Ramalho; de "Descobridor dos sete mares", de Tim Maia, com o Lulu Santos; de "Fame", do filme *Fame*, com a Sandra de Sá; do "É Hoje", da União da Ilha, com a Fernanda Abreu; de "Eu também quero beijar", de Pepeu Gomes, com o Cidade Negra; de "Vamos fugir", de Gilberto Gil, com o Skank; e de "Além do horizonte", de Roberto e Erasmo, com o Jota Quest.

Para outros anunciantes, eu também já tinha criado inúmeras campanhas famosas com música popular, mas confesso que fiquei encantado como um principiante quando caiu no meu colo a gravação de "Se ligaê", música de Pretinho da Serrinha, Rogê e Leandro Fab, interpretada por Sergio Mendes, Baby do Brasil e Rogério Flausino.

Na hora, eu não tive dúvida de que aquela canção seria perfeita para a campanha "BRA de Brasil, BRA de Bradesco" nas Olimpíadas, desde que utilizássemos a mesma estratégia consagrada nos anos de maior sucesso de Rider.

Iniciando com uma forte divulgação da música nas rádios. Veiculando logo depois um comercial de três minutos na semana de abertura, com três versões de um minuto e outras seis versões de trinta segundos para as semanas de sustentação. E aproveitando que o mundo agora está inteiramente digitalizado para ter também o maior número possível de versões – oficiais ou não – na internet.

O trabalho foi feito exatamente assim e o Bradesco se transformou no dono das Olimpíadas 2016. Tanto que, nos últimos dias, veiculamos um filme que nem estava previsto, com cenas marcantes dos melhores momentos dos Jogos ao som de uma versão instrumental de "Se ligaê" narrada pelo Seu Jorge, que comentava as maravilhas de termos vivido tudo aquilo. Uma beleza.

Mas o melhor ainda estava por vir – só que não veio. Quinze dias depois das Olimpíadas teríamos as Paraolimpíadas, também patrocinadas pelo Bradesco, e eu não tinha dúvida de que um comercial com o Herbert Vianna sozinho, tocando violão e cantando a canção "Se ligaê", provocaria uma verdadeira comoção nacional.

Conversei com o José Fortes, que desde o início da banda é o empresário do grupo, na verdade uma espécie de quarto Paralama, que adorou a ideia e não viu nenhum incômodo no Herbert fazer sua releitura da música sozinho. Falei com o Andrucha Waddington, que se dispôs a cancelar sua viagem de férias para filmar o que ele considerava um momento histórico. Acionei meus amigos da produção do Fausto Silva, que queriam o Herbert cantando "Se ligaê", em primeira mão, no *Domingão do Faustão*. Agitei também a produção do *Fantástico* para cobrir a filmagem com exclusividade.

Mas no meio de toda aquela correria para fazer em tempo recorde um trabalho antológico, recebi a notícia de que o Bradesco não tinha mais nenhuma verba para o projeto Olimpíadas e que, além de tudo, o Herbert Vianna não era a figura que eles gostariam de ver num comercial, porque ele teria brigado com a Bradesco Seguros depois do seu acidente, em 2001.

Até hoje não sei se a falta de verba foi o problema, até porque o Bradesco já tinha a mídia comprada e os custos de produção não eram altos. Também não sei se os problemas do Herbert com a seguradora eram tão incontornáveis a ponto de não poderem ser definitivamente esquecidos naquele momento ou se o motivo para a recusa foi outro. Não sei.

O que sei é que eu, que achava que ia fechar as Olimpíadas com chave de ouro, acabei com a sensação de ter fechado com chave de fenda.

19.

QUEM TEVE UMA PARTIPAÇÃO IMPORTANTE no projeto "Bradesco Olimpíadas" foi o Lance, grupo de mídia integrada criado pelo Walter de Mattos, jovem e talentoso cidadão do mundo que consegue ser, ao mesmo tempo, jornalista esportivo, flamenguista doente e primeiro colocado nas pós-graduações de Oxford, na Inglaterra, sem nunca deixar de ser ativista do Viva Rio, montar sorveterias especiais como a Momo, no Leblon, e a Gricco, em Copacabana, e preparar bons hambúrgueres para os amigos que visitam sua casa.

Em 1997, fizemos para o Walter de Mattos o lançamento do jornal esportivo *Lance*, com uma campanha extremamente criativa e requintada, mas um pouco exagerada em termos de custos, que ele aprovou sem discutir, seguindo as recomendações da agência.

A campanha implantou o nome *Lance* rapidamente e o sucesso só não foi ainda maior no ano seguinte porque o Brasil não ganhou o mundial de 1998, coisa que a gente ilusoriamente acreditava que aconteceria até duas horas antes do jogo contra a França, quando começaram os comentários colocando em dúvida a escalação do Ronaldo Fenômeno.

Mas, de todo modo, a partir do início dos anos 2000 o *Lance*, tanto no impresso quanto no eletrônico e no digital, foi crescendo rapidamente. Em 2007, quando o nome *Lance* completou dez anos, o Walter de Mattos me pediu que fizesse a campanha comemorativa da data, baseada numa promoção em que os leitores podiam ganhar uma réplica da camisa 10 com que o Pelé tinha feito seu primeiro gol numa partida oficial.

Eu, que sonhava retribuir a confiança do Walter de Mattos no lançamento do *Lance* com uma campanha ainda mais criativa, mas com custos de produção bem menores, entrei de cabeça nessa história, na companhia do Rynaldo Gondim, e chegamos a um resultado divertido e eficiente.

Pedi para meu filho Homero, que já dirigia cinema havia algum tempo, que fosse a Buenos Aires acompanhado apenas de um cameraman, para evitar despesas, e de uma porção de camisas 10 do Pelé.

Em Buenos Aires, Homero contratou um ator daquela escola de humor consagrada há anos pelos Les Luthiers, que são uma espécie de Monty Python argentinos. Esse ator parava as pessoas na rua e perguntava, seriamente, se elas gostariam de ganhar uma camisa do maior camisa 10 do futebol de todos os tempos. O cameraman, orientado por Homero, filmava as reações.

Pensando ser uma camisa do Maradona, todos os argentinos aceitavam, mas quando recebiam a camisa 10 do Pelé ficavam revoltados, alguns devolviam, outros jogavam no chão e pisavam em cima, e outros simplesmente viravam as costas e iam embora. As cenas, que eram divertidíssimas, foram editadas em sequência e complementadas com um close do Pelé, filmado num estúdio em São Paulo, onde ele mostrava a camisa e dizia: "Você que é brasileiro pode ter uma réplica oficial da camisa com que eu marquei o meu primeiro gol. Essa é uma promoção que só o *Lance*, no seu aniversário de 10 anos, poderia fazer."

O filme foi um grande sucesso, mas ainda mais divertidos que o filme eram os três spots de rádio dessa mesma campanha. Colocamos um locutor argentino dando telefonemas aleatórios para diferentes números em Buenos Aires e fazendo perguntas, em castelhano, para diferentes pessoas, do tipo: "Na sua opinião, quem foi o melhor camisa 10 da história do futebol? Pelé ou Edson Arantes do Nascimento?"

As respostas eram sempre bastante agressivas, como: "O melhor foi Maradona. Que se foda Pelé. Que se foda você também!" – o que, dito em castelhano, inclusive por senhoras distintas, ficava ainda mais engraçado.

Foi um trabalho prazeroso, particularmente para mim, que admiro o trabalho do Rynaldo, sou amigo do Walter, gosto muito do *Lance*, nunca impliquei com argentinos nem com o futebol argentino e tenho na parede do meu escritório uma camisa da seleção alviceleste assinada por Diego Armando Maradona com a dedicatória: "Para el diez de la publicidad, del diez del futebol".

▪ ▪ ▪

SER GRANDE AMIGO DO CLIENTE não garante a nenhum publicitário a aprovação de 100% dos seus trabalhos. Às vezes a amizade pode até provocar momentos em que se abre mão do profissionalismo em nome do afeto.

Uma das melhores ideias que apresentei em toda a minha

vida profissional foi devidamente reprovada por um amigo muito querido.

A história começa em junho de 1998, quando o Boni me telefonou perguntando:

– Você tem conta de biscoitos?

– Não – respondi.

– Então vai ter – disse ele. – Vou dizer pro meu amigo Celso Colombo Filho, dono da Piraquê, entregar a conta para a W/Brasil.

Boni foi um dos grandes responsáveis pela liderança absoluta da Piraquê no mercado carioca quando literalmente obrigou a família Colombo, sua vizinha em Angra dos Reis, a ser a primeira patrocinadora do *Fantástico* no Rio de Janeiro. A força daquele programa que revolucionou a TV brasileira fez os produtos da Piraquê, que já eram reconhecidos pela sua qualidade e muito queridos pelos cariocas, multiplicarem suas vendas. A empresa cresceu uma enormidade e desde então a palavra do Boni para os Colombo virou lei.

Vinte quatro horas depois do telefonema do Boni para mim, Celso Colombo Filho, que, como o próprio nome diz, é filho do fundador, Celso Colombo, me ligou dizendo que, obedecendo a uma ordem do Boni, estava me entregando a conta de publicidade da Piraquê.

Disse a ele que me sentia muito honrado, mas que fazia questão de ir à Piraquê para ele me conhecer e ver se ia com a minha cara, e para fazer uma apresentação da W/Brasil, para ele checar se a recomendação do Boni tinha sido boa mesmo.

Na semana seguinte, eu já estava em Madureira, na sede da Piraquê, que fica na mesma rua onde Didi, apelidado por Nelson Rodrigues de "O príncipe etíope", líder da Seleção brasileira campeã mundial de futebol em 1958 e 1962, inventou a sua famosa "folha seca".

Fui recebido pelos Celsos, pai e filho, e pelos irmãos do Celso, Sérgio e Eduardo, e todos foram com a minha cara, gostaram da apresentação da agência e ainda me convidaram para almoçar bacalhau do Antiquarius, que eles tinham mandado buscar no Leblon, porque o Boni tinha dito que eu gostava da comida de lá.

Os Colombo são gente educadíssima, adoráveis mesmo, e a partir daquele dia nos tornamos mais do que agência e cliente, viramos amigos.

Celso Colombo Filho passou a me convidar para fins de semana na sua casa em Angra dos Reis e nossas mulheres viraram amigas. No meio desse relacionamento agradável, na hora de trabalhar, trabalhamos para valer, fazendo marketing e comunicação de excelente qualidade, o que fez ampliar ainda mais a liderança da Piraquê no Rio de Janeiro.

Curiosamente, a Piraquê, que é a mais carioca das empresas cariocas, tem um forte sotaque do interior de São Paulo. Seu Celso Colombo, o pai, fundador da empresa, nasceu em Piracicaba, onde nasceu também meu avô Paulo. Quando se mudou para o Rio de Janeiro e resolveu montar uma fábrica de biscoitos, colocou o nome Piraquê, como abreviatura da sua Piracicaba querida.

Na W/Brasil, fizemos para a Piraquê diversas campanhas, tendo sempre o Rio de Janeiro como tema. Comerciais simples e bem-humorados, ensolarados como a cidade, ao ritmo de bossa nova.

A única campanha que não fizemos para a Piraquê poderia ter entrado para história do marketing e da publicidade. Era uma daquelas raras ideias geniais que dificilmente acontecem na vida de um profissional e de uma agência.

A ideia surgiu de uma observação do Ricardo Freire, que comentou que o maior anunciante brasileiro não era, como todos imaginavam, nenhuma rede de varejo como as Casas Bahia, nenhuma montadora como a Volkswagen, nenhum banco como o Itaú, nenhuma cervejaria como a Skol. O maior anunciante brasileiro, observou o Riq, era uma frase que, por ser obrigatória, era repetida várias vezes por noite, em todas as emissoras de televisão, em todas as campanhas das cervejas ou de qualquer outro tipo de bebida alcoólica – a frase: "Beba com moderação."

Portanto, nada mais lógico do que a Piraquê aproveitar esse fato para lançar um salgadinho chamado Moderação, que já nasceria com anos de mídia gratuita veiculada diariamente. Podia ser um biscoito inédito ou até mesmo uma embalagem com uma mistura de biscoitos salgados já existentes.

O roteiro do comercial de lançamento era simples como são normalmente as boas ideias. Mostrava as embalagens do biscoito Moderação ao lado de copos de caipirinha, whisky, cerveja e alguns coquetéis, enquanto um locutor em off dizia: "Piraquê apresenta Moderação. Para você beber a sua caipirinha com Moderação, o seu whisky com Moderação, a sua cerveja com Moderação, todos os seus drinques com Moderação.

A partir de hoje, beba com Moderação. Com muita Moderação. Da Piraquê."

Fora esse comercial, preparamos também anúncios de jornais e revistas, outdoors, cartazes de ponto de venda e até mesmo uma ação promocional, onde moças que apelidamos de "Moderetes" invadiriam bares distribuindo amostras do produto e dizendo para as pessoas: "Você não está bebendo com Moderação, mas agora vai beber com Moderação."

A campanha era show e eu fui para a apresentação em Madureira certo de que voltaria com tudo aprovado, até porque a apresentação era meio *pro forma*, já que, num dos nossos bate-papos de fim de semana em Angra dos Reis, eu já havia contado a ideia para o Celso Filho, que tinha gostado muito.

Mas, para minha surpresa, o seu Celso Colombo, que estava um pouco mais velho e era famoso por ter personalidade forte e não abrir mão dos seus pontos de vista, não gostou da ideia nem um pouco, e de um jeito tão definitivo que tanto eu quanto o Celso Filho não entendemos nada.

Não deu para perceber se ele se incomodava com a mistura explícita da Piraquê com bebidas alcoólicas ou se não gostava do nome Moderação, que talvez considerasse um incentivo ao pouco consumo.

Na verdade, não deu pra entender coisa alguma, mas quando o Celso Filho preferiu não contrariar o pai, comunicando que a campanha não seria feita, eu respeitei a decisão e não insisti mais no assunto. Meu lado afetivo falou mais alto que o meu lado profissional. Preferi jogar fora uma ideia genial a criar um mal-estar entre pai e filho, meus amigos.

■ ■ ■

NÃO É SEMPRE QUE GRANDES IDEIAS acabam morrendo por alguma idiossincrasia ou cisma do dono da empresa. Muitas vezes grandes ideias morrem por fatores bastante objetivos, como a falta de dinheiro.

Já fiz boa publicidade quase sem dinheiro, mas reconheço que com dinheiro é bem mais fácil.

Um dos anúncios mais comentados dos anos 1970 foi criado logo no meu início na DPZ para a Walita, que precisava anunciar o seu barbeador elétrico e tinha uma verba irrisória.

Barbeador elétrico nunca foi o sonho dos homens brasileiros. Com pouca verba de publicidade, íamos precisar de um quase milagre para obter algum resultado.

O desafio não era nada fácil, mas até que não fomos mal. Tivemos a ideia de tentar descobrir se existia no Brasil algum homem com o nome ou sobrenome Gillette e acabamos encontrando nas listas telefônicas do Rio de Janeiro o dono de uma oficina mecânica com esse sobrenome.

Contatamos o homem, que adorou a possibilidade de aparecer num anúncio e ainda ganhar um dinheirinho por causa disso.

E assim foi feito um anúncio de página inteira de jornais com o título: "O senhor Gillette só faz a barba com Walita." No layout, a foto do seu Gillette sorridente se barbeando, um texto ressaltando as qualidades daquele barbeador para barbas espessas e uma foto da carteira de identidade do homem no cantinho da página, para provar que o sobrenome dele era Gillete mesmo.

Apesar da pequena verba, o esforço do anunciante não passou despercebido.

O anúncio não foi nenhum fenômeno de vendas, mas pelo menos virou um fenômeno de comentários. O barbeador Walita passou a existir.

Acabei me lembrando desse caso anos atrás, quando recebemos o pedido de uma pequena campanha para os depiladores Bic.

Imaginei que seria mais eficiente investir a verba inteira no cachê de alguém que pudesse gerar um fato inesquecível para todas as mulheres. Foi assim que resolvi convidar o Tony Ramos para ser o porta-voz do produto num comercial em que ele apareceria se depilando.

Extremamente profissional e com cabeça de ator, onde o fundamental é construir o personagem perfeito independentemente de gostos pessoais, Tony Ramos topou na hora. Mas deixou claro que o seu cachê seria muito alto, até porque ele nunca tinha feito nenhum comercial na vida – e muito menos se depilando.

Quando o empresário dele mandou o valor do cachê, o anunciante, inicialmente empolgado com a ideia, desistiu na hora.

A Bic, que estava começando no Brasil com o negócio de depiladores, sabia que aquele segmento ainda não gerava verba suficiente para o cachê de um peludo desconhecido, quanto mais para o cachê do peludo mais famoso do país.

■ ■ ■

CACHÊS ALTOS DE GENTE CONSAGRADA ou direitos autorais vultosos de grandes obras são mais do que justos. Não há o que discutir. Paga quem quer e recebe quem merece, normalmente com benefícios para ambos os lados.

Mas, no negócio da publicidade, onde acontece de tudo, inclusive o impossível, pode acontecer de você contar com a presença de alguém muito famoso numa campanha ou conseguir a liberação dos direitos autorais de uma obra consagrada sem pagar nada. É raro, mas pode acontecer, e comigo já aconteceu algumas vezes.

As duas vezes mais marcantes foram com a liberação de direitos autorais. Em 1987, no início da W/GGK, conquistamos a conta de uma pequeníssima rede de postos de gasolina chamada Posto São Paulo. Era pequena mesmo e a verba de propaganda, minúscula, mas criamos um tema para aquela rede, comunicado num divertidíssimo comercial, que ficou famoso na hora.

O tema era "Posto São Paulo, a maior rede em simpatia", e o comercial mostrava dois humildes frentistas torcendo para que algum carro entrasse no posto.

Quando finalmente entrava um carro e eles iam atender felizes, pensando que afinal tinha aparecido alguém para abastecer, o dono do carro queria apenas uma informação, que eles davam na hora, com a maior simpatia.

O comercial, apesar de pouco veiculado, foi muito comentado, ganhou o Leão de Prata em Cannes e fez do Posto São Paulo uma rede querida e popular. Meses depois – e por causa do sucesso do primeiro comercial – o Posto São Paulo resolveu ampliar um pouquinho a sua campanha.

Criamos alguns comerciais com os mesmos dois frentistas, mas o que tinha o melhor roteiro tinha também um fator impeditivo. A sua trilha sonora seria certamente muito cara.

O comercial mostrava uma cena dos dois frentistas sentados, cada um em seu banquinho, na frente das bombas de gasolina do posto, cantando em coro a célebre canção de Roberto Carlos e Erasmo Carlos imortalizada por Erasmo em 1969: "Sentado à beira do caminho".

Recordando a canção: "Eu não posso mais ficar aqui a esperar/ que um dia você volte para mim/ Vejo caminhões e carros apressados a passar por mim/ Estou sentado à beira de um caminho que não tem mais fim".

A ideia era uma delícia, mas impossível de se realizar por causa do custo dos direitos autorais informados pela editora ao Departamento de Rádio e TV da agência. Resolvi tentar eu mesmo.

Procurei Roberto e Erasmo e expliquei que aquele pequeno cliente não teria dinheiro para pagar os direitos autorais da canção, mas que, como eu sonhava fazer aquele filme, que tinha tudo para se transformar num trabalho histórico, eu tinha resolvido ter a cara de pau de pedir aos dois que me liberassem a música de graça.

Roberto e Erasmo, que achavam a campanha do Posto São Paulo divertidíssima, foram extremamente generosos e liberaram a canção.

Graças a eles, o comercial *Frentistas Dois*, com os frentistas do Posto São Paulo cantando "Sentado à beira do caminho", foi realizado e se transformou num sucesso enorme, tão grande quanto o do primeiro filme.

Só não ganhou mais um Leão em Cannes porque os jurados estrangeiros do festival não conheciam aquela obra-prima da MPB.

Azar deles.

■ ■ ■

NO PRIMEIRO SEMESTRE DE 2003, passei quatro dias em Aimorés, na região do Vale do Rio Doce, entre as Minas Gerais e o Espírito Santo, acompanhado pelo casal Lélia e Sebastião Salgado. Fomos à Fazenda Bulcão, do Instituto Terra, entidade sem fins lucrativos que eles criaram em 1998 com a intenção de devolver à natureza tudo aquilo que a degradação ambiental naquela região havia destruído.

Naquele momento, eu já fazia parte do Conselho do Instituto Terra havia algum tempo, mas ainda não tinha tido o privilégio de ver ao vivo o que já havia sido feito em apenas cinco anos de trabalho. E fiquei realmente maravilhado.

Vi rios desaparecidos que estavam voltando a viver. Vi pássaros e animais, antes em extinção, agora se multiplicando. Vi árvores quase mortas se tornando frondosas novamente. Vi pomares quase estéreis voltando a dar frutos. E vi homens, mulheres e crianças felizes, trabalhando e estudando com amor, dignidade e respeito. Os quatro dias que passei na Fazenda Bulcão acompanhando a reconstrução daquele ecossistema me impactaram fortemente. Saí de lá com a certeza de que estava na hora de um maior número de brasileiros tomar conhecimento do que estava sendo feito naquele trecho da mata atlântica.

Até aquele momento, Lélia e Sebastião Salgado bancavam o projeto praticamente sozinhos. Contavam apenas com alguma ajuda de empresas e entidades internacionais como a Illy Caffe, da Itália, e a Fundação Príncipe Albert II, de Mônaco. No entanto, considerando a importância e a grandeza do trabalho dos dois, aquilo me pareceu pouco. Eles precisavam de mais empresas e entidades brasileiras que colaborassem com o projeto.

Uma campanha mostrando o que estava sendo feito podia reverter aquela situação ou pelo menos ajudar um pouco.

Pensei então em criar uma campanha esteticamente clássica, toda em preto e branco, composta de anúncios de revista, comerciais de cinema e televisão. Tinha certeza de que conseguiria os espaços para a veiculação gratuitamente.

Também não tinha dúvida de que tanto os anúncios quanto os filmes deveriam trazer as fotos que o Sebastião Salgado havia acabado de fazer e que mostravam a floresta renascendo, assim como não tinha dúvida de que a música perfeita para a trilha sonora dos filmes era a canção "Terra", de Caetano Veloso.

Eu, que já tinha feito na minha vida comerciais com canções da maioria das grandes estrelas da música popular brasileira, nunca tinha criado nada com músicas do Caetano, pois sabia da sua decisão de jamais liberar suas canções para campanhas publicitárias. Sabia que essa decisão não estava relacionada a dinheiro, fosse o dinheiro que fosse, mas a uma questão de postura e opinião, coisas que não são negociáveis.

Mas, no caso do Instituto Terra, pela nobreza da causa e a reputação dos envolvidos, resolvi consultar Caetano, que já tinha ouvido falar do instituto e liberou a canção imediatamente – de graça e na sua gravação original.

Alguns dias depois tínhamos os filmes prontos, numa combinação rara e preciosa do melhor de se ver com o melhor de se ouvir: imagens de Sebastião Salgado com música de Caetano Veloso.

■ ■ ■

PASSAR UMA NOITE COM uma porção de mulatas sambistas ou uma tarde com um dos maiores intelectuais do mundo são coisas aparentemente opostas, mas aprendizados igualmente importantes para um publicitário, por mais bem-sucedido que ele seja.

Meu ofício é o de um adequador de linguagens. Portanto, quanto mais linguagens eu conhecer, melhor adequador serei. Fora isso, a vida é muito curta para a gente deixar momentos tão especiais passarem em branco, independentemente do status social que eles tenham. Em 1982, Thomaz Souto Corrêa, que já era um dos maiores revisteiros do mundo, lenda da mídia impressa, foi convidado para uma experiência na mídia eletrônica, comandando um talk show na TV Bandeirantes. Inteligente, culto e charmoso, se tivesse continuado na televisão, Thomaz teria se transformado no Jô Soares dos magros, com um detalhe que pouca gente sabe. Thomaz e Jô são grandes amigos e se tratam pelo mesmo apelido. Um chama o outro de Bola.

O programa do Thomaz era semanal, gravado todas as sextas-

-feiras, no início da noite, para ir ao ar na mesma sexta, algumas horas depois. Eu, que tinha acabado de ganhar metade dos prêmios do Festival de Cannes, fui convidado para ser um dos entrevistados. Os outros dois eram Oswaldo Sargentelli e Gretchen.

Homem de televisão e mulatólogo profissional, Sargentelli estava fazendo grande sucesso em São Paulo com sua boate Oba Oba, na avenida Paulista, onde apresentava o show "Balacobaco do telecoteco, com as mulatas que não estão na mapa". E Gretchen, depois dos sucessos de "Conga, Conga, Conga" e "Freak Le Boon Boon", estava lançando um novo disco.

Sargentelli foi o primeiro entrevistado e antes de ir embora disse que nos esperava no Oba Oba para um jantar depois do show.

Para a chamada da segunda entrevistada, a Gretchen, Thomaz pediu que eu criasse um texto que seria gravado por ele. Criei e ficou assim: "Não percam ainda hoje à noite, aqui na TV Bandeirantes, pela primeira vez na televisão mundial, Gretchen da cintura pra cima."

Fui o terceiro entrevistado.

Quando acabou a minha entrevista, Thomaz, eu, Gretchen e o marido, que tinham ficado para assistir à gravação da minha entrevista, fomos para o Oba Oba.

Chegamos depois das 11 da noite, com o show já pela metade, e quando o espetáculo terminou dois maîtres enviados pelo Sargentelli vieram nos buscar.

Gretchen e o marido agradeceram o convite, mas disseram que iam pra casa, porque ela tinha show no dia seguinte e precisava descansar. Eu e o Thomaz, então, fomos levados pelos maîtres para uma pequena sala no segundo andar. Na sala, as mulatas do show estavam se trocando sem nenhuma cerimônia, na nossa frente, e uma mesa retangular e comprida, com oito cadeiras de cada lado, estava posta. Na mesa, pratos, talheres, copos, água, gelo e whisky. Muito whisky.

De repente, já estávamos sentados à mesa, Sargentelli, Thomaz, eu e uma dúzia de mulatas.

Enquanto os garçons serviam whisky para todos, começaram a chegar da cozinha pratos e mais pratos de filé com agrião, comida que o pessoal da noite adora. Sargentelli fez questão de deixar claro para as mulatas, com seu vozeirão grave e empostado, que elas estavam jantando com "O grande homem das revistas da Editora Abril, o homem que pode fazer vocês famosas da noite pro dia" e com "O grande homem da publicidade, o homem que pode colocar vocês nos melhores comerciais". (Os comentários de Sargentelli fizeram com que as mulatas prestassem bastante atenção na gente.)

O tempo foi passando, mais filé com agrião, mais gelo, mais whisky, mais conversa, até que olhei no relógio: já eram quase 4 da manhã e continuávamos todos entusiasmados como se fossem 9 da noite.

Olhei pro Thomaz e disse que era hora de a gente ir, que era melhor a gente ir, e perguntei se ele estava me entendendo. Thomaz relutou por alguns segundos, mas se levantou comigo. Agradecemos e fomos embora.

Não tenho dúvida nenhuma de que até hoje existem mulatas comentando que aqueles dois caras – que o Sargentelli comentou serem importantes homens do jornalismo e da publicidade – na verdade não passavam de dois gays enrustidos que provavelmente até moravam juntos.

■ ■ ■

ENTRE OS DIAS 28 DE JUNHO E 5 DE JULHO de 2002, estive em Ravello, no sul da Itália, convidado pelo sociólogo Domenico de

Masi para dar uma palestra no seminário de verão que ele realizava naquela cidade, em conjunto com a Universidade La Sapienza de Roma.

Domenico, criador da teoria do ócio criativo, já era meu amigo havia algum tempo. Tínhamos feito juntos uma palestra na FGV de São Paulo, num evento fechado para os clientes da W/Brasil. Em outra oportunidade, fiz uma palestra organizada por ele, em Roma, na Embaixada brasileira, no histórico Palazzo Pamphilj, pertinho da também histórica sorveteria Tre Scalini, onde foi inventado o sorvete de tartufo.

As duas oportunidades de convivência com o Domenico tinham sido ótimas, mas o seminário de Ravello tinha tudo para ser ainda melhor, pois era algo diferente, num lugar muito especial, com um tema surpreendente: "A Desorientação".

A ideia era discutir a questão da desorientação sob o ponto de vista das organizações, da economia, da estética, da cultura, da política e da comunicação. Foram dias inesquecíveis aqueles em Ravello.

Ficamos hospedados, Patrícia e eu, no magnífico hotel Palazzo Sasso, com vista para o golfo de Salerno. Comemos o melhor da comida amalfitana, incluindo grandes quantidades de espaguete ao vôngole. Bebemos bons vinhos e eu fui homenageado com um jantar ao ar livre na famosa Villa Eva, com direito a quinteto de cordas tocando ao vivo durante o jantar e alguns minutos de queima de fogos depois das sobremesas. Minha palestra aconteceu no início da tarde, na Chiesa di Santa Maria a Gradillo, um lugar belíssimo com uma acústica literalmente divina. Terminada a palestra, Domenico de Masi e sua mulher Susi haviam reservado uma surpresa para mim. Drinques e petiscos num bar ao ar livre, na praça principal de Ravello, com o prefeito da cidade, Secondo Amalfitano, sua esposa e o mais célebre habitante da região, considerado por muitos o melhor ensaísta do século 20, o escritor norte-americano Gore Vidal.

Virei rapidinho amigo de infância daquela lenda da literatura mundial. Bebemos vários Negronis juntos e ele aguentou firme apesar de já estar com 77 anos. Depois, Gore Vidal nos convidou para conhecer sua casa, pertinho da famosa Villa Cimbrone, onde ele vivia com seu companheiro Howard Austen.

Naquela tarde eu me dediquei a massagear o mundialmente conhecido ego de Gore Vidal comentando suas obras clássicas, como o romance *A cidade e o pilar*, seus filmes e trabalhos para a televisão, como a minissérie *Lincoln*, e seus sucessos na Broadway, que depois viraram filmes.

Dessas conversas com Gore Vidal recordo principalmente de duas das suas muitas observações irônicas e bem-humoradas. A primeira foi quando ele me disse: "Você, que é da América do Sul, me responda uma coisa: o Uruguai existe mesmo ou é uma invenção dos sul-americanos pra dizer que por lá também existe uma Suíça?" A outra foi quando ele me perguntou se as traduções dos livros escritos originalmente em inglês eram boas no Brasil. Respondi que sim e exemplifiquei comentando que eu havia acabado de ler um livro do Gay Talese muito bem traduzido. Com cara de desprezo, Gore Vidal arrematou: "Seu exemplo não vale. Gay Talese é muito fácil de traduzir."

Naquele momento, racionalizei que Gore Vidal era o maior Telmo Martino do mundo, definição que o Matinas Suzuki adorou quando contei para ele.

■ ■ ■

PREPAREI UMA BOA PALESTRA para o seminário do Domenico de Masi em Ravello, sobre "A desorientação na comunicação". Elegi mostrar trabalhos que provocaram mudanças e rupturas de linguagem na comunicação de várias categorias de produto, o que sem dúvida nenhuma, no meu ofício, é a coisa mais difícil de se fazer, mas também a mais gratificante.

E defendi uma tese que já defendia muito antes daquela palestra e que continuo defendendo até hoje. A tese de que, entre o politicamente incorreto – que às vezes é engraçado, mas muitas vezes é preconceituoso e mal-educado – e o politicamente correto – que normalmente é sempre bem-educado, mas quase sempre é muito chato –, existe o politicamente saudável – que respeita o humor e a irreverência sem cometer grosserias nem exaltar preconceitos.

O politicamente saudável é o caminho criativo que devemos perseguir cada vez mais, para evitar o triunfo definitivo da falta de humor e da chatice, que, nos últimos anos, têm infestado o mercado publicitário mundial.

Ilustrando os raciocíonios, projetei peças de mídia eletrônica, impressa e digital, e resolvi contar naquela palestra uma história que eu tinha ouvido dois anos antes num seminário sobre humor em Oxfordshire, na Inglarerra. Era uma história propositalmente machista que deixava claro o fato de que, na comunicação, até mesmo a valorização de um comportamento descabido como o machismo pode ser utilizada, desde que com a presença de senso crítico e vida inteligente. Nesse contexto, o comportamento que pode parecer estar sendo exaltado acaba na verdade sendo ridicularizado.

A história demonstrava como comunicar um produto que é o sonho de consumo da maior parte do público masculino utilizando uma linguagem falsamente machista que encantava 100% dos homens, mas não ofendia as mulheres, que obviamente percebiam o ridículo da abordagem e até riam dela.

O tema da história: "Por que Porsche é melhor que mulher, que, diga-se de passagem, é excelente."

A plateia de Ravello do ano de 2002, que era aberta a discussões dos mais diferentes temas e atenta a leituras e releituras, linhas e entrelinhas, foi muito receptiva à história que embutia na comunicação de um produto de consumo uma crítica ao machismo. Exaltava falsamente o machismo para, no fundo, ridicularizá-lo. (A propósito, esse é o recurso que os humoristas usam com frequência nas suas críticas sociais e políticas. E que os judocas usam nas suas lutas, quando se aproveitam da força do adversário para derrubá-lo.)

Pois bem: exatos 15 anos depois, em julho de 2017, fui convidado para dar uma entrevista à BBC. Falei sobre o politicamente correto, o politicamente incorreto e o politicamente saudável. Comentei os clichês que surgem ciclicamente na sociedade, tais como "Pensar fora da caixa", "Quebrar paradigmas", "Ser 360 graus" e "Empoderamento feminino", o clichê mais exaustivamente repetido em toda a mídia no ano de 2017.

Expliquei também que o consumidor deve ser ouvido e respeitado sempre, mas que meia dúzia de consumidores com opiniões divergentes e exigências estapafúrdias sobre o que quer que seja não devem ser levados a sério, até para não se transformarem numa daquelas torcidas uniformizadas de times de futebol que, por se acharem donas dos times, se permitem invadir centros de treinamento, agredir jogadores e cometer as maiores barbaridades.

E comentei a palestra de Ravello e a história do Porsche como exemplo de consciência crítica levada a extremas consequências.

Na edição da matéria, coisas que foram ditas de passagem ou de maneira detalhada acabaram ganhando um outro contexto. A crítica aos clichês citando o "Empoderamente feminino" virou título. Meu comentário sobre o consumidor acabou distorcido e a história do Porsche virou uma espécie de carro-chefe da entrevista.

Fui apedrejado nas redes sociais, particularmente por pessoas que só leram o título e os destaques, até porque, se tivessem lido a matéria inteira, perceberiam o que eu tinha dito de verdade. Mesmo com as distorções de contexto e um certo sensacionalismo no título e nos destaques, com a evidente intenção de conseguir muitos cliques dos internautas, a matéria, no geral, era fiel aos meus comentários e observações.

Evidentemente, não recebi só pedradas. Inúmeros desconhecidos me apoiaram nas redes sociais.

Amigos como o fotógrafo J. R. Duran, o criador multimídia Jarbas Agnelli e o compositor Ronaldo Bastos se deram ao trabalho de me escrever demonstrando solidariedade.

Ronaldo Bastos, que fez parte do Clube da Esquina, é autor com Milton Nascimento da antológica "Cais" e tem parcerias com Tom Jobim, Edu Lobo e Lulu Santos, publicou um bonito texto sobre o episódio:

"Nem precisava, mas fui ler o que Washington Olivetto disse. Só fiz isso porque vi algumas pessoas falando bobagem sobre ele. Muita gente lê com os óculos do preconceito e do politicamente correto de araque. Gosto das palavras simples, sou fiel a Caymmi. Da minha boca não sai nenhum "empoderamento". Li a entrevista do Washington e gostei muito."

Minha amiga Magic Paula, Hall of Fame do basquete mundial, que por uma coincidência esteve me visitando naquela mesma semana, se manifestou chocada e espantada com aquelas reações.

Paula é um exemplo de mulher verdadeiramente emponderada e cidadã exemplar.

Tive a honra de criar para ela, em 2004, o nome da sua fundação, que cuida de crianças e adolescentes carentes, por meio do esporte, na capital e no interior de São Paulo.

Inspirado na figura da própria Paula, criei o nome: Instituto Passe de Mágica.

O episódio da entrevista para a BBC me fez lembrar que no ano de 2001, na W/Brasil, publicamos um anúncio redigido por Ruy Lindenberg com o título: "Tem gente achando que você é analfabeto, e você nem desconfia." Junto com o título editamos um longo texto que defendia a ideia de que as pessoas liam, sim, os textos longos, desde que fossem inteligentes e bem escritos.

O anúncio repercutiu muito, recebemos diversas manifestações elogiosas e acabamos até publicando um pequeno livro com o anúncio e as manifestações.

Depois das reações contrárias à entrevista para a BBC, em 2017, vindas de pessoas que na sua maioria não tinham lido a entrevista, fiquei pensando sobre as mudanças do mundo nos últimos 15 anos e me lembrei da frase do escritor e filósofo Umberto Eco dita em Turim no mês de junho de 2015: "As redes sociais deram voz a legião de imbecis."

Observação de última hora:

Vale a pena refletir sobre como os clichês nascem, crescem e morrem rapidamente nesta sociedade que não lê, mas opina.

No dia 31 de dezembro de 2017, último dia do ano em que o clichê "empoderamento feminino" esteve presente na mídia cotidianamente, a *Folha de S.Paulo* publicou no seu caderno Sobre Tudo uma matéria de capa com o título "Já cansou".

A matéria, assinada pela jornalista Paula Pacheco, dizia:

"PALAVRAS E ATOS QUE DEVERIAM SER ENTERRADOS JUNTO COM 2017:

'Tchau, tchau', 'Gratidão' – e leve junto essa mania de falar 'Top', 'Empoderado' e 'Um beijo no seu coração'."

20.

DESDE QUE COMECEI A TRABALHAR – e especialmente quando surgem filmes com publicitários ou séries como a premiada *Mad Man* –, pessoas de outros ramos de atividade me perguntam se é verdade que existe muito sexo, drogas e rock and roll nas agências.

Costumo responder que muito menos do que a gente gostaria, para depois explicar o que acontece na vida real.

Atividades como a publicidade, o teatro, o cinema, as artes plásticas, a televisão e a música, por serem muito expostas e misturarem ficção e realidade o tempo inteiro, acabam passando a impressão, para quem não trabalha nelas, de que são mais permissivas do que as outras atividades.

Na verdade, a quantidade de sexo, drogas e rock and roll que existe na publicidade, no teatro, no cinema, nas artes plásticas, na televisão e na música não é muito diferente da quantidade de sexo, drogas e rock and roll que existe nas instituições financeiras, nos laboratórios farmacêuticos ou nas repartições públicas.

"Sexo, drogas e rock and roll" são parte daquela lista de opções e decisões individuais que acontecem ou não, que dependem do querer ou não querer dos envolvidos, não importando os seus ramos de atividade.

O que existe nas áreas de comunicação é um folclore muito grande, que inventa histórias que alimentam a imaginação de muitos. Duas dessas histórias, bastante famosas, envolvem o Boni e o André Midani.

Contam que, numa tarde de quarta-feira, uma moça bonita meteu o pé na porta da sala do Boni, na Rede Globo, entrou sem pedir licença e disse a ele, que estava sentado atrás da sua mesa:

– Você que é o Boni?

– Sim – respondeu ele.

E ela continuou:

– Então me diz quem é o diretor certo, porque eu já dei pra metade da emissora e ainda não apareci na novela.

A outra história diz que o André Midani, quando dirigia a Warner, no Rio de Janeiro, tinha um grupo de Midanetes sempre dispostas a satisfazer os seus desejos.

Nenhuma das duas histórias é verdade, apesar de terem ficado famosas.

A história da moça na sala do Boni jamais aconteceu e as tais Midanetes eram, na verdade, um grupo de profissionais que atuava nas áreas de marketing, divulgação, direitos autorais e fonomecânicos, e nada tinha com o André além de uma ótima relação de trabalho.

Nessa época, inclusive, André era casado com uma concorrente das Midanetes, a competente Mônica Neves, que trabalhava na rival CBS, hoje Sony Music.

Evidentemente, a relativa baixa faixa etária das equipes, a presença de gente com menos preconceitos e a obsessão pela beleza, que são características das agências de publicidade no mundo inteiro, contribuem para reforçar a lenda do sexo com fartura.

A verdade, no entanto, é que não é bem assim.

Trabalhei nas duas agências brasileiras que mais fama ganharam por causa disso, a DPZ e a W/Brasil, e posso garantir que, apesar da fama não corresponder exatamente à realidade, nós mesmos, os dirigentes das agências, nos encarregávamos de reforçar essa fama ou evitar desmentidos. Agindo assim, ajudávamos a glamorizar os ambientes e tornar as agências mais atrativas.

Na DPZ, foram três os principais construtores dessa reputação que, com o tempo, eu ajudei a ampliar: David Drew Zingg, Silvio Campos Silva e José Zaragoza.

David Drew Zingg já era um fotógrafo famoso nos Estados Unidos, trabalhando em revistas como a *Life*, a *Esquire* e a *Vogue* e fotografando gente como o casal Jackie e John Fitzgerald Kennedy, quando veio ao Brasil pela primeira vez como participante da regata Buenos Aires–Rio.

David, que velejava desde menino, se encantou com os ventos cariocas e passou a visitar o Rio de Janeiro com frequência. Fez amigos entre a turma que mandava na cidade e, em 1962, ajudou a organizar o famoso concerto da Bossa Nova no Carnegie Hall.

Tempos depois do concerto, David, que morava em Nova York com mulher e filhos, um dia saiu para comprar cigarros no Rio de Janeiro e não voltou nunca mais. Morando no Rio, ele conheceu ainda mais gente, passou a fotografar para revistas, como a *Realidade*, e no início dos anos 1970 começou a dividir o seu tempo entre o Rio e São Paulo, o jornalismo e a publicidade, trabalhando como fotógrafo da revista *Veja* e dirigindo o estúdio da DPZ.

David Zingg transformou o estúdio da DPZ numa festa, frequentado pelas modelos mais badaladas, jornalistas, gente de teatro, cinema e televisão. Era comum, no fim da tarde, encontrarmos naquele estúdio a Bruna Lombardi, ainda garota, já trabalhando como modelo e estudando na Escola Superior de Propaganda e Marketing, ou a Elke Maravilha, já famosa como Elke Maravilha e vestida de Elke Maravilha.

David, com o passar dos anos, parou de fotografar e passou a viver da escrita, fazendo na *Folha de S.Paulo* a divertida coluna do Tio Dave.

Como sempre gastou tudo o que ganhava – e nunca ligou para dinheiro –, morreu pobre. Alguns anos antes de sua morte, Matinas Suzuki, preocupado com a preservação de sua obra fotográfica, que estava em péssimas condições de conservação, coordenou um movimento para que amigos comprassem algumas de suas fotos históricas, gerando assim algum dinheiro que contribuiria para a preservação do acervo. David, como era de esperar, torrou a grana toda.

Comprei algumas maravilhas, como uma foto de João Gilberto num banquinho, ao lado da sua então mulher Astrud Gilberto; um close do Tom Jobim, jovem, lindo e magro, tocando piano; um outro close do Tom já mais velho, gordo e de chapéu; uma foto do Gilberto Gil vestindo o fardão da Academia Brasileira de Letras, tirada para a capa do seu LP antes da prisão de 1968; um close do Caetano Veloso para a capa do LP que lançou "Tropicália" e "Soy loco por ti, América"; uma foto feita para a revista de bordo da Varig, com as cantoras Elis Regina, Clementina de Jesus, Elizeth Cardoso, Maria Bethânia e a violonista Rosinha de Valença; uma foto dos Mutantes no início da carreira, com cara de crianças; uma foto do Rei Roberto Carlos bem mocinho; e uma foto da Rainha Nina Simone feita por David quando ele ainda morava nos Estados Unidos.

David Zingg morreu em 2000. Alguns anos depois, um dos seus netos norte-americanos, que não chegou a conhecer o avô, esteve no Brasil entrevistando alguns amigos para um livro que estava escrevendo. Dei a entrevista, mas ainda não tive notícias do livro – que, espero, seja publicado e faça justiça à memória daquela figura notável.

Atualmente o acervo de David Zingg está no Instituto Moreira Salles, no Rio de Janeiro, onde está também o acervo de outro grande fotográfo, o meu amigo Otto Stupakoff.

Silvio Campos Silva, o Silvinho, era o diretor de Rádio e TV da DPZ do início dos anos 1970. Quando cheguei, em 1973, além de tocar aquele departamento, Silvinho também dirigia boa parte dos comerciais da agência.

Gay assumido – algo que era raro na época –, Silvinho, que tinha estudado cinema no IDHEC (Institut des Hautes Études Cinématographiques), em Paris, era uma figura divertidíssima. Circulava com desenvoltura na alta sociedade e dava festas incríveis, sempre com muita bebida importada e música idem, no seu apartamento todo pintado de preto fosco e preto brilhante.

Gente de todas as tribos – numa época em que a expressão tribos ainda não existia – frequentava suas festas, que pareciam uma espécie de continuação ou início da agência. Algumas festas começavam às 8 da noite e iam até as 8 da manhã.

Os convidados não eram só a turma da DPZ.

Apenas para citar alguns, costumavam circular pelas festas do Silvinho o desenhista e pintor Wesley Duke Lee, que na época já era um artista consagrado; o poeta Roberto Piva, famoso por causa do seu livro *Paranoia*; o arquiteto Aurelio Martinez Flores, que tinha trazido os móveis da Knoll para o Brasil e montado a primeira loja especializada em design de São Paulo, a Interdesign; e a lenda carioca Jorginho Guinle, considerado o maior playboy brasileiro, que vinha do Rio de Janeiro especialmente para cada um daqueles forrobodós.

Além desses marmanjos, frequentavam as festas do Silvio as

badaladas modelos Mila Moreira, Ully, Ingy, Paula, Tânia Caldas e Lúcia Curia, que se deslocavam de onde estivessem para marcar presença naqueles agitos.

Lúcia Curia, gaúcha, precursora da Gisele Bündchen, era modelo do designer italiano Valentino. Trabalhava e morava em Roma, mas frequentava São Paulo e o Rio de Janeiro como se as duas cidades ficassem a algumas esquinas da Piazza di Spagna.

Foi com Lúcia que eu – que ainda não conhecia marcas como Yamamoto, Comme des Garçons e Paul Smith – vi pela primeira vez na vida um paletó de homem que realmente me impressionou. Atendendo a uma encomenda do Silvinho, Lúcia trouxe para ele um paletó vermelho que havia sido a grande atração do desfile da coleção masculina do Valentino daquele ano.

Anos depois, Lúcia viria a se tornar a terceira e última esposa do doutor Walter Moreira Salles.

Outra figura carimbada das festas do Silvinho era uma herdeira da Kopenhagen, que desfilava pela rua Augusta num Rolls-Royce conversível, conhecia Deus e o mundo em São Paulo e foi apelidada por nós de Maria Chocolate.

José Zaragoza, o Z da DPZ, que era talentoso, bonito, charmoso e bem-sucedido, atraía com facilidade as atenções de mulheres de todas as idades e classes sociais, mas, como era casado com a sua encantadora Monique, depois de fazer um certo charme – que a Monique sabia que ele fazia, mas fingia não saber –, ele quase que naturalmente encaminhava a sua nova admiradora para algum dos solteiros da agência, que exultavam com a generosidade do chefe. De todo modo, a simples presença de Zaragoza já acrescentava à DPZ a fama de ser a agência onde rolavam os grandes casos.

Petit, que não era tão bonito, mas era também talentoso, charmoso e bem-sucedido, fazia igualmente sucesso com as mulheres, mas, como morria de medo da sua durona Inês, se livrava imediatamente da admiradora, fazendo com que ela, através dos seus elogios, se interessasse por mim, que era solteiro e seu protegido.

Me dei bem várias vezes por causa disso – e sou grato à Inês por sua braveza e vigilância com ele.

Petit abria mão de flertes e aventuras fora do casamento, mas, assim como seu sócio José Zaragoza, não abria mão da beleza feminina.

Petit se incomodava tanto com o fato de a agência ter um homem na recepção em vez de uma recepcionista bonita e charmosa que acabou transferindo o cara para o almoxarifado e me pediu para criar um classificado recrutando uma recepcionista.

Criei um classificado com o título: "Precisa-se de aeromoça que tenha medo de avião." O texto convidava moças bonitas, inteligentes, charmosas, delicadas e dedicadas – como todos imaginávamos que deveriam ser as aeromoças – para trabalhar na recepção da DPZ, que ficava em terra firme.

O anúncio foi um sucesso e a agência contratou a bonita, inteligente, charmosa, delicada e dedicada Clarisse, que durante anos cuidou da recepção da DPZ, em São Paulo, até se casar com um empresário francês e se mudar para o Rio de Janeiro.

Convém lembrar que por um bom tempo aeromoças e comissárias de bordo foram sinônimo de beleza feminina e parte dos fetiches masculinos. Uma espécie de modelos ou garotas-propaganda que voavam. Quem ajudou a reforçar esse estereótipo no Brasil foi Rubem Berta, que criou uma geração de meninas de boa família, bonitas, inteligentes e poliglotas como comissárias de bordo da primeira classe da Varig, que na época servia vinhos franceses e caviar à vontade, tinha pratos de porcelana inglesa e talheres Christofle.

Eu mesmo, na minha primeira viagem de Paris para Nova York, ainda garotão, deslumbrado com aquela circunstância inédita, viajando pela Air France e motivado pelo fetiche que as aeromoças causavam, especialmente as francesas, convidei uma jovem e bonita comissária para jantar. (Naquela época, aeromoças tinham tempo para namoros, porque entre um voo e outro chegavam a ficar até três dias numa cidade.)

Acabamos indo ao restaurante do Hotel St. Regis, na rua 55, onde o jantar era acompanhado da orquestra do Peter Duchin, para quem quisesse dançar. A propósito, em frente ao St. Regis ficava o restaurante La Cote Basque, famoso por seu cassoulet e por ser o cenário de um dos capítulos do livro *Answered Prayers*, de Truman Capote.

Esse capítulo, chamado La Cote Basque 1965, foi publicado em primeira mão pela revista *Esquire* em novembro de 1975 e praticamente baniu Capote da alta sociedade nova-iorquina.

Capote, até aquela publicação, era o queridinho das grã-finas e grã-finos, mas, ao verem suas intimidades reveladas por ele na *Esquire*, todos se sentiram traídos e praticamente o expulsaram da cidade. Depois disso, Capote entrou numa espiral autodestrutiva que durou até a sua morte.

■ ■ ■

CONVIVI COM SEXO NA MINHA ÉPOCA de DPZ como qualquer jovem da geração pós-pílula, pós-minissaia, pós-Maio de 68, pós-

-hippies, pós-Woodstook. Mas não convivi com drogas nem vi drogas na agência, nessa época.

Acredito, no entanto, que em alguma quantidade elas certamente existiam, mas, decididamente, a minha posição de careta convicto e assumido fazia com que as drogas se distanciassem de mim, da mesma maneira com que eu me distanciava delas. Percebi muito cedo que eu não servia para drogas.

Antes de começar a trabalhar experimentei maconha, tomei dois ácidos, uma mescalina, fumei dois cigarros de haxixe; não gostei de nada e parei com tudo.

Quando comecei a trabalhar já via com muita clareza que, para fazer bem o meu trabalho, minha consciência era o meu grande patrimônio. Nunca mais experimentei nada, incluindo a cocaína, droga que, num determinado momento dos anos 1980, era servida com fartura em muitos lugares.

Nunca experimentei cocaína e sempre falei mal dessa droga, dizendo que uma coisa que custava caro e deixava brocha não podia ser boa. Mesmo assim, alguns anos depois da DPZ, no final dos anos 1980, no início do meu namoro com a Patrícia, algum cretino ou cretina, não lembro bem, foi dizer para ela que tomasse cuidado comigo, porque eu só trabalhava e vivia naquele ritmo alucinado porque cheirava muito, quando na verdade eu só trabalhava e vivia naquele ritmo alucinado porque não cheirava coisa alguma.

Procuro não ser moralista com quem usa alguma droga, até porque cada um faz o que quer com seu corpo. A bem da verdade, eu nem tenho grande moral para falar disso, porque sempre bebi – o que, de um jeito ou de outro, é também uma maneira de se entorpecer.

Mas confesso que não gostaria de ver um filho meu usando drogas ou enchendo a cara, assim como não gostaria que meus filhos se transformassem em seres 100% abstêmios, incapazes de apreciar um bom vinho, que nos últimos anos tem sido a minha bebida favorita.

Boa de sexo e razoável de drogas, a DPZ da minha época era ruim de rock and roll - apesar de eu fazer muitos comerciais com música, particularmente os dos cigarros Hollywood, e de ter levado pra agência músicos como o Guttemberg Guarabyra, do Sá, Rodrix e Guarabyra; o Emilio Carrera, que tinha sido pianista dos Secos & Molhados; e o Tom Zé, que vivia um momento solitário depois do exílio dos seus companheiros tropicalistas em Londres.

Mesmo com esses talentos trabalhando na agência, nossas festas, misteriosamente, não tinham música ao vivo. Nessa época - e para minha surpresa - eu até acabei parceiro do Tom Zé num bolero chamado "Amor de estrada", que na verdade foi uma criação 100% dele a partir de uma pequena ideia minha.

Tomei até um susto quando recebi o disco *Correio da Estação do Brás* e vi meu nome como coautor da canção.

Em 1981, a DPZ ganhou o Top de Marketing, da ADVB (Associação dos Dirigentes de Vendas e Marketing do Brasil), na categoria melhor agência. Essa premiação, que elegia os melhores de diversas categorias, acontecia numa noite no teatro do Sesc, em São Paulo, na rua Dr. Vila Nova, no bairro da Consolação. Nessa noite o representante de cada empresa premiada subia ao palco, recebia o seu prêmio e fazia um pequeno discurso de agradecimento, seguido da projeção de um chatíssimo e interminável audiovisual sobre a empresa premiada, com um visual geralmente pobre e uma locução repleta de números contábeis e autoelogios.

Os discursos e esses audiovisuais transformavam aquela noite que devia ser de festa numa coisa interminável e aborrecida, que os premiados só suportavam por obrigação e seus convidados, por delicadeza.

Pensando nisso, na hora de criar o audiovisual da DPZ, resolvi subverter tudo. Naquele ano, Gal Costa fazia enorme sucesso com seu show *Gal Tropical*, que estreou no Teatro dos Quatro, no Rio de Janeiro, no início de 1979, e foi apresentado por quase três anos em diversos lugares, incluindo o Festival de Jazz de Montreux, na Suíça.

Nesse show, com um repertório recheado de sucessos e futuros sucessos, um pouco antes do encerramento, Gal levava a galera ao delírio com sua interpretação da marcha carnavalesca "Balancê", gravada originalmente por Carmen Miranda em 1937. Aquela interpretação era, sem dúvida, o melhor momento audiovisual do Brasil do início dos anos 1980 e eu resolvi que podia virar o audiovisual da agência.

Para isso contratamos Gal com sua banda, cenários, figurinos, iluminação, enfim, a estrutura inteira do show completo, para cantar uma única canção. Na hora da projeção do audiovisual da DPZ, em vez de as cortinas do palco se abrirem, elas permanceram fechadas e, em cima delas, apareceu um letreiro que dizia:

"Agora, com vocês, o melhor audiovisual do Brasil".

Só então as cortinas se abriram e aí apareceu Gal Costa, linda, de bustiê e barriga de fora, com a roupa do show, a banda do show e no cenário do show, cantando "Balancê".

Assim que ela terminou, a cortina fechou e apareceu um novo letreiro: "DPZ. A publicidade que a gente faz, o consumidor canta junto."

E a coisa terminou por aí, deixando a plateia embasbacada.

A atrevidíssima operação de comprar um show inteiro para usar uma única música surpreendeu a todos, inclusive a própria Gal, mas foi um sucesso estrondoso. E serviu como embrião das muitas coisas com música ao vivo que eu faria anos depois na W/GGK, na W/Brasil e na WMcCann.

■ ■ ■

NO DIA 8 DE JULHO DE 1986, data da inauguração da W/GGK, eu tinha 34 anos de idade e era um dos dois senhores da agência. O outro era Javier Llussá, que tinha acabado de completar 50 anos.

A baixa faixa etária da equipe – a maioria tinha entre 20 e 30 anos –, o grande número de solteiros e solteiras e a busca por transformar a agência numa grife desde o seu primeiro dia espalharam rapidamente no mercado a fama de que a W/GGK, além de ser uma brilhante agência, era também uma eterna festa, com muito sexo, drogas e rock and roll.

A ideia de divulgar a agência como uma grife foi posta em prática desde o seu primeiro dia de vida, quando criamos a primeira das camisetas W/GGK, que depois se transformaram nas disputadas camisetas W/Brasil. Mas não paramos por aí. Criamos também algumas outras coisas que nenhuma agência havia feito antes, como os adesivos para os vidros traseiros dos automóveis.

Os próprios anúncios da agência eram também propositalmente provocantes e irreverentes, desde um primeiro que ficou famosíssimo por ter uma foto do Carlinhos Moreno vestindo a camisa da W/

GGK com uma cara de "Eu não falei?", publicado um dia depois de a gente ter conquistado a conta da Bombril. Nessa mesma linha, no dia 27 de fevereiro de 1987, uma sexta-feira, véspera de Carnaval, publicamos um anúncio com uma foto de moças e rapazes fantasiados, sambando, e o título: "A W/GGK comunica que, de 28 de fevereiro até 4 de março, estará fechada para balanço."

Quando comprei a parte dos suíços e a agência virou W/Brasil, o projeto das camisetas temáticas foi ampliado enormemente. Algumas camisetas ficaram famosas a ponto de serem disputadas a tapa. Amigos como Gilberto Gil, Malu Mader, Jô Soares, Jaime Lerner, Hortência, Jorge Ben Jor, Regina Duarte, Giulia Gam, Baby do Brasil (na época, Baby Consuelo), Henry Sobel, Emerson Fittipaldi, Gustavo Borges, Joãosinho Trinta, Lulu Santos e o concorrente Julio Ribeiro literalmente vestiram a nossa camiseta nos anúncios da agência.

Tempos depois, inventamos também os balanços W/Brasil, publicados quinzenalmente na revista *Exame*, com casos de sucesso dos nossos clientes. Em 1995, quando abandonamos as premiações por causa do excesso de peças fantasmas que vinham sendo premiadas, editamos um gibizão em papel grosso, com 64 centímetros de altura e 47 de largura, que documentava alguns dos principais trabalhos da agência naquele ano.

O título do gibizão era *W/Brasil mata a cobra e mostra o pau*, e para ilustrar a capa elegemos uma foto de uma cobra morta com um porrete de madeira do lado.

A cobra morta de mentirinha gerou reclamações de ecologistas no Ibama, mas o gibizão foi um enorme sucesso.

Além de distribuído para a imprensa, clientes, prospects e escolas de comunicação, foi também vendido nas principais bancas de jornal de São Paulo e do Rio de Janeiro. Esse sucesso nos motivou, tempos depois, a lançar pela Warner Music o CD *W/Hits*, com canções de comerciais da agência interpretadas por Jorge Ben Jor, Paralamas do Sucesso, Novos Baianos, Dick Farney, Moraes Moreira, Rita Lee, Papa San, Leandro e Leonardo, Lulu Santos, Non Blondes e Genival Lacerda.

A capa do *W/Hits* não deu problemas com o Ibama nem com ninguém, pelo contrário, foi muito elogiada por ser a primeira capa de disco do Brasil feita com uma holografia.

Outro item original da agência que, anos depois, ganhou fama foi o biquíni W/Brasil, feito em 1997.

Respeitando o calendário da moda, que é baseado nas estações, preparei tudo para que o biquíni W/Brasil fizesse sucesso primeiro na Côte D'Azur, no final de junho, durante o Festival de Cannes, e depois no Brasil, no final de dezembro, no início do verão brasileiro. A questão é que, no Brasil, tive um problema inesperado e difícil de administrar.

A jornalista Hildegard Angel, filha do ícone da moda brasileira Zuzu Angel, adorou a ideia do biquíni e publicou uma nota na sua coluna dizendo que as mulheres mais bonitas do Brasil e do mundo tinham sido presenteadas com o exclusivíssimo biquíni W/Brasil. E era a mais absoluta verdade, mas não agradou nem um pouco as várias mulheres não presenteadas, incluindo algumas esposas de clientes.

No ano seguinte, por medida de precaução, resolvi parar com o biquíni e só voltei com ele anos depois, em 2012, já como o biquíni WMcCann.

O biquíni WMcCann mudou seu desenho, os tecidos e as estampas de acordo com as tendências de cada verão, mas manteve sempre um ponto em comum: uma pequena e delicada placa na calcinha, feita de metal cromado em prata ou dourado, com o nome WMcCann vazado, que com o sol deixa uma espécie de tatuagem com o nome da agência no corpo da dona do biquíni.

A ideia da plaquinha que vira tatuagem foi da Vivi Pepe, diretora de arte da WMcCann do Rio de Janeiro, que desenhou os cinco biquínis produzidos até hoje.

A iniciativa de criar presentes inusitados com a marca da agência foi uma marca registrada da W/Brasil que continuou na WMcCann.

Em 2010, na inauguração da agência, além da tradicional camiseta, fizemos também os adesivos de automóvel e um pequeno body para presentear recém-nascidos.

Depois fizemos os aventais WMcCann para os amigos que cozinham; os guarda-chuvas WMcCann, no ano em que as represas de São Paulo imploravam por mais chuvas; e em 2017 resolvemos inverter a cultura da humilde expressão "e só um par de meias" produzindo elegantíssimos pares de meias.

Fizemos uma caixinha com 3 pares de meias criados pelo Guime Davidson e produzidos pela Lupo, que é sinônimo da categoria.

Um dos pares é verde e amarelo e simboliza a história da agência, que uniu o extravagante verde-amarelo da W/Brasil com o elegante preto fosco da McCann. O outro par é azul e branco, se chama "Como uma onda" e homenageia o compositor, cantor, fanático por meias e grande amigo Lulu Santos. E o terceiro par é de meias vermelhas, que em catalão quer dizer Mitjó Roig, e homenageia Francesc Petit, que adorava meias vermelhas.

Deixando os biquínis, os bodys, os aventais e as meias e voltando ao sexo nos tempos da W/Brasil, é claro que o sexo existia, como deve existir na WMcCann. E tenho certeza de que existe de uma maneira bonita, saudável e afetiva, típica de ambientes com gente jovem, inteligente e bem formada.

Quanto às drogas, imagino que devem ter existido e continuar existindo também – e torço para que em pequena quantidade –, mas, por causa da minha assumida caretice, confesso novamente que não vi, como não tinha visto na DPZ. Agora, o que sempre existiu em quantidades industriais na W/Brasil e continuou existindo na WMcCann é o rock and roll, a MPB, o jazz e todo e qualquer tipo de música.

Ouso dizer que a W/ praticamente implantou no Brasil, a partir dos anos 1980, a cultura dos shows corporativos, expressão que, por sinal, não fui eu que inventei – e considero pavorosa.

Por causa dos shows da W/Brasil, outras agências, como a DM9 e a F/Nazca, também passaram a ter shows nas suas festas. Assim como empresas de diferentes áreas, desde montadoras de automóveis até redes de supermercados – o que me deixa feliz, porque significa mais mercado de trabalho para os meus amigos da música popular e prapular brasileira.

As festas de fim de ano da W/ foram pensadas de um jeito muito simples e generoso – e por isso mesmo deram tão certo.

Escolhemos sempre um lugar que os profissionais da agência, particularmente os que ganhavam menos, sonhassem conhecer, mas não pudessem ir.

E colocamos nesse lugar, além de muita bebida e comida de boa qualidade, um show de alguém que todos admirem e queiram ver bem de pertinho.

Só podem frequentar as festas os profissionais da agência, sem esposas, maridos, namoradas ou namorados, o que deixa o clima mais íntimo e elimina hierarquias.

São muitas as festas inesquecíveis que fizemos, todas tendo como ponto alto a música de alta qualidade.

Foi na festa de 1990, realizada no então badalado Rock Dreams, que Jorge Ben Jor, entre uma canção e outra, criou o refrão "Alô, Alô, W/Brasil" se dirigindo à galera da agência.

Tempos depois ele completaria a canção, que foi cantada inteira pela primeira vez num show na boate People, no Rio de Janeiro, e se transformou no maior sucesso brasileiro do início dos anos 1990.

Antes e depois do show em que Jorge começou a compor "W/Brasil", no Rock Dreams, tivemos várias festas com Lulu Santos, Paralamas do Sucesso, Martinho da Vila, Titãs, Kid Abelha, Gilberto Gil, Elza Soares, Paulinho da Viola, Jorge Drexler, Seu Jorge, Nando Reis, Ivo Meirelles, Bateria da Mangueira, Mart'nália, Bateria da Gaviões da Fiel, Tiê e Preta Gil, em lugares variados como o Jockey Club, o Blen Blen Brasil, o Baretto, o Bourbon Street, a Casa Fasano, o Club Paulistano, o Museu da Casa Brasileira, o Clube Athletico Paulistano, o Aeroporto de Congonhas, o Hotel do Frade, em Angra dos Reis, e os hotéis Casa Grande e Jequitimar, no Guarujá.

Tivemos também shows com Maria Rita, no ano em que ajudamos no lançamento do seu primeiro CD, e só não tivemos Os Tribalistas, no ano em que ajudamos no lançamento do disco *Tribalistas*, porque fazia parte da bem-sucedida estratégia pensada por Arnaldo Antunes, Carlinhos Brown e Marisa Monte lançar o disco sem fazer shows.

Os três, além de brilhantes cantores, compositores e instrumentistas, são profissionais com noções de mercadologia absolutamente precisas. Em especial o Arnaldo, que é um artista multimídia, desde antes da palavra multimídia cair na boca do povo.

Na época em que as gravadoras ainda eram um negócio próspero, André Midani sonhava criar uma companhia de discos dirigida por ele, Arnaldo Antunes e eu. Como grandes amigos, discutimos e nos divertimos com a ideia, mas acabamos não fazendo. Estávamos envolvidos com outros projetos.

Uma das festas mais marcantes da história da W/Brasil foi a que fizemos no final do ano de 1991. Cheguei a dizer que por pouco essa festa não inviabilizou a agência para sempre.

Depois da festa de 1990, em que Jorge Ben Jor começou a criar a canção "W/Brasil", que citava alguns dos absurdos do governo Collor, em 1991 vivíamos novos absurdos daquele mesmo governo, incluindo comentários diários na imprensa que envolviam um suposto romance da ministra Zélia Cardoso de Mello com o deputado Bernardo Cabral, ao som da canção "Bésame Mucho", bolero criado por Consuelo Velásquez em 1940 e reconhecido como a mais cantada e traduzida canção composta em espanhol de todos os tempos.

Inspirado por esse momento trágico e romântico, decidi que a nossa festa de fim de ano de 1991 deveria ter "Bésame Mucho" como tema e, se possível, interpretada por Cauby Peixoto.

E, inspirado pelas festas diurnas em night clubs, que começavam a acontecer em Londres e Nova York, pedi ao José Victor Oliva que me liberasse o Gallery para uma festa das 10 da manhã às 10 da noite.

Nossa festa Bésame Mucho - com direito a tapete vermelho na porta do Gallery, muita bebida, boa comida e show do Cauby Peixoto cantando, além de "Bésame Mucho", clássicos como "Conceição" e "Camarim" - foi um sucesso, mas terminou às 10 da noite: tarde para quem tinha começado a beber e dançar às 10 da manhã e cedo pra quem pretendia continuar na farra.

Soube que alguns continuaram suas festas em outros lugares, mas como, felizmente, no outro dia começamos as férias coletivas de fim de ano, nada de mais grave aconteceu entre os românticos e ilegais casais formados naquela noite que começou de dia.

Outra história folclórica das famosas festas da W/ Brasil aconteceu no Museu da Casa Brasileira, quando, depois de um show da

Mart'nália, uma das responsáveis pelos comes e bebes da festa entrou sem bater no camarim da banda para saber se faltava alguma coisa e descobriu que sobrava uma das meninas da nossa contabilidade aos beijos com um dos músicos.

Esse episódio foi muito comentado nos bastidores da agência por algum tempo, mas não se compara com o que aconteceu numa festa que fizemos na Mercearia do Jockey, com show de Celso Fonseca, no auge da canção "Slow Motion Bossa Nova".

Eram quase 7 da manhã do dia seguinte à festa quando a minha assistente pessoal, Daniela Romano, me ligou em casa dizendo que o porteiro da agência havia ligado para ela contando que o pai de uma jovem profissional recém-contratada para o nosso atendimento havia estado na agência preocupado à procura da filha.

O homem sabia que ela tinha ido à festa da agência no Jockey e estava preocupado porque a moça não havia voltado para casa até as 3 da manhã, conforme havia combinado. O homem tinha estado no Jockey, onde encontrou o carro da moça no estacionamento – mas não encontrou a filha.

Na mesma hora pedi à Dani que ligasse para dois solteiros suspeitíssimos da criação que eu havia observado durante a festa muito interessados em ampliar suas relações com o atendimento: o Fabio Meneghini e o Rynaldo Gondim.

Dani ligou e encontrou a moça sã e salva no apartamento de um dos dois. Só não conto qual deles porque não estou aqui para fazer publicidade de graça.

■ ■ ■

SEM DÚVIDA NENHUMA, foram muitas as festas espetaculares da W/Brasil, mas a mais sensacional de todas aconteceu quando a agência completou 10 anos, em 1996.

Resolvemos fazer uma festa em outubro, que é o mês 10, às 10 da noite, para 10 mil pessoas, no ginásio do Corinthians, que hoje leva o nome do meu ídolo Wlamir Marques.

Para animar a festa, convidamos os Paralamas do Sucesso, Lulu Santos e Jorge Ben Jor.

Construímos camarins para as três bandas, um palco especial com espaço e tecnologia para que os três shows pudessem acontecer em sequência sem grandes intervalos, iluminação especial para todo o ginásio, sprinklers que borrifavam água e refrescavam quem estivesse dançando, e uma obra-prima da cenografia para grandes espaços: um enorme W/ com a bandeira brasileira que saía de trás do palco e tomava conta do teto do ginásio.

Produzimos também camisetas W/Brasil que cada um dos 10 mil convidados ganhava e vestia assim que chegava, além de cerveja, água, guaraná, cachorro-quente e pipoca em embalagens W/Brasil. Todos podiam consumir na hora que tivessem vontade nas barracas colocadas do lado de fora. Essas barracas funcionaram ininterruptamente desde bem antes do início dos shows, às 10 da noite, até depois das 4 da manhã, quando a farra terminou com Jorge Ben Jor cantando "W/Brasil".

Apesar da generosidade do nosso serviço, poucos porres aconteceram e as ambulâncias de plantão não tiveram trabalho – certamente por causa da adrenalina liberada durante os shows.

Entre os 10 mil convidados estavam os profissionais que trabalhavam ou trabalharam na agência naqueles primeiros dez anos, seus familiares, nossos clientes e seus convidados, gente da imprensa, artistas de todas as áreas, amigos em geral e estudantes, principalmente os de publicidade e administração.

Até hoje, 21 anos depois, vira e mexe encontro profissionais bem-sucedidos do mercado publicitário que comentam comigo que foram àquela festa quando ainda estavam na faculdade.

Para reunir 10 mil pessoas bonitas e divertidas no ginásio do meu time, trabalhei a mídia com força nos dois meses que antecederam o evento.

Falei da festa nos programas do Faustão, que desde 1989 brilhava com o seu *Domingão*, na Rede Globo, do Serginho Groisman, que fazia o *Programa livre* no SBT, e do Luciano Huck, que estava começando o seu *H*, na Bandeirantes.

Falei nas rádios, espalhei cartazes nas faculdades e inovei em termos de mídia, inventando um novo veículo de comunicação.

Um novo veículo, literalmente: uma caminhonete.

Naquele ano, fazia sucesso em São Paulo uma caminhonete com um alto-falante que rodava a cidade vendendo pamonha.

O dono da caminhonete anunciava o seu produto comunicando em alto e bom som: "Pamonha, pamonha, pamonha. Pamonha de Piracicaba."

Fui conversar com o homem da caminhonete e acertei uma graninha para ele rodar a cidade dizendo: "Pamonha, pamonha, pamonha. Pamonha de Piracicaba. E não percam no dia 10 de outubro, às 10 horas da noite, no Ginásio do Corinthians, a festa de 10 anos da W/Brasil."

A nova mídia virou o assunto da cidade e os profissionais do ramo brincavam que merecia ganhar o prêmio MaxMídia, que naquele ano também estava fazendo dez anos.

Além dos convidados de São Paulo e de amigos do Brasil inteiro, a festa de 10 anos da W/Brasil teve também alguns convidados internacionais, como o Claude Nobs, criador e dono do Festival de Jazz de Montreux, e o produtor cinematográfico James Smith, que em 1991 tinha comprado e recuperado o então falido Clio Awards.

Claude Nobs eu havia conhecido anos antes, através do seu grande amigo André Midani, e resolvi convidá-lo porque sabia do seu amor pela música popular brasileira. Antes de 1996, ano da festa, já tinham se apresentado em Montreux: Elis Regina, Tom Jobim, Hermeto Pascoal, Gilberto Gil, Gal Costa, Maria Bethânia, Milton Nascimento e Marisa Monte.

James Smith eu conheci em Chicago, em 1992, quando ele reuniu um grupo de publicitários premiados para contar seus planos de recuperação do Clio.

O Clio, que foi criado nos Estados Unidos por Wallace A. Ross em 1959, se transformou rapidamente no mais importante prêmio da publicidade mundial e em 1970 foi comprado por um sujeito ambicioso e doido chamado Bill Evans.

Bill Evans, que, apesar ter o mesmo nome, não tinha a mesma sensibilidade do famoso pianista, não percebeu que o Clio começava a ter concorrentes como Cannes e passou a gastar os tubos em viagens e festas com os amigos e em ideias estapafúrdias, como uma TV Clio, o que na época se demonstrou um investimento totalmente descabido.

Em 1991, o Clio quebrou, num vexame histórico. No local onde acontecia a festa de entrega dos prêmios daquele ano, o Warldorf Astoria, em Nova York, os convidados do jantar black tie já presentes foram informados de que a festa estava cancelada porque o dono do Clio não havia pago as despesas e tinha fugido do país com o dinheiro do evento.

Em 1992, James Smith resolveu pagar o rombo da Clio Enterprises, que era de um milhão e oitocentos mil dólares da época, e se tornou dono do Clio. Ele sabia da importância desse prêmio para a publicidade mundial e gostava do negócio, pois havia começado sua carreira como montador numa produtora de comerciais.

James Smith recuperou o Clio em pouco tempo e chegou a ganhar algum dinheiro quando vendeu a empresa para a companhia holandesa VNU Media, hoje a proprietária dessa premiação, que voltou a ser prestigiada e próspera, apesar de menos rica do que Cannes.

No período da crise financeira do Clio, Cannes, entre outras coisas, soube espertamente atrair para a Côte D'Azur os publicitários norte-americanos, que antes não davam bola para nenhuma premiação que acontecesse fora dos Estados Unidos. Depois de 1990, Cannes acabou por se transformar numa verdadeira máquina de fazer dinheiro.

James Smith, que em 1996 ainda não tinha feito nenhum dos 371 episódios da bem-sucedida série *Survivor*, que começou a fazer em 2000, sobreviveu a um episódio curioso na sua vinda para a festa da W/Brasil.

Depois de passar pelo controle de passaportes de Chicago, ele e sua mulher resolveram tomar um drinque na sala da primeira classe da United Airlines. Uma hora depois embarcaram e só descobriram que tinham esquecido a bolsa com seus passaportes na sala da United, em Chicago, quando foram passar pelo controle de passaportes de São Paulo, no Brasil.

Sem falar português, mas se virando bem, James Smith conseguiu explicar que tinham esquecido os passaportes no aeroporto de Chicago. Quando perguntados sobre o que vieram fazer em São Paulo, James Smith disse que tinham vindo para a festa dos dez anos da agência do seu amigo Washington Olivetto.

O rapaz do controle de passaportes, que era corintiano e tinha ouvido falar da divulgadíssima festa, chamou os policiais e eles deram um jeito para que o casal Smith entrasse no país e ficasse sem sair do então elegante L'Hotel enquanto a bolsa com os passaportes não chegasse de Chicago. Como era dia 8 e a festa só acontecia no dia 10, deu tudo certo.

Fui informado do episódio e acabamos, Patrícia e eu, jantando com o casal Smith naquela noite, na suíte do hotel onde eles viviam uma espécie de prisão domiciliar – mas sem tornozeleiras.

A famosa e cinematográfica festa dos 10 anos da W/Brasil, além de virar história, também virou um documentário, "O que é 10 no Brasil", produzido pela Conspiração Filmes e exibido várias vezes na TV Cultura de São Paulo.

Trabalharam nesse documentário, que contava com os melhores recursos de som e imagem, incluindo câmeras de última geração, sistemas de som direto digitalizados e gruas especiais para filmagem de grandes eventos, os diretores Cláudio Torres, Breno Silveira e Andrucha Waddington. O mesmo Andrucha que vinte anos depois, em 2016, no Maracanã, dirigiu com Fernando Meirelles uma festa um pouquinho maior e mais famosa: a abertura dos Jogos Olímpicos do Rio de Janeiro.

21.

EM JUNHO DE 2017, quem sintonizasse a rádio Jovem Pan de São Paulo tinha a oportunidade de ouvir algumas vezes por dia um spot de rádio com uma voz feminina que dizia:

"Meu nome é Daniela Romano e trabalho com o Washington Olivetto há 16 anos. Imagine que, só por isso, minha relação com o Rodeio seja bem próxima. O Washington frequentava o Rodeio Jardins desde sempre, a ponto de ter virado o nome de um prato, o hambúrguer Olivetto. Profissionalmente, o Rodeio foi uma espécie de extensão da W/Brasil e hoje é a extensão da WMcCann. São tantas reuniões e tantas campanhas que acabaram acontecendo por lá que nem dá pra contar.

E, com isso, eu e minha família acabamos incorporando o Rodeio em nossas vidas também. Em 2010, quando eu esperava o meu primeiro filho, o *beef tea* do Rodeio virou prescrição médica e todos os dias, por um bom tempo, o restaurante virou parada obrigatória no meu caminho de casa. É por essas e outras histórias que eu acho que tanta gente diz que o Rodeio é muito mais que um restaurante famoso."

Não fui eu quem teve a ideia desse spot de rádio. A idéia foi da Silvia Levorin, dona do Rodeio, e do Bruno Ferro, assessor de comunicação da casa, que imaginaram que a Daniela Romano poderia simbolizar, com perfeição, a categoria das assistentes pessoais nessa campanha do Rodeio estrelada por profissionais de diferentes atividades.

Daniela Romano trabalha comigo desde que terminou a faculdade, aos 22 anos de idade, e há muito tempo extrapolou os limites de uma assistente pessoal.

Além de me aguentar, Dani faz de tudo um pouco. Descobre que fim levou a moça do atendimento que sumiu com um dos rapazes da criação, conversa sobre novas pautas com os jornalistas, se transforma em profissional de atendimento nas campanhas sociais que fazemos de graça e, de vez em quando, ainda ajuda os meus amigos como se fosse assistente pessoal deles também.

Quando o Pedro Sirotsky, sócio da RBS e dono da Toriba Editora, resolveu fazer, de surpresa, um *collectors book* em homenagem aos meus 45 anos de publicidade, foi a Dani que conseguiu para o livro depoimentos de gente como Pelé, Fernando Henrique Cardoso, William Bonner, Nelson Motta e Fernanda Montenegro. Na verdade, foram 108 depoimentos desse nível, porque além dos meus 45 anos de profissão o livro homenageava os meus 63 anos de idade.

Por outro lado, quando o Pedro Sirotsky resolveu comemorar os seus 60 anos de idade convidando trinta casais de amigos para passeios de bicicleta pela Toscana, na Itália, foi a Dani que coordenou a criação e produção do logo e dos convites, bonés, lenços, coletes, camisetas, tags de mala e cardápios daquele passeio ciclístico chamado "Giro de Pedro".

Dani foi também responsável pela coordenação das campanhas do Hospital de Câncer de Barretos, que criamos para o Henrique Prata.

E, nas campanhas de incentivo à leitura, fez o papel de profissional de atendimento junto ao SNEL (Sindicado Nacional dos Editores de Livros).

Faz tempo que Dani é uma profissional de comunicação completa que, se quisesse, poderia ter deixado de ser minha assistente pessoal para montar, com sucesso, a sua própria empresa de RP e Comunicação – coisa que ela só resolveu fazer agora que eu passo a maior parte do tempo em Londres. Pensando bem, acho que só não fez isso antes porque, no fundo, adorava mandar em mim diariamente.

Também em junho de 2017, mais precisamente no dia 19, a revista especializada em comunicação *Propaganda & Marketing* publicou nas suas páginas dedicadas à inspiração um artigo do Guime Davidson com o título "Mistificando a Propaganda". Vale a pena ler o texto completo:

"E fácil traçar um paralelo entre ingredientes, técnicas, ondas, modas, tecnologias, celebridades, pratos, prêmios, talheres, restaurantes, serviços, mise en place, estrelas Michelin, 50 Best.

Tudo isso tem equivalência no universo da publicidade.

Mas seria muita pretensão achar que fazer, por exemplo, um anúncio é a mesma coisa que preparar uma receita. Não é. Anúncio não alimenta ninguém. Não diretamente. Não sacia o leitor. Nenhuma campanha criativa, premiada e eficiente chega perto de um Menu do Dia qualquer em termos de importância, necessidade e satisfação. E nem de sabor. Se você já teve a chance de mastigar uma página de jornal, me entende.

O Washington, outro dia, disse que os chefs de cozinha são os novos publicitários. Que têm mais espaço nas revistas e nos jornais. Que têm mais prestígio entre as mocinhas e os rapazes. Que dão mais entrevistas. E que nas redes sociais causam mais comoção, têm mais seguidores e são mais cultuados. É a mais pura verdade. Nossa profissão já esteve mais na moda. Ultimamente acho que nos complicamos.

Ainda comparando, nos seduzimos pelas estrelas Michelin, pela cozinha molecular, pelo nitrogênio líquido. Nos pautamos pela *Restaurant Magazine* ou pelos reviews do TripAdvisor. Entupimos os instagrans com nossas selfies enquanto estocamos likes e views. Entramos de cabeça nos ingredientes pitorescos, na espuma, na fumaça, na formiga frita, no ora-pro-nóbis e no carvão.

Olha só, parece que quase todos os chefs de cozinha também se entregaram sem pudor aos avanços, descobertas, inovações tecnológicas e modinhas da profissão.

Mas daí você dá de cara com o cozinheiro Jefferson Rueda, meu amigo Jeffin.

Que tem estrelas, que está nos rankings, que tem todo o aparato tecnológico e conhecimento de qualquer possibilidade de preparo.

Que além de reinventar a cozinha caipira e a carne de porco, já descobriu, provou e serviu os ingredientes mais doidos, resgatou as técnicas mais obscuras, usou e abusou do conhecimento disponível nesse admirável mundo novo da gastronomia pós Ferran Adrià.

Imagine que esse mesmo cara ficou os últimos seis meses tentando todos os dias a combinação mais perfeita de pão, presunto e queijo. Parece bobo. Simplório. Prosaico.

Mas foi quando eu finalmente provei o misto-quente da sua Casa do Porco que eu entendi.

Não é apenas o melhor misto-quente da cidade. É provavelmente a melhor coisa para se comer com as mãos, incluindo aí sanduíches, tapas, entradas, salgados, sushis, em qualquer lugar no mundo.

Para mim, fica uma lição. Sempre será possível causar altíssimo impacto, ter resultados espetaculares e realmente emocionar as pessoas com coisas absolutamente simples e convencionais.

Chega desses menus degustação intermináveis, nomes complicados e ambientes pretensiosos. O novo, na verdade, é o bem feito. É o bem pensado. É o preparado com dedicação. Sempre foi. E ele pode estar em qualquer lugar. É pós-tecnologia, é pós-inovação, é pós-modismos. É inspiração pura ou, se você preferir, com um pouquinho de maionese.

E, amigos, custa 17 pratas. Sério."

Li o artigo do Guime pela internet, no meio de uma das minhas muitas idas e vindas de São Paulo para Londres e de Londres para São Paulo, em 2017. Quando li estava em Londres e gostei muito.

Quando reencontrei o Guime em São Paulo, ele me afirmou que teve a ideia lembrando de um vídeo que eu tinha gravado em agosto de 2014 para o Prêmio Gula, que homenageava Laurent Suaudeau como o homem que mudou a gastronomia no Brasil.

Nesse vídeo eu dizia que, apesar de o Laurent ter sido um dos maiores responsáveis pelos publicitários perderem o seu status de queridinhos da mídia e das moças bonitas para os chefs de cozinha, eu era muito grato a ele, porque desde a sua chegada ao Brasil a minha qualidade de vida tinha melhorado muito. Passei a comer muito melhor.

Conheço Laurent desde que ele chegou, em 1980, para implantar o Le Saint-Honoré, restaurante do Paul Bocuse no Hotel Meridien, no Rio de Janeiro.

De lá para cá convivemos intensamente, viajamos juntos algumas vezes e tanto a W/Brasil quando a WMcCann colaboraram com o Instituto Laurent, que forma chefs de alto nível, aperfeiçoando profissionais já consagrados e revelando talentos vindos das populações carentes.

Laurent tem prazer em ensinar e foi mestre inclusive do Jeffinho Rueda, merecidamente exaltado pelo Guime no seu artigo e dono do melhor e mais autoral restaurante brasileiro da atualidade, A Casa do Porco.

Treinado por Laurent, Jeffinho Rueda disputou em 2003 o Bocuse D'Or, a maior competição da gastronomia mundial. O penúltimo jantar de ensaio para a competição aconteceu na minha casa, para um pequeno grupo de amigos gulosos e comilões, como o Thomaz Souto Corrêa. O último jantar de ensaio seria no avião, a caminho de Paris, para o recém-eleito presidente do Brasil Luiz Inácio Lula da Silva, que ia no mesmo voo.

Supervisionado por Laurent, Jeffinho preparou o jantar no avião, mas Lula não comeu porque tomou uns copos a mais e pegou no sono. Jeffinho, que era um jovem de São José do Rio Pardo fazendo a sua primeira viagem internacional, riu e se conformou, mas Laurent, que é filho de um mestre metalúrgico francês, líder sindical, radical de esquerda, e tem a disciplina prussiana dos grandes chefs, queria matar o recém-eleito presidente.

Para o Instituto Laurent, fizemos desde a nova comunicação visual da Escola de Culinária Laurent Suaudeau até a campanha da jovem chef Giovanna Grossi, que foi treinada por Laurent para disputar o Bocuse D'Or 2017 pelo time Brasil. Trabalhos coordenados pela Dani e criados pelo Guime.

Luiz Guilherme Davidson, o Guime, é o publicitário da sua geração mais bem preparado intelectualmente. Conhece em profundidade artes plásticas, literatura, design, música, moda, arquitetura e esportes. Foi formado na DPZ, por Francesc Petit, num time que tinha também outros talentos, como o Fabio Meneghini e o Rui Branquinho.

Antes de ir para a W/Brasil, em abril de 2004, Guime foi um dos pioneiros do digital no Brasil.

Diretor de arte preciso e sem firulas, Guime escreve como alguns dos melhores redatores, lidera equipes com doçura e firmeza, faz apresentações com charme e carisma e não tem o mínimo problema em contratar alguém que ganhe mais ou seja mais famoso do que ele – se isso for bom para a agência.

Apesar de todas essas qualidades, Guime tem o defeito de não se promover e até evitar aparecer na mídia, coisa que poderia fazer com talento, como prova o seu artigo "Mistificando a propaganda".

Pensando bem, seria bom que o Guime aparecesse com maior destaque na mídia. Bom para ele e melhor ainda para mim, que preciso de gente talentosa como ele para perpetuar a ideologia da W que, na verdade, tem como origem a ideologia da DPZ.

Comentei sobre Dani e Guime como exemplos de bons profissionais dos dias de hoje que ajudei a formar. Mas antes deles, nesses anos todos de trabalho, tive o privilégio de participar da formação de outros grandes profissionais, a maioria bem-sucedidos e alguns até donos dos seus próprios negócios.

O ponto em comum na formação desses profissionais que sempre existiu da minha parte foi uma espécie de pregação cotidiana de ideias e comportamentos que, por terem dado certo, hoje são vistos como uma demonstração de coerência. (Claro que, se não tivessem dado certo, seriam vistos como teimosia.)

Sempre defendi que é melhor ser coautor de várias coisas brilhantes do que autor solitário de algo medíocre. Esse foi o método que encontrei para combater a maior praga das agências de publicidade: a competitividade interna.

Sempre recomendei aos mais novos que convivessem com gente mais velha e aos mais velhos que convivessem com gente mais nova, coisa que fiz desde o início. E acredito que essa foi uma das grandes razões para eu ter dado certo. Sempre dei exemplo às minhas equipes, me comportando como dono quando era empregado e como empregado depois que virei dono. Significa dizer que quando eu era empregado assumia as responsabilidades e os riscos da empresa como se fosse sócio; ao virar sócio, passei a me comportar como mais um entre os muitos colaboradores.

Sempre acreditei que numa agência de publicidade a administração do astral é tão importante quando a administração do caixa.

Gosto de cuidar disso em detalhes, pois acredito que os velhos RHs não existem mais no mundo moderno. Vivemos o tempo dos administradores de atmosfera e cabe ao líder de uma agência cuidar dessa questão pessoalmente.

Materializei essa minha crença com gestos simples, como distribuir sorvetes para todos quando sentia o clima tenso ou com gestos espetaculosos, como as famosas festas de fim de ano. E até mesmo com um troféu que criei em 2015. Podia ganhar o troféu qualquer profissional da agência, dos mais graduados aos menos graduados, desde que fizesse algo de relevante sob o ponto de vista profissional ou humano. Mas sempre de acordo com os meus nada democráticos critérios de avaliação, já que eu escolhia sozinho quem ia ganhar o troféu.

Podia ser um profissional que tivesse sido fundamental na conquista de um novo cliente, mas podia ser também alguém que tivesse ajudado uma senhora de idade a atravessar a rua na porta da agência. Pelas regras do prêmio, eu recebia por e-mail as sugestões de possíveis merecedores. Avaliava as sugestões e resolvia quem ia ganhar o prêmio, que não tinha quantidade nem periodicidade obrigatória.

O prêmio era entregue no pátio da agência, num final de tarde, com a presença da equipe inteira para saudar o premiado ou premiada. Além do troféu, o ganhador ou ganhadora ganhava também o direito de almoçar comigo no restaurante que escolhesse, levando consigo a pessoa que quisesse. Podia ser a mãe, o namorado, um amigo de infância, o primeiro professor, a avó que mora no interior, enfim, podia ser quem o premiado quisesse mesmo.

O troféu tinha um desenho extremamente requintado, projetado pelo designer Alexandre Suannes, que entre outras coisas trabalhou na concepção do Instituto Inhotim. O desenho contrastava com o nome do troféu, que era propositalmente popular.

O nome do troféu: "Eu sou bom pra cacete".

Daniela Romano e Guime Davidson, por motivos mais do que óbvios, ganhararam os seus, assim como Marcelo Hack, competente profissional de produção que já estava na McCann antes de ela virar WMcCann, foi merecidamente o primeiro ganhador.

Premiei também a dupla Marcelo Conde e Eiji Kozaka, dois dos melhores profissionais de criação que surgiram nos últimos anos, o discreto homem de finanças Murilo Pedrosa e o dedicado profissional de atendimento Fabio Brito.

Estou devendo um "Eu sou bom pra cacete" para o carioca Marcio Borges, que dirige com competência a WMcCann em Botafogo, mas foi formado na W/Brasil de Ipanema.

Formar gente é sempre prazeroso. Mas uma das poucas frustrações que tenho nesses anos todos de publicidade é o fato de nem eu nem ninguém no mercado ter conseguido formar um profissional de atendimento de agência com a alegria e o brilho do Ricardo Scalamandré, que até 2017 foi o diretor de negócios internacionais da Rede Globo de Televisão.

Ricardo, que eu conheço desde que nós dois tínhamos 18 anos de idade, sempre foi um profissional de vendas excepcional, até porque, igualzinho ao meu pai, nunca precisou vender. Sempre foi comprado.

Com sua enorme simpatia e capacidade de comunicação, Ricardo poderia viver como o príncipe que é em qualquer lugar do planeta sem nenhum esforço.

Uma história que ilustra bem esse fato.

Em 1986, eu já frequentava o Festival do Cinema Publicitário de Cannes havia 13 anos, estava entre os três profissionais mais premiados do festival e era literalmente parado por gente de todos os países quando caminhava pela Croisette.

Nesse mesmo ano, convidei Ricardo, que nunca tinha ido a Cannes, para acompanhar o festival comigo. Depois de dois dias na Croisette, ele já estava enturmado a ponto de me apresentar algumas pessoas.

Acabei me lembrando dessa história em 2015, quando fui convidado para gravar um vídeo que seria projetado durante o MIPTV, em Cannes, numa cerimônia em que Ricardo Scalamandré receberia a Medalha de Honra do evento como um dos grandes homens de vendas da história da televisão mundial.

Falando sobre vendas e profissionais de atendimento, vale voltar às analogias entre restaurantes e agências de propaganda.

Rogério Fasano, que é sem dúvida o maior restaurater do Brasil, costuma dizer que num restaurante excesso de serviço é mau serviço. Assim como excesso de atendimento numa agência de publicidade é mau atendimento.

Um profissional de atendimento que simplesmente cumpre ordens do cliente sem discutir a necessidade, o planejamento e a estratégia é tão ruim quanto um garçom que enche os copos de vinho de um casal a cada meio minuto.

Outra frase do Rogério Fasano que vale para restaurantes e também para agências – ou para o pessoal da criação de uma agência, para ser ainda mais direto – é quando, ao falar da gastronomia moderna, Rogério afirma: "Nitrogênio serve para queimar verruga, não para fazer comida."

O raciocínio vale para chamar a atenção de diretores de arte que insistem em abusar de tipografias, diagramações, fotos e cores que estejam na moda em vez de optar por algo que valorize a mensagem que se pretende comunicar.

Grandes diretores de arte desaparecem dos anúncios, ficam invisíveis. Fazem o que tem que ser feito para que a estrela do trabalho seja o próprio trabalho, não o seu criador.

Essa sempre foi a maior qualidade de Francesc Petit. Grandes publicitários, sejam diretores de arte, redatores, planejadores, profissionais de atendimento ou de mídia, sabem perceber aquilo que é realmente moderno e aquilo que pode virar eterno.

Ficar deslumbrado com a tecnologia pela tecnologia é coisa para bobinhos ou ingênuos, mesmo nestes tempos em que as tecnologias estão vencendo muitas ideologias.

Temos hoje um universo repleto de dúvidas e perguntas do tipo

"Para onde será que estamos indo?", mas mesmo assim – e como sempre será – os mais espertos e antenados continuarão sabendo distinguir e perceber as verdadeiras conquistas e progressos da humanidade, como foram nesses últimos anos o surgimento da internet, o lançamento do iPhone, a criação da uva sem caroço e a venda do pinhão já descascado e embalado a vácuo na Casa Santa Luzia.

Apesar de dever muito do que aprendi a diretores de arte como Francesc Petit e José Zaragoza, minha maior paixão na publicidade são mesmo os redatores, atividade em que me mantive desde estagiário até me tornar dono de agência.

Na verdade, sou apaixonado por escrever e por quem escreve, coisa que só se aprende lendo.

Em 2003, quando fui eleito Doutor Honoris Causa pelo Centro Universitário Belas Artes de São Paulo, brinquei no meu agradecimento dizendo que o Brasil não tinha conseguido erradicar o analfabetismo, mas estava conseguindo erradicar os analfabetos, dando títulos de Doutor Honoris Causa a um cara como eu, que nem tinha terminado as faculdades que começou a cursar.

Mas logo depois emendei agradecendo a Monteiro Lobato, sem o qual eu não seria possível.

Aprender a ler cedo, antes dos 5 anos de idade, devorando os doze volumes da coleção infantil de Monteiro Lobato, que vai de *Reinações de Narizinho* aos *12 Trabalhos de Hércules*, foi o que definiu a minha vida, pois nunca mais parei de ler e acabei até aprendendo a escrever um pouquinho.

Anos atrás fui entrevistado no Media Museum de Nova York por uma jornalista extremamente competente, que fez sua lição de casa direitinho, estudou bem o entrevistado e conhecia a minha vida quase tanto quanto eu. Sua primeira pergunta foi sobre o fato de eu ser considerado o profissional que mais tinha descoberto novos talentos na propaganda brasileira. A que eu atribuía esse fato?

Respondi que, por ter começado nesse ofício muito cedo e ter continuado nele por tantos anos, eu havia tido tempo de descobrir bastante gente nova.

Ela então emendou perguntando qual era a minha fórmula para descobrir, por exemplo, um jovem futuro grande redator. Respondi que não existia uma fórmula, que era algo que dependia de uma série de fatores, e principalmente do meu intuitivo.

Ela disse que comprendia, mas pediu que eu explicasse algum dos meus métodos ou critérios para escolher um possível futuro grande redator.

Respondi então que um dos meus métodos era escolher um rapaz bem feinho, de família pobre, que tivesse namoradas muito lindas, de famílias ricas, porque certamente esse deveria ser um rapaz muito bom com as palavras.

ENCERRAMENTO

Na abertura deste livro eu comentei a frase "O cartão é mais importante do que as flores", que disse para ilustrar a atividade de um publicitário e que, com o passar do tempo, acabou ficando famosa. Mas não contei sobre o melhor cartão que escrevi na vida ao mandar flores para alguém.

Foi no início dos anos 1970, quando eu tentava encantar uma jovem e linda jornalista de uma revista semanal que, tempos depois, foi trabalhar na televisão.

Quem também tentava encantar a mesma jovem jornalista, dona de lindos olhos azuis, era o Livio Rangan, ex-diretor de marketing da Rhodia e na época sócio de uma agência de publicidade chamada Gang.

Livio concorrer comigo era uma verdadeira covardia. Naquele momento eu era apenas um menino começando na publicidade, enquanto ele, que era 18 anos mais velho que eu, já tinha sido o todo-poderoso da Rhodia, namorado a mais famosa modelo da época, a Mila Moreira, criado os shows da Fenit e possuía uma bem-sucedida agência de publicidade. Como se tudo isso não bastasse, Livio ainda era um italiano bonitão e bem-vestido, que tinha amigos importantes, como André Midani, Nilton Travesso, Mino Carta, Sérgio Mendes, Thomaz Souto Corrêa e Otto Stupakoff, e uma mesa cativa no Rodeio, aonde chegava todas as noites com a sua Ferrari Dino vermelha.

Apesar de eu ser uma espécie de Íbis jogando contra o Real Madrid, resolvi ir à luta e acabei contrariando todos os prognósticos, inclusive os meus, conquistando a moça, que virou minha namorada por um bom tempo.

O grande momento dessa minha inesperada vitória foram umas flores que mandei para ela com um cartão onde estava escrito: "As próximas a gente rouba juntos."

■ ■ ■

NO CAPÍTULO 1 CONTEI QUE as sandálias Rider, da Grendene, foram patrocinadoras dos mundiais de 1994 e 1998 na Rede Globo de Televisão, mas não contei que a Patrícia e eu fomos aos dois mundiais.

No de 1994 tínhamos inclusive ingressos nos melhores lugares do estádio por causa do André Midani, que era o chefão da Warner Music, empresa do grupo que mandava no evento, por ter sido fundada por Nesuhi Ertegün, o homem que implantou o futebol nos Estados Unidos, criando o Cosmos de Pelé, Beckenbauer e Carlos Alberto Torres.

Mesmo jogando um futebol defensivo e sem graça, a Seleção brasileira, que por sorte contava com o talento de Romário, acabou campeã naquele ano. Fez apenas uma grande partida, a quarta de final contra a Holanda, que foi disputada em Dallas – cidade onde estranhamente os homens usavam mais joias do que as mulheres.

Ficamos, Patrícia e eu, no Mansion on Turtle Creek, um antigo casarão que virou hotel, com um restaurante que é considerado o melhor do Texas.

No hotel estavam hospedados também os convidados do Rabobank, poderoso banco holandês, e a própria Seleção da Holanda.

Depois do jogo, que terminou 3 a 2 para o Brasil, conheci e conversei durante alguns minutos no bar do hotel com o lendário técnico Rinus Michels, que em 1974 criou a "Laranja Mecânica", e era o convidado de honra da delegação holandesa. E conversei também com o craque do time, Dennis Bergkamp, que estava revoltado, pois achava que o lance que originou o gol do Branco, que deu a vitória ao Brasil, não tinha sido falta. Ele não se conformava com o fato de ter que voltar mais cedo para casa por causa daquele gol e ainda por cima de avião, meio de transporte que odiava.

No mundial dos Estados Unidos, encontrei muitos amigos – como Nelson Motta, João Ubaldo Ribeiro, Danuza Leão, Matinas Suzuki, Juca Kfouri e a turma do Casseta & Planeta – que estavam cobrindo o mundial para jornais, revistas e televisão.

E encontrei também o meu amigo e cliente Alexandre Grendene.

Mas o mundial que assistimos juntos, Patrícia, eu, Alexandre e sua mulher, Nora Teixeira, foi o seguinte, o da França, quando fomos para lá no avião do Alexandre e passamos um mês inteiro "pra cima e pra baixo", literalmente.

Estivemos em Cap d'Antibes e St. Tropez tomando sol, fomos para Marseille assistir à partida entre Brasil e Holanda, que foi novamente um grande jogo, e ficamos vários dias flanando por Paris.

No primeiro dia de Paris, jantamos no La Coupole, restaurante que foi o preferido de Pablo Picasso, Josephine Baker, Yves Klein, Cohn-Bendit, Jean-Paul Sartre e que também virou o preferido do Jim Morrison, quando ele resolveu abandonar os The Doors e ir se matar em Paris.

O La Coupole foi também dos primeiros restaurantes do mundo a contratar um professor de canto orfeônico para ensaiar os garçons, que passaram a cantar "Parabéns pra você" como um coral, em diversos tons de voz, logo depois de servir o bolo com as velas acesas na mesa dos clientes aniversariantes.

Alexandre Grendene não conhecia essa tradição, mas gostou tanto daquele "Parabéns pra você" tão bem cantado que resolveu fazer festa de aniversário da sua esposa Norinha todas as vezes que estivemos no La Coupole durante a Copa.

Assim, Nora Teixeira, que oficialmente faz aniversário no dia 11 de novembro de cada ano, fez aniversario três ou quatro vezes entre os dias 10 de junho e 12 de julho de 1998.

Ainda em Paris, naquele junho e julho, estivemos no Les Bains Douches, que era o night club da moda, onde encontramos Ivo Pitangy e seu filho Helcius, os dois cercados de beldades do mundo inteiro que disputavam a atenção do maior cirurgião plástico de todos os tempos.

Em resumo, tivemos magníficos momentos de boa vida naquele mundial de futebol. O único problema foi a zebra que aconteceu na noite do dia 12 de julho, depois da final no Stade de France.

A verdade é que nós não estávamos acreditando muito na Seleção brasileira depois da derrota para a Noruega, mas voltamos a acreditar depois da vitória contra a Holanda, jogo em que Ronaldo Nazário e Taffarel tiveram atuações espetaculares.

Embalados por aquela vitória nos pênaltis, passamos a achar

que a Seleção ia mesmo ser novamente campeã do mundo. Confiantes, começamos a telefonar para os amigos combinando uma comemoração: um jantar na tradicional casa de carnes Le Boeuf Sur Le Toit, grande o suficiente para juntar numa só mesa um grupo de dezesseis brasileiros.

Quando acabou a partida que a França venceu de maneira inconteste, fomos honrar nossa reserva no restaurante. Partimos com as nossas camisas amarelas transpiradas – e uma tremenda ressaca moral – para o Le Bouef Sur Le Toit, onde muitos franceses já faziam uma enorme festa. Quando entramos, eles pararam um pouquinho sua comemoração para aplaudir nossa transpirada e amarfanhada comitiva, com todos nós com aquela pavorosa cara de vice-campeão que caracteriza aqueles que na verdade foram os primeiros entre os perdedores.

Cinco meses depois, em dezembro daquele mesmo ano, tivemos na W/Brasil a ideia de uma pequena lavada de alma. Sugerimos para a Grendene um comercial de fim de ano com uma enorme fila de brasileiros de todos os sexos e idades fazendo gols no Fabien Barthez, goleiro da França que, além do título mundial, tinha ganho também o prêmio de melhor goleiro da competição.

O comercial foi produzido pela Conspiração Filmes e o diretor foi o Cláudio Torres. Parte do filme, que trazia uma enorme fila de brasileiros chutando e um dublê de Barthez tomando os gols, foi filmada no Maracanã. A outra parte, com uma fila menor e o verdadeiro Barthez tomando os gols, foi filmada em Mônaco, porque o goleiro estava disputando importantes jogos do campeonato francês e não podia viajar para filmar no Rio de Janeiro.

Depois disso, as duas filmagens foram editadas e unidas num

único filme, dando a impressão de que tudo havia sido filmado no Maracanã.

Na enorme fila dos que faziam os gols no Barthez destacava-se a beleza de uma garota de 19 anos, que jogou na equipe feminina do Corinthians e era considerada a "Rainha das Embaixadinhas", Milene Domingues, que um ano depois se casaria com Ronaldo Fenômeno, pai do seu filho, Ronald Domingues Nazário de Lima.

■ ■ ■

NO CAPÍTULO 2 COMENTEI QUE durante muitos anos a Souza Cruz foi o emprego dos sonhos dos profissionais de marketing, mas não deixei clara a razão. Agora conto um pouco mais.

Trabalhando na Souza Cruz, que foi disparado o maior anunciante brasileiro de todos os tempos, um profissional de marketing podia colocar em prática tudo o que tinha aprendido na vida, era muito bem remunerado pela empresa e extremamente paparicado pelas agências, veículos, produtoras e fornecedores em geral.

Ouvi dizer até que algumas das agências que atendiam a Souza Cruz naquela época mantinham suítes abastecidas de champagnes permanentemente pagas no Vips Motel do Rio de Janeiro para os diretores de marketing da Souza Cruz se divertirem, coisa que eu não sei se era verdade e que posso garantir que a DPZ e a W/Brasil não faziam.

Acho até que esses comentários podem ser mais uma das lendas de uma época em que diziam, por exemplo, que a turma do *Pasquim* torrava no Vips boa parte do que o jornal ganhava, coisa que o Ziraldo, o Jaguar, o Paulo Francis e o Millôr Fernandes jamais disseram, mas que o Tarso de Castro sempre fez questão de espalhar.

Como em qualquer lugar, é claro que no marketing da Souza Cruz existiam alguns que abusavam da situação, mas eram a minoria.

Lembro de um caso de abuso ocorrido numa noite em que o Edeson Coelho, que dirigia o escritório da DPZ Rio, e eu, que dirigia a criação nacional da agência, convidamos um profissional do marketing da Souza Cruz para jantar, depois de uma reunião, no famoso restaurante Montecarlo, em Copacabana.

O nosso convidado, evidentemente, sabia que íamos pagar a conta e, depois de comentar que não havia tido tempo de passar na Casa Lidador para comprar os vinhos que ele e sua mulher pretendiam oferecer no dia seguinte, o homem, na maior cara de pau, disse a frase: "Vou levar daqui mesmo." Sem qualquer constrangimento, pediu seis garrafas de Châteauneuf-du-Pape, que foram devidamente cobradas na conta que o Edeson Coelho pagou. Esquecendo esses casos isolados de abuso, a verdade é que o marketing da Souza Cruz foi uma tremenda escola, com profissionais brilhantes como o Juarez Queiroz, que começou como o menino prodígio da rua da Candelária e hoje é o presidente da Globo.com.

A Souza Cruz foi também uma das primeiras empresas a prestigiar, de verdade, as mulheres no marketing, como a Carla Sá, que começou lá, passou pela Coca-Cola e hoje é diretora de estratégia de comunicação da Rede Globo; e a Glaucia Maciel, que aprendeu muito no marketing da Souza Cruz e depois foi se dedicar a educação infantil, criando a bem-sucedida escola Steps Baby Lounge e dirigindo o projeto Sementes Brilhantes, selecionado para ser pesquisado em creches de São Paulo pela Saving Brains – Grand Challenges Canada.

Aproveito a frase anterior com o final escrito em inglês para lembrar que de vez em quando a Souza Cruz trazia para o Brasil alguns profissionais de marketing da British American Tobacco, como o gentleman Chris Burton, que foi morar num casarão que a empresa alugou para ele no Joá e se emocionou ao conhecer as condições de vida dos moradores da favela da Rocinha, acabando por se transformar num benfeitor da região. Nos fins de tarde, Chris Burton abria a porta do seu casarão para que o pessoal da Rocinha, que não tinha água encanada nos barracões, pudesse tomar banho no chuveiro ao lado da sua piscina.

Outro personagem inesquecível entre os executivos da British American Tobacco que vieram para a Souza Cruz no Rio de Janeiro foi um inglês chamado Winter Rose, figura diferenciada a partir do nome. Ele se achava belíssimo e se autointitulava uma espécie de novo Dorian Gray. Tocava guitarra, cantava razoavelmente bem e cantava também a maior parte das mulheres que passavam na sua frente – mas não pegava nenhuma. Era do tipo que não comia e espalhava. Melhor dizendo – e sendo absolutamente correto com ele –, Winter Rose espalhava que não tinha comido.

Gostava muito de mim e todas as vezes que me encontrava me chamava num canto e dizia baixinho, no seu português com erros, principalmente nos artigos: "Você precisa ver o mulher que eu non peguei ontem. Melhor que o mulher que eu non peguei ontem, só um mulher que eu non peguei na mês passado."

Certa vez, estávamos na festa de encerramento do Hollywood Tênis, torneio precursor de eventos como o Carlton Dance e o Free Jazz, que a Souza Cruz começou a patrocinar quando iniciaram as restrições a publicidade de cigarros. Era um sábado, no hotel Casa Grande, do Guarujá, em São Paulo, e no meio da festa vi Winter Rose conversando algum tempo com uma bonita morena. De repente eles se despediram, ele veio na minha direção, me puxou para um canto e disse baixinho: "Aqui não pode, porque tem muitos amigos da ex-marido dela, mas marquei encontrar na apartamento dela, no próximo terça-feira, na Rio de Janeiro."

Na quinta-feira da semana seguinte, eu fui ao Rio para uma apresentação na Souza Cruz e encontrei o Winter Rose antes do início da reunião. Lembrei da história do Guarujá, puxei o homem num canto e falando baixinho perguntei a ele:

"E o encontro com aquela mulher que você conheceu no Guarujá, como foi?" Winter Rose me respondeu: "Aquele mulher, um filho do puta. Fui no terça-feira na apartamento dela, na endereço que me deu, no Ipanema, e disseram que ela não mora lá faz umas quatro meses."

Agora, relembrando essas histórias de Winter Rose, chego à conclusão de que ele era um existencialista, capaz de enxergar sins nos nãos e positividades nas negatividades. Uma versão inglesa de Jean-Paul Sartre.

Sobre Sartre, existe uma história derivada do filme *Ninotchka*, dirigido por Ernst Lubitsch e estrelado por Greta Garbo, que ilustra bem esse tipo de raciocínio. Sartre chega ao Café de Flore, em Paris, senta e diz ao garçom: "Quero uma xícara de café com açúcar, mas sem creme."

O garçom sai e volta se desculpando: "Lamento, senhor Sartre, mas o creme acabou. Pode ser sem leite?"

■ ■ ■

NO CAPÍTULO 3 COMENTEI QUE na minha época de DPZ frequentávamos quase que diariamente dois bares em São Paulo: o Plano's, na Oscar Freire, e o Anexo, no edifício Dacon, da avenida Cidade Jardim.

Mas não contei que naquela mesma época eu ia também a outros bares em São Paulo, no Rio e em Salvador, cidade que eu visitava com frequência.

Em Salvador eu era figurinha fácil no Diolino, no Rio Vermelho, famoso por suas batidas de cachaça com frutas, e no Popular, na Pituba, consagrado por causa do seu caldo de sururu que levantava defunto.

No Rio, eu era assíduo no Antônio's e depois no Florentino, além de terminar algumas noites no Chico's Bar, que tinha o piano do Luiz Eça, com a Leny Andrade cantando, ou no Hippopotamus, onde eu era protegido do casal Gisela e Ricardo Amaral.

Anos depois fui assíduo também do African Bar do Nelsinho Motta, onde brilhavam o D.J. Dom Pepe, amigo de infância do Nelson que fazia "o pessoal da pista de dança pular feito pipoca", e a hostess Liége Monteiro.

E em São Paulo, além do Plano's e do Anexo, eu frequentava também o Paddock, do Conjunto Zarvos, e o Paddock, da Iguatemi, a Baiuca, na praça Roosevelt, e o bar do Hotel Maksoud.

Na Baiuca e no bar do Maksoud se revezavam o Johnny Alf e o Moacyr Peixoto.

Muito tempo depois, Johnny Alf tocou no meu aniversário de 50 anos, numa festa surpresa preparada por Patrícia, minha mulher, na Escola de Arte Culinária Laurent Suaudeau. Moacyr Peixoto foi meu amigo até sua morte, em 2003.

Moacyr, que nasceu em 1920, era irmão do Cauby Peixoto e do pistonista Araken Peixoto, tocava de ouvido, mas tocava tão bem que lembrava pianistas fora de série como o João Donato.

Quando jovem, Moacyr foi para Nova York com alguns outros músicos brasileiros e sem dinheiro. Não falava inglês, mas acabou amigo do famoso contrabaixista Major Holley, que, encantado com o seu piano, arrumou casa, comida, roupas e trabalho para ele durante um bom tempo.

Com saudades do Brasil, Moacyr, que, assim como o Sérgio Mendes, nasceu em Niterói, acabou voltando ao Brasil e veio direto para São Paulo, onde seguiu sua vida trabalhando na noite.

Toda vez que eu chegava na Baiuca ou no bar do Maksoud ele emendava na música que estivesse tocando a canção "My Melancolic Baby", de Ernie Burnett e George Norton, que sabia ser um dos meus standards norte-americanos favoritos.

Nessa mesma época de Plano's, Anexo, Paddock, Baiuca e Maksoud, o Gallery já bombava como boate e restaurante e o Zé Victor Oliva sonhava que ele bombasse também como bar. Para isso pediu a alguns amigos, como o Ricardo Scalamandré, o Paulo Salles e eu, que batêssemos ponto no bar do Gallery de vez em quando, levando gente interessante que frequentava outros bares, e ofereceu boca livre total para um dos mais famosos e influentes frequentadores dos bares de São Paulo: o Zé do Pé.

Zé do Pé era um boêmio profissional que tinha nascido rico e ficado pobre, mas que, por ser muito querido, inteligente e engraçado, vivia às custas de algum dinheiro que seus amigos de infância faziam ele ganhar, intermediando negócios deles mesmos, que na verdade não precisariam de nenhum intermediário.

Além disso, Zé do Pé tinha mesa cativa e de graça nos melhores bares da cidade, porque seus donos sabiam que a presença dele subia o astral do lugar e atraía outros clientes.

Zé Victor foi conversar com Zé do Pé. Disse que fazia questão da presença dele no bar do Gallery, acrescentando que ele era um convidado eterno, que não precisava pagar nada nem assinar notas.

Zé do Pé aceitou o convite e começou a ir algumas noites no Gallery.

Certa vez, Zé do Pé chegou acompanhado de duas piranhas de minissaia de couro e botas de cano alto que ele tinha pego num daqueles pontos de prostituição perto do Jockey Club. Quando ia entrando no Gallery com aquelas mulheres, foi barrado por um dos porteiros, que disse que naquela noite ele não podia entrar porque estava acontecendo um aniversário de 15 anos, com a casa fechada para os convidados da família da debutante.

Zé do Pé, que já estava meio calibrado, insistiu em entrar dizendo que era convidado eterno do Zé Victor Oliva.

O porteiro explicou de novo que aquele dia a casa estava fechada para uma festa em que só entravam os convidados da família. Zé insistiu e o porteiro o chamou num canto e disse baixinho:

"Seu Zé do Pé, hoje realmente não dá porque tem essa festa fechada e além de tudo essas moças que estão com o senhor são um pouco suspeitas."

Zé do Pé ouviu em silêncio e depois respondeu: "Suspeitas são as que estão lá dentro, essas aqui são putas mesmo."

■ ■ ■

NO CAPÍTULO 4 COMENTEI OS problemas que tive na minha época de DPZ quando misturei publicidade com religião, num anúncio que fiz para a Clineu Rocha que brincava com os judeus e num outro anúncio que fiz para a Olivetti que tinha como protagonista a Mãe Menininha do Gantois.

Mas não contei que anos depois, em 2003, na W/Brasil, resolvi correr o mesmo risco, autorizando a dupla Rui Branquinho e Newton Bento a fazer um comercial que tinha o candomblé como tema.

Era uma campanha dos e-mails da provedora Mandic, que procurava combater os e-mails grátis dizendo que, enviando uma mensagem por um e-mail grátis, você nunca ficava sabendo onde ela tinha ido parar e se tinha mesmo chegado ao lugar certo. O filme mostrava uma sessão de candomblé, onde uma mãe de santo, em vez de receber uma entidade, acabava recebendo um e-mail.

Obviamente que era tudo uma brincadeira, mas mesmo assim fomos extremamente cuidadosos com o tema, com requintes de produção que envolveram pesquisas do trabalho do Pierre Verger, orientação de pessoas ligadas ao candomblé e até mesmo a participação de alguns ogãs, ebomes e ialorixás autênticos na figuração. O filme tinha como atores apenas a senhora que representava a mãe de santo e um casal que observava e comentava o fato de ela estar recebendo um e-mail em vez de uma entidade.

O filme terminava com uma locução em off que dizia: "Será que os seus e-mails estão sendo mandados para o lugar certo? Quer um de confiança? Mandic e-mail. O melhor que a tecnologia é capaz de criar."

No dia 17 de outubro de 2003, o filme começou a ser veiculado na Rede Globo e em algumas TVs a cabo e, para minha surpresa, que já estava preparado para pilotar algumas reações contrárias, o comercial foi um sucesso absoluto.

Hoje, tentando analisar o porquê de nenhuma reação contrária, chego à conclusão de que, em 2003, vivíamos tempos diferentes dos anos 1970, quando o regime político era uma ditadura e as pessoas extravasavam sua necessidade de protestar indo contra coisas frágeis e contestáveis sem riscos, como uma campanha publicitária que brincasse com a sua religião.

Da mesma forma, em 2003 vivíamos tempos diferentes dos dias de hoje, quando as redes sociais estão coalhadas de odiadores profissionais, as discussões sobre gênero, política, comportamento e religiões estão cada vez mais acirradas e os gestos de repressão e censura reapareceram. Há quinze anos, portanto, um comercial brincando com o candomblé era apenas uma boa peça de humor que fazia sucesso como fizeram sucesso o Painho do Chico Anysio, a Noviça Voadora da Sally Field, o Judeu da Escolinha do Professor Raimundo e a médium trambiqueira da Whoopi Goldberg no filme *Ghost*.

■ ■ ■

NO CAPÍTULO 5 COMENTEI QUE o único trabalho realmente bom que a W/Brasil conseguiu fazer para a Companhia Antarctica foi o comercial de lançamento da cerveja Bavaria Premium, chamado *Casinha no morro*. Mas não contei o roteiro do comercial, nem detalhes da sua produção.

Casinha no morro começava com um close de mãos masculinas servindo dois copos de cerveja.

Logo após, o plano ficava um pouco mais aberto e era possível ver um homem bonito e elegante pegando um dos copos para ele mesmo e dando o outro para uma linda mulher que estava ao seu lado.

Daí para a frente, o plano ia se abrindo cada vez mais e mostrava que o casal estava numa mansão espetacular, com jardins enormes, no ponto mais alto de uma colina que ia dar no mar, onde havia um belíssimo iate ancorado.

Enquanto se via essa sequência de planos deslumbrantes e sem nenhum corte, um locutor em off dizia: "Tudo que um homem precisa para ser feliz é de uma cervejinha, uma mulherzinha, uma casinha no morro e um barquinho."

Logo depois dessa locução começava a trilha sonora, com a canção "Barracão de zinco", de Oldemar Magalhães e Luiz Antônio, que foi grande sucesso de Elizeth Cardoso, cantada por uma voz masculina: "Vai barracão/ pendurado no morro/ e pedindo socorro/ a cidade aos seus pés".

Evidentemente, a riqueza do ambiente e do casal contrastava com a locução e a trilha sonora, preparando assim, de maneira irônica, o clima para o display final com um close da garrafa da cerveja e a locução que dizia: "Bavaria. Para quem se contenta com muito."

A produtora do comercial, que era a Jodaf, pesquisou alternativas de casas espetaculares, como a que o roteiro exigia, e chegou à conclusão de que as melhores não estavam no Brasil, mas no sul da França, em Cap d'Antibes e Cap Ferrat.

Optamos por uma casa em Cap d'Antibes, pertinho do Hotel du Cap.

Enquanto isso, o diretor do filme, João Daniel Tikhomiroff, saiu atrás de uma câmera que voasse, para poder fazer num único plano a sequência inteira, que ia desde o close da cerveja sendo servida, até o plano geral do iate ancorado no mar.

Naquela época ainda não existiam os drones, mas João Daniel encontrou na Bélgica uma nova invenção que já tinha sido usada em alguns longas-metragens com sucesso. Chamava-se Flying Camera e era uma espécie de mini-helicóptero com uma câmera Arriflex 35 milímetros acoplada a ele.

O mini-helicóptero era pilotado pelo seu inventor belga por meio de um joystick e a câmera, com um chassi de 60 metros que permitia no máximo dois takes por vez, ficava numa esfera de isopor com um orifício para a lente. De vez em quando, o helicóptero despencava e caía em algum lugar do enorme jardim, o que interrompia a filmagem por um bom tempo. Se tivéssemos drones naquela época, um filme como aquele poderia ser feito num início da manhã ou num fim de tarde, horários das luzes mais bonitas para filmagens. Nosso filme com o mini-helicóptero belga demorou três dias para ser rodado.

Eu, que nunca fui de ir a filmagens, nesse caso abri uma exceção. Mas não fui como criador nem dono de agência – fui como marido e pai.

Patrícia, que era sócia e produtora executiva da Jodaf, tinha que estar lá porque além de tudo era a única pessoa da produtora que falava francês fluentemente, coisa fundamental na comunicação com o belga da Flying Camera e com boa parte da equipe de produção local. (Ninguém falava qualquer coisa em inglês.) E meu filho Homero, que tinha acabado de fazer 18 anos, estava indo estudar na New York Film Academy e tinha curiosidade de ver uma produção como aquela.

Resolvi acompanhar Patrícia e levar Homero, com o plano de ficar mais um pouquinho passeando no sul da França depois das filmagens.

Nos três dias de filmagem, ficamos no Carlton Hotel em Cannes, por ser mais perto da casa alugada para o filme.

E nos quatro dias de folga ficamos no Colombe D'Or, em Saint-Paul-de-Vence, hotel que Homero rapidamente considerou o lugar perfeito para ele morar quando se tornasse um roteirista e diretor de cinema consagrado e rico.

Numa das noites que ficamos em Cannes, planejei levar Homero para conhecer o Palm Beach Casino. Minha ideia era dar 200 dólares para ele jogar e ficar torcendo para ele não ter a famosa sorte dos principiantes e perder tudo rapidamente, aprendendendo na prática que cassinos só são bons se você for o dono do cassino ou o Frank Sinatra.

Mas meu plano se frustrou quando soube que o Palm Beach tinha voltado a exigir traje social completo para os homens. Eu até havia levado um terno, uma camisa social e duas gravatas, pois sempre que viajo levo mais de uma. Mas Homero só tinha jeans, camisetas e uma jaqueta de couro.

Quem me salvou foi o Patrick, do Petit Bar, duas das instituições de Cannes que infelizmente não existem mais. O Petit Bar foi fechado pelos árabes que compraram o Carlton e colocaram uma joalheria naquele charmoso cantinho à esquerda da entrada do hotel. E Patrick se aposentou.

Quando eu comecei a ir a Cannes, o pequenino Petit Bar, como o próprio nome diz, era onde os grandes premiados do festival terminavam a noite. E onde Patrick reinava preparando os drinques e servindo ele próprio as poucas mesas que existiam. Ele dizia que preferia servir o pessoal do festival de publicidade a servir o pessoal do festival de cinema, porque no festival de cinema, de vez em quando, ele tinha problemas para receber as contas. Brincava dizendo que pequenos grupos abandonavam o bar sem pagar porque tinham ido até lá com o grande Werner Fassbinder, e o grande Werner Fassbinder abandonava o bar sem pagar porque era o grande Werner Fassbinder.

No auge do festival de publicidade, quem pagava a maior parte das contas dos *habitués* do Petit Bar era o Simon Dalgleish, que dirigia o festival. Todos os finais de noite passava por lá para oferecer champagne aos ganhadores mais tradicionais.

Bebi muito champagne oferecido pelo Simon, que era um sujeito culto que falava inglês, francês, espanhol e italiano perfeitamente.

Bastante generoso, Simon mandava presentes e flores para as

esposas dos publicitários mais famosos assim que chegávamos a Cannes; hospedava os jurados longe das pressões dos delegados, no caríssimo Hotel du Cap; promovia jantares no Le Moulin des Mougins e no L'Oasis de La Napoule; e fazia as festas de abertura e encerramento com comida excelente, os melhores vinhos e champagnes, boa música e espetaculares queimas de fogos.

Simon Dalgleish dirigiu o festival, que não tinha fins lucrativos, durante anos e, com sua generosidade, levou a Screen Advertsing World Association à falência com o maior charme. A partir dos anos 1990, Simon foi afastado da direção, o festival foi vendido e acabou se transformando num negócio como qualquer outro, com fins lucrativos e administrado com mãos de ferro.

Voltando ao Homero, que não tinha terno para ir ao cassino, antes de sair frustrado para jantar naquela noite, fui tomar um Negroni no Petit Bar e contei ao Patrick que pretendia levar Homero ao cassino, mas que ele não tinha terno e as lojas onde eu poderia comprar um já estavam fechadas.

Patrick disse que ia resolver o problema. Chamou um funcionário do hotel e pediu que o rapaz trouxesse alguns ternos e camisas da lavanderia que pudessem servir no Homero. Escolhemos um terno e uma camisa, que Homero vestiu junto com uma das minhas gravatas, e assim fomos para o cassino, onde, como eu previa, ele perdeu os 200 dólares rapidamente.

No dia seguinte, o terno e a camisa foram devidamente devolvidos para a lavanderia e Patrick me segredou que esse tipo de empréstimo involuntário, sem que os donos dos ternos, camisas e até gravatas tenham conhecimento, é feito com muita frequência nos grande hotéis, particularmente naqueles localizados próximo de cassinos que exigem traje passeio completo.

Vivendo e aprendendo.

■ ■ ■

NO CAPÍTULO SEIS CONTEI QUE a Bombril tinha sido o primeiro cliente brasileiro da McCann Erickson, em 1949, mas não comentei que, depois que a McCann virou WMcCann, batizei o auditório da agência com o nome do inventor do produto Bom Bril e da empresa. Está escrito na placa vermelha que fica logo acima da porta de entrada daquele amplo salão: "Auditório Roberto Sampaio Ferreira. Fundador da Bombril. Primeiro cliente 100% brasileiro da McCann Ericsson, em 1949. E anunciante simbólico na carreira de Washington Olivetto".

O batizado desse auditório gerou depois uma outra ideia, que acabei também colocando em prática. Eu, que nunca gostei de salas fechadas e lancei com a W/Brasil a agência de publicidade toda aberta – sem paredes, parecida com uma redação de jornal –, que acabou virando moda no mercado, na WMcCann mantive a criação desse mesmo jeito e abri também o atendimento, a produção, o planejamento e a mídia.

Mas herdei da antiga McCann, tanto em São Paulo quanto no Rio, algumas salas de reuniões que não podiam ser derrubadas e, por isso, precisavam ter números ou nomes para serem mais facilmente identificadas por quem fosse usá-las.

Resolvi então batizar essas salas com nomes de pessoas que fizeram coisas importantes nas suas atividades e que, em alguns casos, foram menos reconhecidas do que deveriam ter sido.

Em São Paulo criei a sala Johnny Alf, em homenagem ao pianista, compositor e cantor, inspirador da Bossa Nova e autor de canções como "Ilusão à toa", "Rapaz de bem" e "Eu e a brisa".

A sala Ramón Mosquera Lopez, ao mestre dos maîtres de São

Paulo, que durante anos reinou nos salões da Churrascaria Rodeio, atendendo a todos com classe e simpatia e criando profissionais como o Chaguinhas, que hoje é quem manda na casa.

As salas Murilo Felisberto e David Zingg, personagens de quem já falei bastante no terceiro e no vigésimo capítulo deste livro.

A sala Telmo Martino, ao víbora do jornalismo que criou epítetos e definições como "Fernando Henrique Cardoso, Le Sénateur Mulâtre", "Paulo Maluf e seus 40 Ali Babás" e "Revista *Nova*, o Kama Sutra das estenodatilógrafas".

A sala José Carlos Pace, àquele que, junto com o Emerson Fittipaldi, formou a primeira geração de brasileiros ídolos da Fórmula 1 – e só não se transformou em mais um campeão da categoria porque morreu jovem, num acidente de avião na serra da Cantareira.

A sala Wesley Duke Lee, ao homem que abandonou a direção de arte publicitária para se transformar no precursor da arte pop no Brasil e num artista plástico mundialmente reconhecido.

A sala Otto Stupakoff, ao pioneiro da fotografia de moda que, em 1958, fotografou a primeira Garota de Ipanema, Duda Cavalcanti, vestindo uma roupa do estilista Dener Pamplona de Abreu.

E a única sala dedicada a uma pessoa viva, a sala Altino João de Barros, profissional de mídia que trabalhou desde o tempo do reclame até a era do digital. Começou na McCann, em 1944, e continuou na W/Mccann de 2010 a 2016.

No Rio de Janeiro, criei a sala Zózimo Barrozo do Amaral, em homenagem àquele que foi dono do melhor caderninho de telefones do país e do mais enxuto texto da imprensa brasileira.

A sala Ruço, apelido de José Carlos dos Santos, jogador de futebol que fez o gol de meia bicicleta no jogo entre Corinthians e Fluminense do dia 5 de dezembro de 1976, data da famosa "Invasão Corinthiana ao Maracanã".

A sala Scarlet Moon de Chevalier, que homenageia a atriz, jornalista e escritora, irmã do Roniquito, mulher do Lulu Santos, verso do Caetano Veloso e minha grande amiga.

A sala Walter Clark, àquele que, junto com o Boni, reinventou a televisão no Brasil.

A sala Sérgio Bernardes, ao patricarca de uma dinastia de arquitetos que começou com ele e continuou com seu filho Claudio Bernardes e seu neto Thiago Bernardes.

A sala Bea Feitler, à designer e diretora de arte carioca que brilhou em Nova York trabalhando na *Harper's Bazaar*, na *Rolling Stone* e na *Vanity Fair*.

A sala Clara Nunes, em homenagem à linda mulher e grande sambista que foi a primeira cantora brasileira a vender mais de 100 mil discos.

E a sala Marcio Moreira, ao mais internacional publicitário que o mundo já produziu.

■ ■ ■

NO CAPÍTULO 7 CONTEI QUE estava de férias em Nova York quando ouvi a gravação de "I Had the Craziest Dream", interpretada por Frank Sinatra, e acabei criando o comercial *Sonhos* da Chocolates Garoto.

Mas não contei que essa coisa de ouvir uma música fora do trabalho e criar uma campanha a partir dela já me aconteceu algumas vezes. Por exemplo, com os dois comerciais mais famosos da Triton.

Eu já tinha recebido o briefing do Tufi Duek, que posicionava a

Triton como uma confecção que fazia roupas para jovens, com uma atitude rock and roll, quando viajei para St. Barthelemy imaginando criar a campanha na volta. Mas acabei tendo a ideia antes.

Em St. Barthelemy, fui passar um dia no Le Lafayette Club, um lugar com piscina de água salgada, praia particular, restaurante embaixo das árvores, boa comida, bons Punch Planters e lindas modelos desfilando descalças, com os pés na areia, os vestidinhos de verão que a loja do Le Lafayette Club vendia. No meio do desfile, uma das músicas que tocava me chamou a atenção. Era algo ritmado e sincopado, meio cantado, meio falado, com gritos e choros marcando o ritmo.

Fui conversar com o DJ do Le Lafayette, que me mostrou o disco, um compacto simples, com uma música que até então eu não conhecia, chamada "Maddy, Maddy Cry" e interpretada por um cara de quem eu nunca tinha ouvido falar antes, chamado Papa San.

Perguntei onde eu podia comprar aquela maravilha e ele, simpaticamente, me deu o disco de presente, coisa que retribuí mandando taças de Punch Planter para ele a tarde inteira.

Quando cheguei ao Brasil, mostrei a canção para o Jarbas Agnelli e criamos a campanha "Dont Cry. Use Triton e Smile". Curiosamente com a assinatura em inglês, coisa que eu normalmente não faço, porque não gosto de anglicismos, mas que, no caso da Triton, combinava com a canção e com o perfil dos jovens consumidores.

Com a campanha criada, fizemos uma reunião com o Tufi Duek, que aprovou tudo de cara, e eu conversei com o Sérgio Affonso, que na época já dirigia a Warner e hoje se consagrou como descobridor da Anitta, para conseguir os direitos da canção, que acabou sendo lançada no Brasil.

O filme foi dirigido pelo Waltinho Moreira Salles, que ganhou toda a liberdade para escolher seu casting, com gente estranha, de todo tipo, sem aparência de modelos, apenas exibindo as roupas da Triton naturalmente enquanto dançavam, gritavam e choravam.

O filme foi um estouro, as vendas da Triton arrebentaram, o Papa San passou a existir no Brasil e o DJ do Le Lafayette Club deve estar de ressaca até hoje por causa dos Punch Planters que mandei de presente para ele naquela tarde.

Meses depois, já na hora de criar a campanha da nova coleção da Triton, fui passar um feriado em Pernambuco, na praia de Porto de Galinhas, que era uma espécie de Trancoso da época, pouco habitada, sem os resorts que existem na região hoje, apenas com pequenas pousadas e um hotel um pouquinho maior, onde ficamos.

A ideia de ir para lá foi do Alberto Bulus, diretor da Golden Cross e cliente da W/Brasil.

Alberto Bulus, casado com a Neide Afonso, filha do fundador da Golden Cross, Milton Soldani Afonso, era um excepcional homem de vendas que, depois de assumir a direção de marketing da empresa do sogro, multiplicou o tamanho do negócio várias vezes.

Uma das razões do sucesso de Alberto Bulus foi investir fortemente em publicidade criativa, coisa que a W/Brasil fazia muito bem.

Tínhamos acabado de veicular o comercial *Quebradeira*, passado num hospital, onde uma família ia visitar o parente acidentado e descobria que ele tinha quebrado a família inteira por não ter um seguro-saúde.

"Quebrou o Policarpo. Quebrou também o Elídio. Quebrou até o Petrônio. E o Petrônio ele quebrou em dois lugares: no cheque especial e no cartão de crédito" – dizia o comercial, que foi o grande sucesso do ano de 1992.

Alberto Bulus inventou aquela viagem dos casais Neide e Alberto, Patrícia e Washington para comemorar o merecido sucesso, bebendo batidas de frutas locais, tomando cerveja e comendo o famoso peixe na telha, típico do litoral pernambucano.

No segundo dia de Porto de Galinhas, estávamos na beira da piscina do hotel tomando sol e batidas de pitanga quando apareceu um trio nordestino tocando ao vivo.

Na hora eu reconheci a música e lembrei ser um antigo sucesso do Genival Lacerda, mas fiz questão de confirmar com o sanfoneiro do trio se aquela joia rara se chamava mesmo "Rock do Jegue".

Isso aconteceu numa sexta-feira de feriado prolongado e já no sábado de manhã eu comentei com o Alberto Bulus que ia até Recife procurar o disco do Genival Lacerda, porque queria fazer um comercial com aquela música, e ia aproveitar para comprar também os discos do Manguebeat, do Chico Science, que tinha começado a fazer sucesso um ano antes, em 1991.

Consegui os discos do Manguebeat, mas voltei a Porto de Galinhas frustrado por não ter conseguido o LP do Genival Lacerda, que havia esgotado anos atrás e não tinha sido reeditado.

Uma semana depois, recebi de presente em São Paulo o disco que fez sucesso em 1979, com a gravação original de "Rock do Jegue", cantada por Genival Lacerda acompanhado por Sivuca e Dominguinhos nos acordeões. (Quem me mandou o presente foi o Alberto Bulus, que encontrou o disco num sebo no centro do Rio de Janeiro.)

Toquei o "Rock do Jegue" para a Tetê Pacheco, o Jarbas Agnelli e o Gianfranco Panda Betting e naquele mesmo dia criamos a campanha com comerciais de televisão e cinema, anúncios, outdoors e material de ponto de venda, tudo unificado pela tema: "Don't be Jegue. Use Triton."

Antes de o Waltinho Moreira Salles iniciar as filmagens, dessa vez com modelos profissionais para contrastar com o jegue de verdade que o Gilberto Miranda treinou para o filme, Jarbas Agnelli sampleou alguns efeitos de música eletrônica na abertura da gravação original do Genival Lacerda.

Quando veiculado, o comercial fez ainda mais sucesso que o anterior com a canção "Maddy, Maddy Cry". As vendas da Triton estouraram novamente e o Genival Lacerda voltou a aparecer na televisão e a fazer shows pelo Brasil inteiro, se transformando num novo ídolo da juventude aos 62 anos de idade.

Fui convidado pela reportagem da TV Globo para dar uma entrevista junto com ele, na loja da Triton da rua Oscar Freire, e o homem estava felicíssimo, cercado daqueles "mauricinhos e patricinhas" que, durante alguns meses, se transformaram em "severinos e severinas chic-chics".

■ ■ ■

NO CAPÍTULO 8 CONTEI SOBRE um dia importantíssimo na minha vida, o 8 de julho de 1986, quando anunciei numa coletiva de imprensa no restaurante Manhattan, em São Paulo, que estava começando a minha própria agência, a W/GGK.

Mas não comentei que algo bem mais importante aconteceu na minha vida também num 8 de julho, dezoito anos depois, em 2004, quando nasceram meus filhos Antônia e Theo.

Estranhamente, nesse dia eu estava em Brasília, cidade que eu quase não visitava por não trabalhar para políticos nem aceitar contas de empresas do governo. Tinha estado lá duas vezes, uma quando muito jovem, para conhecer de perto a arquitetura e o urbanismo de Oscar Niemeyer e Lúcio Costa; outra, para fazer uma palestra na

Rede Globo, a pedido do Toninho Drummond, que dirigia o jornalismo da emissora na capital federal.

Em 2004, cheguei a Brasília no dia 7 de julho para a inauguração da loja da Fnac naquela cidade. A Fnac, rede de lojas especializada em produtos culturais e eletrônicos, era cliente da W/Brasil e mantinha a tradição desde Paris, onde começou em 1954, de convidar pessoas ligadas à comunicação e às artes para serem os padrinhos das suas novas lojas. No caso de Brasília, Ney Matogrosso e eu éramos os convidados.

Participei da cerimônia de inauguração da loja no dia 7 e dormi em Brasília, pois no dia seguinte estava marcada, na mesma Fnac, uma noite de autógrafos do livro *Corinthians: É preto no branco*, que Nirlando Beirão e eu havíamos lançado um ano e pouco antes, com uma festa onde imitamos descaradamente o escritor norte-americano Truman Capote. (No dia 28 de novembro de 1966, Truman Capote deu no Grand Ballroon do Plaza Hotel de Nova York o seu "Black and White Ball", comemorando o sucesso do seu livro *A sangue frio*.)

No dia 2 de outubro de 2002, Nirlando Beirão e eu demos na Galeria Prestes Maia, em São Paulo, a nossa "Festa em Preto e Branco", comemorando ao som da Orquestra Imperial, com Seu Jorge como crooner, o sucesso que ia ser o nosso livro *Corinthians: É preto no branco*.

Desde o dia da festa, o livro estava em primeiro lugar na lista dos mais vendidos e a previsão era de filas enormes naquela noite de autógrafos em Brasília, coisa que me deixou feliz, mas preocupado, até porque eu ia autografar centenas de exemplares sozinho, já que o meu parceiro Nirlando Beirão tinha compromissos em São Paulo e não podia me acompanhar.

Acordei tarde e disposto no dia 8. Não tomei café da manhã e resolvi que almoçaria cedo. Fui comer uma carne num lugar perto do hotel, que eu juro que não me lembro qual foi, porque, assim que cheguei ao restaurante, tomei um susto com o telefone tocando e, do outro lado da linha, meu grande amigo e clínico geral Zyun Masuda dizendo que era para eu voltar imediatamente para São Paulo.

Masuda tinha acabado de conversar com o Eduardo Vieira da Motta, médico da Patrícia, que estava grávida de oito meses. Eduardo tinha informado a ele que o parto das crianças devia ser antecipado para aquela noite. Os dois nasceriam prematuros, coisa que ocorre frequentemente com gêmeos.

Liguei para a minha assistente pessoal Daniela Romano, em São Paulo, pedindo a ela que me arrumasse um avião de volta urgente. E conversei com a Martine Birnbaum, gerente de marketing da Fnac, explicando que não poderia fazer a noite de autógrafos porque meus filhos iam nascer.

Pedi a ela que não cancelasse nada e que à noite não contasse o motivo da minha ausência, pois não queria que a notícia do nascimento das crianças vazasse e a imprensa aparecesse no Einstein.

Martine Birnbaum foi extremamente leal, cumpriu o combinado e, no início da noite, informou ao pessoal, que já formava filas na Fnac, que por motivo de força maior o autor não compareceria à noite de autógrafos.

Evidente que naquela noite fui considerado irresponsável, antipático e grosseiro por todos os brasilienses que estiveram na Fnac, mas no dia seguinte, com a razão da minha ausência e a notícia do nascimento das criancas divulgadas pela internet, pelos jornais e pelas rádios, a má impressão acabou desfeita.

O importante é que, naquele 8 de julho, cheguei a tempo em São Paulo, onde acompanhei o parto com meu filho Homero, que veio fotografar os recém-nascidos, e meu sogro Augusto, que saiu de Natal para São Paulo e pegou um helicóptero de Cumbica para o Einstein, por medo de não chegar a tempo de acompanhar o nascimento dos netos.

Antônia nasceu às 22h17 daquela noite e Theo, às 22h18. Os dois fortes, saudáveis e japoneses: amarelinhos, amarelinhos. Um fenômeno que ocorre com muitos recém-nascidos, chamado hiperbilirrubinemia neonatal, que desaparece com dois ou três dias de fototerapia, o popular banho de luz.

As coincidências surpreendentes de datas na minha vida e na vida dos meus filhos gêmeos não pararam no 8 de julho. Voltaram a se repetir em 2005, quando Patrícia resolveu batizar as crianças.

Eu, que fui batizado, mas sempre fui um católico apostólico corintiano, que estudou em colégio de padres e talvez até por isso se transformou num religioso nada praticante, confesso que não estava me sentindo muito honesto e sincero fazendo o batizado que a minha mulher queria tanto.

Mas depois mudei de ideia quando encontrei uma solução que me deixou supermotivado: transformar o batizado num momento histórico da vida das crianças, convidando para celebrar a cerimônia um dos homens que mais combateu a ditadura e lutou pela democracia no Brasil: Dom Paulo Evaristo Arns.

Eu gostava de Dom Paulo e sabia que ele gostava de mim, tendo inclusive me pedido para escrever o prefácio do seu livro *Corintiano graças a Deus!*, coisa que eu fiz com o maior prazer. Acreditava que ele aceitaria fazer o batizado se eu pedisse, mas queria que ele ficasse à vontade para dizer não, se preferisse. Resolvi pedir ao Juca Kfouri, seu grande amigo, que checasse com Dom Paulo se ele faria o batizado, deixando claro que, se ele não fizesse, eu ia compreender e continuar gostando dele do mesmo jeito.

Dom Paulo disse ao Juca que era para eu ligar para ele. Liguei e Dom Paulo me disse que aceitava fazer o batizado, desde que fosse na casa dele, porque estava muito velho e não gostava de sair de casa. Disse a ele que seria na casa dele, na hora e no dia que escolhesse. Dom Paulo sugeriu que fosse num domingo, três semanas depois daquela nossa conversa.

No domingo marcado, por sugestão do Thomaz Souto Corrêa, alugamos um ônibus devidamente abastecido com champagne da França e cachaça de Salinas, que transportaria a família, a madrinha da Antônia, Glória Kalil, e o padrinho da Antônia, André Midani, e a madrinha do Theo, Guida Pfisterer Souto Corrêa, e o padrinho do Theo, Juca Kfouri.

Chegamos à casa de Dom Paulo no Jaçanã, em Tremembé, na Zona Norte de São Paulo, perto da uma da tarde e fomos recebidos por três simpáticas freirinhas que tinham preparado, a pedido de Dom Paulo, docinhos e salgadinhos para todos. Dentro do grande terreno cheio de árvores, grudada à casa de Dom Paulo existia uma pequena capela, onde ele celebrou os batismos. Primeiro o da Antônia e depois o do Theo, os dois com um problema em comum: os padrinhos André e Juca não sabiam as orações.

Antes do batizado do Theo, aconteceu também uma coisa engraçada que acabou entrando para o anedotário da cerimônia. Dom Paulo, que estava realmente bem velhinho, distraidamente olhou para mim e disse: "Querido Washington, vamos fazer o segundo batizado. Onde está a mãe da outra criança?" E eu respondi para ele: "Dom Paulo, não me superestime."

Passados menos de quinze dias daquele domingo, Patrícia veio me mostrar o álbum de fotografias do batizado que ela havia terminado de montar.

E só então nós dois reparamos a data que Dom Paulo havia escolhido aleatoriamente e nem eu nem ela tínhamos percebido: 11 de dezembro de 2005. Exatamente quatro anos depois do meu sequestro.

Aquele data, que podia ter ficado na nossa memória associada a morte e sofrimento, acabou associada a mais vidas e alegrias.

■ ■ ■

NO CAPÍTULO 9 CONTEI QUE a publicidade me deu a possiblidade de viver momentos únicos e inesquecíveis, em situações que jamais imaginei que poderiam acontecer comigo. Mas não comentei que a publicidade me deu até a possibilidade de aparecer em algumas campanhas de publicidade. Na maioria delas, a pedido dos clientes.

Quando a WMcCann conquistou a conta do Bradesco, os diretores do banco Candido Leonelli e Jorge Nasser praticamente me intimaram a participar de um comercial em que as pessoas imaginavam que eu estava falando de mim e no final descobriam que eu estava falando dos gerentes do Bradesco. Esse comercial acabou sendo o nosso primeiro trabalho para o banco e devo reconhecer que o Candido e o Nasser me intimaram, com a maior delicadeza, inclusive me oferecendo um cachê. Com a mesma delicadeza, não aceitei a oferta, pois já me sentia suficientemente gratificado por ter conquistado aquele novo grande cliente para a agência.

Fiz o comercial com prazer, apesar de todas as minhas limitações como ator, coisa que o diretor Bruno Barreto disfarçou muito bem.

Antes disso, ainda na W/Brasil, quando criamos a campanha "Hering. O básico do Brasil", com símbolos de brasilidade – como Joãosinho Trinta, Fernanda Montenegro, Erasmo Carlos, Zé Celso Martinez Corrêa, Baby do Brasil, Renato Gaúcho, Jorge Ben Jor e Ivo Pitanguy –, Fabio Hering, sócio da empresa, exigiu que eu participasse do comercial. E lá fui eu filmar, batucando numa caixa de fósforos, o samba de Noel Rosa "Com que roupa", cantado por Gilberto Gil.

Fora esses comerciais, participei também da publicidade do Conar, da Abap (Associação Brasileira de Agências de Publicidade), do Clube de Criação de São Paulo, do Clube de Criação do Rio, do Festival de Cannes, do Clio, do FIAP, do ADFEST e do El Ojo de Iberoamérica, sempre a pedido dos seus diretores ou organizadores.

Mas a minha primeira experiência frente às câmeras não foi a pedido de nenhum cliente, diretor ou organizador, foi por iniciativa do José Zaragoza e do Neil Ferreira, que tiveram a ideia de fazer um comercial para o aspirador de pó Walita em que apareciam as figuras-chave da DPZ, como eles dois, o Roberto Duailibi, o Petit e eu.

Estranhamente, no filme eu apareço de barba, coisa que passei a usar, por criancice, aos 19 anos de idade, achando que de barba ia parecer mais velho e respeitável para os clientes.

Nesse comercial, dá pra ver também que naquela época todos nós fumávamos, suicídio coletivo documentado no filme, que tem inclusive cenas de cinzeiros transbordando em cima da mesa da sala de reuniões da agência sendo sugados pelo potente aspirador Walita.

Mais do que de comerciais de televisão, na minha vida profissional participei de muitos anúncios impressos. O mais famoso deles, publicado quando virei vice-presidente de marketing do Corinthians, em 1981, com o título "Mande uma ideia para o Washington que ele está precisando", anúncio que, com o passar do tempo, acabou citado em livros publicados no mundo inteiro sobre a "Democracia Corinthiana" e impresso na biografia da W/Brasil, *Na toca dos leões*, escrita pelo Fernando Morais.

E o mais divertido deles, feito em 2010, quando fui eleito cidadão carioca e publicamos um anúncio com o título: "Somos a maior agência do Rio de Janeiro. É a única com dois Washingtons cidadãos cariocas", tendo no layout uma foto minha e outra do Washington Andrade, um sorridente negão de 2 metros de altura que era nosso motoboy.

Com exceção desse anúncio que falava do título de cidadão carioca, fiz poucos anúncios sobre conquistas individuais, preferindo sempre anunciar as conquistas coletivas da agência.

Não fiz anúncio, por exemplo, quando fui eleito pelos colegas de atividade como "O melhor profissional para se trabalhar", numa pesquisa feita pelo Prêmio Comunique-se. Não fiz anúncio quando, em 1999, fui eleito também pelos colegas "O publicitário do século", numa votação promovida pela Janela Publicitária. Não fiz anúncio quando virei Doutor Honoris Causa pelo Centro Universitario Belas Artes nem quando recebi o título de Professor Emérito da ESPM.

E também não fiz anúncio quando fui o primeiro publicitário eleito três vezes seguidas pela pesquisa Marcas de Confiança, da revista *Seleções do Reader's Digest*, e declarado Hors Concours.

Recentemente, em 2017, tive o prazer de aparecer vestido de Visconde de Sabugosa, ao lado da Baby do Brasil vestida de Emília, num anúncio da campanha "Leia. Seja", do Sindicato Nacional dos Editores de Livros.

Mas, de todos os anúncios em que apareci na vida, aquele de que mais gosto foi também o único que escrevi na primeira pessoa. Foi em 2015, quando me tornei o primeiro não anglo-saxão eleito para o Hall of Fame do One Club de Nova York.

É claro que fiquei feliz com essa honraria, que aconteceu pouco depois de eu ter entrado para o Lifetime Achievement do Clio, mas esses prêmios pelo conjunto da obra, dados em sequência, além da felicidade, trazem também uma certa sensação de que estão aposentando você na marra ou estão escrevendo o seu epitáfio com você ainda vivo.

Por causa disso resolvi escrever um anúncio de página dupla, publicado na revista *Veja*, com o título: "Dia 27 de janeiro, no Gotham Hall, em Nova York, acontece mais uma tentativa malsucedida de me aposentarem." Junto do título, um longo texto em que eu me declarava feliz com a homenagem, mas com vontade de continuar trabalhando cada vez mais.

O anúncio era bem escrito, fez muito sucesso com as pessoas em geral e com o Roberto Medina, em particular, que me telefonou dizendo que tinha gostado muito do anúncio e se identificado com ele, principalmente naquele momento em que vira e mexe ele acabava recebendo alguma homenagem que lhe dava uma sensação póstuma, por ser o homem que inventou o Rock in Rio.

■ ■ ■

NO CAPÍTULO 10 CONTEI QUE o Cary Grant tinha inventado sem querer o merchandising ou o *product placement*, nome dado pelos produtores norte-americanos para as ações comerciais dentro dos filmes.

Mas não comentei que no Brasil o merchandising começou na televisão um pouco explícito, num programa de humor, e bem enrustido, numa novela que revolucionou a linguagem da dramaturgia brasileira.

O programa de humor era o *Chico Anysio Show* do início dos anos 1960, onde todos os domingos à noite o barman fanho "Quem-

-Quem", criado por Chico Anysio, balançava a sua coqueteleira cantando com sua voz anasalada: "Rum, Rum, Bacardi/ Rum, Rum, Bacardi/ o melhor rum do mundo é o Rum Bacardi."

E a novela era *Beto Rockfeller*, protagonizada pelo ator Luiz Gustavo, o Tatá, que resolveu por conta própria criar e comercializar os seus próprios merchandisings.

Tatá era amigo da família Fontoura, dona do "Engov. A pílula do homem", produto que prevenia e combatia ressacas. A estratégia de marketing do Engov era inteligente e dobrava o consumo do produto, recomendando tomar um antes e outro depois de beber.

Luiz Gustavo, que fazia um personagem que vivia em festas, resolveu negociar com seus amigos dos Laboratórios Fontoura algum dinheiro a cada vez que seu personagem citasse Engov na novela.

Parecia natural ele dizer, antes de sair, "Hoje eu vou beber, então deixa eu tomar o meu Engov" ou "Hoje eu bebi, vou tomar meu outro Engov".

As falas soavam verdadeiras e ninguém desconfiava que ele estava ganhando dinheiro com aquilo, até porque o produto estava na moda e muitas pessoas tomavam um Engov antes e outro depois de beber. Só que, num certo capítulo, Tatá, que estava precisando de dinheiro para pagar uma parcela maior do apartamento que tinha comprado, desandou a falar Engovs a torto e a direito e o pessoal da Sonrisal, que era grande anunciante da TV Tupi, foi reclamar com a direção da emissora. Assim, Tatá foi descoberto e pego. E só não foi demitido porque era muito querido na emissora e a grande estrela da novela.

Luiz Gustavo, o Tatá, além de brilhante ator, é uma figura com histórias divertidíssimas.

Certa vez ficou bebendo whisky com os amigos em Congonhas e deixou de embarcar na hora marcada num voo da ponte aérea. Conseguiu ainda cantar o pessoal da sala de embarque e ir correndo até o avião que já estava lotado, com todos os passageiros acomodados, incluindo a turma da lista de espera.

Luiz Gustavo foi informado que não podia ir naquele voo. Pediu então para viajar na cabine com os comandantes, mas recebeu a ordem de descer. Antes de sair do avião, no entanto, falou alto para todos que estavam ali: "Pessoal, vocês me conhecem e sabem que eu sou um cara de sorte. Se as aeromoças estão dizendo para eu não ir neste avião, é porque Deus mandou elas dizerem isso pra mim." Começou então a descer as escadas do Electra e metade do avião desceu atrás dele.

Outra vez chegou ao Rio de Janeiro, pegou seu carro e foi em direção à Zona Sul, doido para chegar em casa e assistir a um jogo de futebol que ia passar na televisão. Quando chegou à avenida Atlântica, encontrou o trânsito todo engarrafado. Subiu com o carro em cima do calçadão de Copacabana e foi seguindo bem devagarinho. De repente, um guarda apareceu no calçadão e fez sinal para ele parar. Tatá, de vidro aberto, disse baixinho para o guarda: "Sai que está gravando, sai que está gravando." O guarda saiu e ele continuou.

Em 1997, quando íamos produzir o comercial *Presidentes*, da *Folha de S.Paulo*, comentei com o roteirista Alexandre Machado que Luiz Gustavo, o Tatá, seria o narrador ideal para aquele filme, que contava um pedaço da história do Brasil numa linguagem de mesa de bar.

Alexandre concordou e fomos almoçar com o Tatá no Antiquarius da Alameda Lorena, em São Paulo.

Contei para ele que o filme teria uma sequência de fotos de presidentes e de momentos da vida política brasileira, desde Getúlio

Vargas até Fernando Henrique Cardoso, ao som de uma caixinha de música tocando o hino nacional e de um longo texto que só ele podia interpretar.

Tirei um papel do bolso e dei o texto ao Tatá, que leu em silêncio, releu, pensou uns dois minutos e disse para a gente: "Seria assim?"

Em seguida começou a ler o texto em voz alta, exatamente com as mesmas entonações e inflexões que fizeram do filme um dos clássicos da publicidade brasileira.

■ ■ ■

NO CAPÍTULO 11 COMENTEI QUE a utilização de famosos e famosas na publicidade nem sempre é a melhor solução criativa. Mas não contei nada sobre uma campanha com grandes estrelas do teatro, cinema e televisão que me deu grande prazer.

Foi a campanha da Arno, cliente que se mostrou atípico a partir da conquista da conta.

Era o fim do ano de 1992 e Patrícia e eu estávamos indo passar o réveillon em Nova York quando, já sentados no avião, presenciamos a chegada de um casal formado por um homem bem-vestido, de uns 60 e poucos anos, e uma mulher de cabelos loiros, que não aparentava mais de 40.

Apesar da proximidade dos assentos, não nos falamos e o encontro acabou por aí.

Passados uns 15 dias, já de volta a São Paulo, atendi um telefonema do senhor Felippe Arno, presidente da Arno, me convidando para almoçar com ele na sede da empresa, no bairro da Mooca, em São Paulo.

Eu conhecia Felippe Arno de nome, sabia que ele tinha fama de ser um homem duro e difícil nas negociações. E sabia também que a Arno tinha uma *house agency* havia muito tempo. Ao chegar para o almoço, reconheci Felippe Arno como o homem que eu tinha visto no avião, mas não disse nada a ele. Felippe Arno me recebeu cordialmente e logo depois de me dar as boas-vindas foi bastante objetivo, dizendo que não assistia à televisão, mas que a sua mulher, que era a sua nova mulher, assistia e que no voo que fizemos juntos para Nova York ela me apontou como o profissional que fazia os melhores comerciais de televisão, os comerciais que a Arno deveria ter.

Por causa disso, ele tinha resolvido me convidar para almoçar, mas antes queria me perguntar o que eu achava da publicidade da Arno e me pediu que respondesse com toda a sinceridade. Expliquei a ele que, em princípio, eu não gostava de *house agencys* por serem empresas monotemáticas, que acabam agindo mais como clientes do que como agências. Disse também que eu considerava a comunicação da Arno no máximo correta, mas nem um pouco sedutora. Acrescentei que ele tinha fama de ser um negociador duro e difícil, mas que eu não achava um bom negócio para ele manter uma *house*, por mais econômico que isso pudesse parecer. Disse que, se fosse ele, escolheria uma boa agência e entregaria a conta. Podia ser a minha, caso ele tivesse ido com a minha cara, assim como podia ser qualquer outra, até porque a minha não era a única boa agência do mercado.

Felippe Arno gostou do que eu disse e respondeu na hora que ia descontinuar sua *house* e entregar a conta da Arno para a W/Brasil.

Apertamos as mãos e partimos para o almoço, em que ele fez questão de servir um bom vinho e eu fiz questão de contar que conhecia bem os seus sobrinhos: Patrícia e Sergio Arno.

Patrícia, que adulta tinha se transformado numa bem-sucedida executiva do mercado financeiro, quando adolescente corria comigo nos fins de tarde do Guarujá, na praia de Pernambuco, onde seus pais tinham uma casa. E Sergio, que tinha se transformado no dono de um dos bons restaurantes da São Paulo dos anos 1990, o La Vecchia Cucina, no tempo de moleque abandonava os estudos para ir para a cozinha.

Antes de começar a criação da campanha institucional da Arno, encomendamos uma pesquisa para saber como andava a imagem da marca em relação a sua principal concorrente, a Walita.

A pesquisa não deu outra: a Walita, com sua comunicação historicamente talentosa, particularmente do seu longo período de DPZ, aparecia como uma marca de produtos menos sólidos, mas muito femininos, o que era algo muito bom para quem vendia eletrodomésticos.

Já a Arno aparecia como uma empresa de produtos fortes e duráveis, mas pouco charmosos, reflexo da comunicação que a sua *house agency* criava.

Como a estrutura de marketing da Arno era bastante simples, envolvendo apenas a competente profissional Eli Cardoso e o dono da empresa, Felippe Arno, montamos na agência uma equipe extremamente ágil em que tudo era feito com a coordenação de apenas três profissionais: o diretor de atendimento Ronaldo Gasparini, o homem de criação Marcelo Pires e eu.

A primeira campanha, buscando feminilizar a Arno ao máximo, era estrelada pelas atrizes Fernanda Montenegro, Regina Duarte e Marília Pêra. A ideia era criar uma campanha em que exacerbaríamos a competitividade entre as três atrizes, algo muito característico do universo feminino.

Nos comerciais de 30 segundos, com textos inteligentes e curtos, cada uma delas dizia que estava fazendo aquele comercial da Arno sabendo que as outras duas também estavam fazendo, mas que não tinha dúvida de que o dela sairia muito melhor.

As três atrizes se divertiram interpretando aquela competição meio ficcional, meio real, e os três comerciais, que foram veiculados em sequência, nos *breaks* do *Fantástico* e das novelas de maior audiência, se transformaram num grande sucesso.

A imagem da Arno superou rapidamente a da Walita junto ao público feminino e o formato da competição entre mulheres de grande talento se transformou numa característica da comunicação da Arno, a ponto de termos feito comerciais com a Bruna Lombardi falando do design dos produtos e afirmando que ela representava a beleza melhor do que as outras atrizes. Ana Paula Arósio também participou de um comercial em que dizia que se sentia perfeita para anunciar a cafeteira que fazia dezoito cafés, pois era a única das atrizes famosas que tinha só 18 aninhos.

Foram campanhas de grande êxito que, um belo dia, motivaram Felippe Arno a me perguntar se a agência estava ganhando o dinheiro que merecia pelo excelente trabalho que vinha fazendo.

Tranquilizei meu cliente, respondendo que, devido à objetividade e bom senso dele e da sua diretora Eli Cardoso, apesar de não ser o maior cliente da agência, a Arno era sem dúvida o nosso cliente mais rentável. Em 1997, quando começou a negociar a Arno com o grupo francês SEB, Felippe Arno me contou sobre a negociação em primeira mão e disse que ia deixar claro para os franceses que a W/Brasil era um importante ativo da companhia.

Em 1998, Felippe Arno, que estudou em Harvard e assumiu a presidência da empresa do pai em 1957, aos 27 anos, consumou a venda total da Arno e se aposentou depois de 41 anos de trabalho.

No fim daquele ano, Patrícia e eu estávamos em Nova York e, quando fomos visitar o amigo Douglas Baxter, que preside a Pace Gallery, encontramos o elegante Felippe Arno na galeria.

Homem de bom gosto, ele estava comprando um Roy Lichtenstein para a sua coleção.

■ ■ ■

NO CAPÍTULO 12 CONTEI QUE quando comecei a trabalhar em publicidade escolhi as ideias simples como o meu caminho para criar bons comerciais. Mas, na verdade, eu não tinha outra escolha. O mercado brasileiro daquela época não oferecia condições financeiras nem de equipamentos para fazer superproduções: fazíamos simples ou não fazíamos nada.

No entanto, o que eu não comentei foi que o meu primeiro contato mais íntimo com uma superprodução só foi acontecer alguns anos depois, quando eu já era um dos profissionais mais premiados do Festival do Cinema Publicitário de Cannes sem nunca ter feito um filme caro.

Aconteceu em 1983, quando fui convidado pelo Jay Chiat para a festa de réveillon da Chiat/Day, no Hotel Biltmore, em Los Angeles. Pude ver, em primeiríssima mão, o comercial *Apple 1984*, dirigido pelo Ridley Scott e que iria ao ar no Super Ball do dia 22 de janeiro de 1984.

Além de ver o comercial ainda inédito naquela noite, no dia seguinte tive o privilégio de ser convidado para assistir ao making of e ver as planilhas de produção que seriam mostradas para a imprensa antes da veiculação do filme.

Apple 1984, que lançou o Macintosh no planeta, foi sem dúvida o melhor trabalho que as equipes criativas lideradas pelo Lee Clow fizeram em todos os tempos. Um clássico da publicidade, inspirado num clássico da literatura. Só possível por causa do espírito que Jay Chiat impregnava naquela agência.

Jay Chiat, que foi o precursor do planejamento na publicidade norte-americana, era um publicitário que não pensava só em publicidade. Pensava diferente. Tanto que, além de fazer brilhantes campanhas para os seus clientes, interferiu também na arquitetura, construindo e reformando as sedes das suas agências com o Frank Gehry e o Caetano Pesce, mexeu com as artes, sendo um dos criadores da Dia Art Foundation de Nova York, e pensou no futuro, criando a primeira empresa com escritórios virtuais do planeta.

O tema "Think Different", criado pela Chiat/Day para a Apple, era um retrato dele.

■ ■ ■

NO CAPÍTULO 13 COMENTEI QUE desde menino sempre tive facilidade para criar nomes, mas não contei que também desde menino sempre tive facilidade para escrever bilhetes.

Em 2004, quando lancei um livro com uma coletânea de artigos meus que já tinham sido publicados em diferentes jornais e revistas, relidos e comentados por mim, com o título *Os piores textos de Washington Olivetto*, o Ricardo Freire me disse que o livro era bom, mas que eu podia fazer um outro melhor chamado *Os melhores bilhetes de Washington Olivetto*, com a reprodução de bilhetes que mandei durante a vida.

A ideia era simpática e podia gerar um livrinho interessante, mas não tinha condições de ser feita, porque não fui organizado o suficiente para guardar os inúmeros bilhetes que escrevi nem sou pretensioso a ponto de imaginar que a maioria dos destinatários tenha guardado os meus bilhetes como recordação.

A verdade é que o Ricardo Freire, que tem um texto impecável, sempre gostou do fato de os meus bilhetes serem pensados individualmente para cada destinatário. Às vezes melhores, às vezes piores, mas todos feitos em função daquela única pessoa. Para isso, sempre analisei as características de quem ia receber o bilhete, seus desejos e ansiedades. E às vezes reescrevi frases já feitas anteriormente por outras pessoas, dando nova dimensão a elas.

Um exemplo é a frase do jornalista Kenneth Tynan no livro *A vida como performance*: "O que um homem vê bêbado nas outras mulheres vê sóbrio em Greta Garbo."

Outro exemplo é a frase do crítico H. L. Mencken: "Ópera em inglês faz tanto sentido quanto beisebol em italiano."

Nunca usei nenhuma dessas duas frases, mas elas poderiam ser usadas, por serem adaptáveis a diferentes situações e contextos.

Ainda sobre o Ricardo Freire, com quem tenho boas histórias na vida, uma das melhores aconteceu quando ele me pediu para escrever o prefácio do seu livro *Freire's Brasil Praias*, um guia completo das praias brasileiras com 470 pousadas e hotéis.

Escrevi um texto que deixou o Riq apavorado, imaginando que os donos de pousadas pudessem ficar furiosos com ele por permitir que no prefácio do seu livro eu escrevesse uma frase que terminava com uma pergunta: "os critérios para avaliação das pousadas serão de uma, três ou cinco lagartixas? Cinco para as piores, três para as menos ruins e uma para as mais ajeitadinhas".

Mas a preocupação do Riq era infundada; os donos das pousadas entenderam a brincadeira e o pai do Andrucha, Helenio Waddington, que era presidente da Associação Roteiros de Charme, me telefonou para me cumprimentar pela invenção do critério das lagartixas.

■ ■ ■

NO CAPÍTULO 14 CONTEI QUE a W/Brasil, nos seus tempos de auge financeiro, com uma rentabilidade bem acima do mercado, era uma agência muito generosa com seus colabores, chegando a pagar 16 salários por ano para cada um dos profissionais, desde as estrelas da agência até as telefonistas e os office boys.

Mas não comentei que além desses salários reais a W/Brasil tinha também os melhores salários emocionais. Vivíamos um ambiente adorável, em que uma vez por semana encomendávamos sonhos da dona Nancy Raszl e distribuíamos os doces para a agência inteira. Dona Nancy, mãe da Ingrid Raszl, produtora executiva do Julinho Xavier da Silveira, fazia os mais deliciosos sonhos de São Paulo e foi apelidada por mim de "A mulher dos meus sonhos".

Uma vez por mês, de preferência numa sexta-feira à tarde, a gente também pedia para o pessoal do Frangó fritar e servir coxinhas na agência, acompanhadas de magníficas cervejas belgas.

Mantínhamos a autoestima da turma bem alta, com gestos como colocar uma faixa gigante no terraço da agência no dia 27 de janeiro de 1995 saudando os Stones, que iam tocar no Pacaembu: "W/Brasil say hello to The Rolling Stones."

Era normal a gente sair em grupo, a pé, para ir ao Pacaembu ver futebol nas noites de quarta-feira. Era normal também a gente liberar o estacionamento da agência para quem fosse aos jogos de domingo.

Assim como foi normal e sensacional, a ponto de virar assunto da mídia, o dia 10 de maio de 2007, quando o papa Bento XVI, falando para uma multidão no Pacaembu, pôde ver no terraço da W/Brasil a faixa que dizia: "Nem o Corinthians colocou tantos fiéis no Pacaembu."

■ ■ ■

NO CAPÍTULO 15 COMENTEI a roubada em que me meti quando aceitei fazer uma palestra em Maracaibo, na Venezuela. Mas não contei que, devido ao trauma causado por aquela viagem, quase deixei de conhecer um dos lugares mais interessantes do planeta.

Foi quando me convidaram para fazer uma palestra em Cuenca e eu achei que Cuenca era o lugar onde a Seleção brasileira tinha ido disputar uma partida de futebol. Pensei que Cuenca deveria ser parecida com Maracaibo, o que me motivava a recusar o convite.

Por sorte, antes de recusar acabei descobrindo que existiam duas Cuencas, uma no Equador, onde o Brasil tinha jogado, e outra na Espanha, que era para onde eu estava sendo convidado. Resolvi aceitar.

A Cuenca espanhola fica em La Mancha, região onde Miguel de Cervantes nasceu e ambientou a sua obra-prima: *Dom Quixote de La Mancha.* (Existem mesmo moinhos de vento por lá e eu até vi alguns.)

Em Cuenca, ficamos hospedados no Parador de Cuenca, um belíssimo antigo convento, com vista para as famosas Casas Colgadas, em estilo gótico e renascentista, que desafiam os princípios da arquitetura e as leis da gravidade, pois ficam penduradas nas encostas das montanhas.

Existem também em Cuenca espaços dedicados às artes, como a moderna Fundación Antonio Pérez, feita de pedras ancestrais que contrastam com os quadros de Andy Warhol e Miquel Barceló, do acervo, e o Museo de Arte Abstracto Español, que é considerado um dos melhores museus de arte abstrata do mundo.

Come-se bem em Cuenca, desde as coisas mais típicas e simples como a carne de javali, o queijo manchego e o alho roxo, até pratos da alta gastronomia, servidos em restaurantes como o famoso Figón del Huécar.

Fiz uma boa palestra em Cuenca, para uma plateia extremamente receptiva, e posso até dizer que fui o ponto alto do evento, que, além de palestras, tinha um pequeno festival de publicidade espanhola.

O ponto baixo do evento, naquela cidade a 946 metros de altitude, foi o outro palestrante, Oliviero Toscani.

Ele, que sempre foi um brilhante fotógrafo, naquela época estava travestido de publicitário de vanguarda, fazendo as campanhas da Benetton.

Na verdade ele se utilizava de uma certa ingenuidade e boa intenção da imprensa, que era manipulada por ele.

Oliviero Toscani fotografava temas controversos, como uma freira e um padre se beijando na boca, ou um aidético morrendo. Acrescentava na foto a assinatura da Bennetton, veiculava em forma de anúncio ou outdoor e ficava torcendo para que aquilo fosse censurado, proibido ou repudiado, coisa que normalmente acontecia. A partir daí, ele ganhava um enorme espaço gratuito na imprensa, que, honestamente preocupada com a liberdade de expressão, noticiava, repercutia e discutia a proibição.

Oliviero Toscani foi bem-sucedido algumas vezes com esse truque barato, que na verdade não era boa publicidade, mas apenas sensacionalismo e exploração dos bons sentimentos alheios.

Fora isso, ele se autopromovia e criava polêmicas, criticando a publicidade em geral, com frases de efeito tipo "A publicidade é um monte de lixo com gotas de Channel número 5 em cima" – coisa que ele repetiu à exaustão na sua palestra em Cuenca.

Na verdade, por ele ser dialético e articulado, apesar de defender uma tese errada, sua palestra não era tão ruim assim, mas não contava com a minha boa vontade nem isenção de julgamento. Desde o dia em que ele foi grosseiro com Francesc Petit numa entrevista para o *Roda viva*, da TV Cultura, em São Paulo, eu resolvi implicar com ele.

■ ■ ■

NO CAPÍTULO 16 COMENTEI a boa relação que sempre tive com jornalistas de grandes publicações do Brasil e do mundo, mas não contei que fiquei bastante preocupado quando um colunista da aparentemente inofensiva revista *Amiga* publicou uma nota desagradável a meu respeito.

O colunista da *Amiga* era o produtor musical, homem de televisão, rádio, cinema, teatro, carnaval e política Carlos Imperial, que se autointitulava "O Rei da Pilantragem". Na verdade, Imperial era pilantra mesmo, apesar de ter feito coisas importantes para a cultura brasileira, como apostar nos talentos de Roberto Carlos, Elis Regina e Wilson Simonal.

O problema com Carlos Imperial aconteceu quando fizemos o lançamento do pão Vita Pullman, com um comercial baseado na canção "O Bom", de autoria dele e do Eduardo Araújo.

Como de praxe, negociamos os direitos autorais da música com a editora, pagamos o que foi negociado e só depois gravamos a versão que foi usada no comercial. Mas, para minha surpresa, uma semana depois de o comercial entrar no ar apareceu uma nota na coluna do Carlos Imperial na revista *Amiga* dizendo que ele ia me encher de porrada, para eu aprender a deixar de ser ladrão e nunca mais usar nenhuma música, em nenhum comercial, sem pagar os direitos autorais.

Quando li aquilo, liguei para o André Midani perguntando como agir. Ele me aconselhou a não me comunicar pessoalmente com o Imperial.

Sendo assim, sobrou para o meu sócio Javier Llussá, que ligou para o Imperial e ouviu dele que a gente não tinha pago tudo que devia pela utilização da música "O Bom" no comercial do Vita Pullman e que se a gente não fizesse um acerto com ele, a coisa ia ficar ruim, porque ele ia continuar infernizando a minha vida e até mesmo a de algum dos nossos clientes.

Pacientemente, Javier disse ao Imperial que não conseguia entender o que estava acontecendo, que nunca havíamos tido um problema daqueles, e sugeriu a ele, que estava no Rio, que viesse a São Paulo conversar pessoalmente.

Javier se prontificou a pagar as passagens da ponte aérea e o hotel que ele escolhesse, coisa que o Imperial aceitou na mesma hora.

Dois dias depois, Javier recebeu Imperial na agência e ouviu ele dizer, na maior cara de pau, que na verdade ele tinha registrado a canção "O Bom" em duas editoras diferentes: numa delas como a música sendo dele e do Eduardo Araújo; na outra, como sendo apenas dele.

Nós tínhamos pago à editora onde apareciam os dois autores e Imperial teve que rachar o dinheiro com o Eduardo Araújo, coisa que ele não tinha achado legal.

Javier alegou que não tínhamos culpa de nada, não sabíamos dessa coisa de editoras diferentes, e surpreendentemente ouviu Imperial dizer que dessa vez ele ia deixar barato, desde que ele, o Javier e eu fôssemos almoçar juntos para discutir eventuais projetos futuros.

Javier me chamou e fomos os três para o La Tambouille, restaurante escolhido por Imperial por ser, naquele momento, um dos mais badalados de São Paulo.

Na verdade, o que Carlos Imperial, que andava meio desaparecido da mídia, queria era ser visto do meu lado, num lugar da moda, para depois espalhar que tinha grandes projetos em andamento comigo.

No almoço, Imperial contou que havia montado uma construtora que estava ganhando muito dinheiro na região da Barra da Tijuca, cantarolou algumas das suas canções que, segundo ele, eu poderia utilizar em comerciais e, rindo, disse que era o único compositor do planeta a compor antes mesmo de nascer, porque tinha registrado em seu nome canções de domínio público como "Ciranda, cirandinha" e "Cai, cai, balão".

Antes de a gente se despedir no La Tambouille, Imperial disse que fazia questão de que eu e o Javier, seus novos amigos de infância, fôssemos ao Rio para conhecer a sua casa com piscina e quadra de tênis, comer um bom churrasco e depois abater umas "lebres" que ele ia selecionar a dedo.

(Lebres era como o Imperial chamava as moças de 18 a 25 anos de idade.)

Javier e eu fingimos empolgação com o convite e ficamos de avisar uma data, de preferência no meio da semana, para não gerar desconfiança nas nossas mulheres, conforme recomendou o próprio Imperial.

Mais ou menos uns três meses depois daquele surpreendente e surreal almoço, o SBT transmitiu o Troféu Imprensa, tradicional evento promovido pelo Silvio Santos para premiar os melhores do ano na TV.

Na categoria Melhor Comercial, o *Cachorro da Cofap* era um dos três finalistas. Antes de começar a votação, Carlos Imperial, que estava no júri, pediu a palavra e propôs que os jurados premiassem por unanimidade "aquela obra-prima criada pela agência do meu grande e genial amigo Washington Olivetto".

O *Cachorro da Cofap* foi eleito na hora.

■ ■ ■

NO CAPÍTULO 17 CONTEI o quanto Francesc Petit era generoso, a ponto de gastar um dinheirão para me mandar, ainda garoto, com menos de dois anos de agência, para um festival de publicidade em Los Angeles, com direito a passagem de primeira classe e outras mordomias.

Mas não comentei o quanto, apesar de generoso, Petit odiava desperdícios. Particularmente o desperdício gerado por uma praga que sempre assolou as agências de publicidade chamada excesso de gente.

O excesso de gente não dá prejuízo apenas na folha de pagamento. Dá prejuízo na qualidade do trabalho, gera reuniões desnecessárias, deixa tudo mais lento e burocrático e faz com que o medo suplante a coragem, que é a matéria-prima fundamental para fazer boa publicidade.

O excesso de gente, em vez de ser combatido, foi praticamente oficializado pela maioria das agências, fazendo com que os clientes achem que estão pagando de mais e recebendo de menos.

Basta olhar as fichas técnicas que divulgam as campanhas, com nomes e mais nomes apontados como responsáveis pela feitura de trabalhos que, na sua maioria, são medíocres.

Francesc Petit sempre lutou para enxugar a DPZ, tentando implantar uma filosofia que eu consegui levar às extremas consequências nos momentos de maior brilho criativo e resultado financeiro da W/Brasil: a filosofia de ter menos gente e mais bem paga.

Onde existem cinco profissionais fazendo a mesma coisa, vale a pena trocar por um que ganhe mais do que os cinco somados. Garanto que o resultado será melhor, sob todos os pontos de vista.

Petit sempre lutava por isso, sempre achava que a DPZ tinha gente de mais, e não escondia a sua opinião dos sócios, das equipes, dos clientes e até dos prospects. Certa vez, estávamos apresentando a agência para um possível novo cliente quando, no meio da apresentação, o diretor de marketing do anunciante olhou para Petit e perguntou: "Petit, quantos trabalham aqui na DPZ?"

E Petit respondeu na hora, com sua sinceridade de sempre: "Uns 40%."

■ ■ ■

NO CAPÍTULO 18 COMENTEI minha amizade com André Midani e Boni, mas não contei duas histórias que ilustram a honestidade intelectual e a franqueza desses dois mestres.

A história com o André.

No início dos anos 1980, os dirigentes da SAWA (Screen Advertising World Association) resolveram convidar para o júri do Festival do Cinema Publicitário, além dos grandes profissionais de criação das agências, alguns presidentes de empresas anunciantes. No festival de 1983, que aconteceu em Veneza, André Midani, que era o chefão da Warner Communications, foi o dirigente de empresa convidado. Com seu inglês, espanhol e português fluentes, todos com forte sotaque francês, sua língua de origem, e o charme de quem desde muito jovem se habituou a descobrir e conviver com as grandes estrelas da música, Midani virou a grande atração do júri.

Esse era o comentário geral dos jornalistas e dos organizadores do festival, e eu pude comprovar o fato num início de noite em que fui tomar um drinque no Deben e vi no bar do hotel vários dos jurados se deliciando com as histórias do André, sendo que entre eles estava o David Abbott, um dos maiores nomes da publicidade em todos os tempos e outro grande contador de histórias.

Estive no Deben, naquele início de noite, para mostrar à Luiza, minha primeira mulher, o hotel onde Luchino Visconti filmou o clássico *Morte em Veneza*, mas passamos a semana do festival no Hotel Excelsior, onde recebemos por três dias a visita do Doutor Sócrates e sua mulher, Regina.

Sócrates tinha acabado de excursionar com a Seleção brasileira e resolveu ficar mais um tempo na Itália, onde já negociava sua transferência para a Fiorentina. Sabendo que eu estava em Veneza, resolveu me visitar.

Com a sua presença em Veneza, trocamos o horário de fechamento do bar do Excelsior da 1 para as 4 da manhã e fomos aplaudidos (ele obviamente) na saída de todos os restaurantes em que comemos e onde não pagamos nenhuma conta, já que os donos faziam questão de oferecer almoços e jantares para a pequena comitiva do capitão da Seleção brasileira que perdeu a Copa, mas maravilhou o mundo.

Na quinta-feira daquela semana do festival, dois dias antes do encerramento, André Midani apareceu no Excelsior para tomar um drinque com a gente, mas antes me chamou num canto e disse que tinha uma informação absolutamente confidencial que me daria com o maior prazer, se eu prometesse sigilo absoluto. Claro que eu prometi.

O júri tinha encerrado os trabalhos naquela tarde e o meu filme *Guarana Taí, primeiro beijo* tinha ganho um Leão de Ouro para o Brasil.

Perguntei para o André qual tinha sido o Grand Prix e ele me disse que a decisão do Grand Prix era a única coisa que o júri tinha deixado para votar na manhã seguinte. Do alto da impunidade que a intimidade proporciona, sugeri a André que, com seu charme e carisma, tentassse conduzir o júri para dar o Grand Prix ao meu filme. André na hora me disse que não faria isso de jeito nenhum, até porque existia um comercial da rede de varejo francesa Darty melhor do que todos os filmes do festival e que esse era o seu filme preferido.

Não toquei mais no assunto e na manhã da sexta-feira, assistindo ao *short list* completo, vi o comercial da Darty, que era realmente melhor do que todos os outros filmes do festival.

No sábado, com toda a justiça, Darty recebeu o Grand Prix e os aplausos.

A história com o Boni.

No final de 1987, procurei o superintendente comercial do SBT, Rubens Carvalho, e disse a ele que o SBT estava precisando de um bom trabalho de comunicação, coisa que a W/GGK podia fazer. Naquele momento, mesmo sendo amigo do Boni, eu não tinha como solicitar a conta da Globo, que tinha a sua própria agência, a Agência da Casa.

Rubens me ouviu e me convidou para dar uma palestra na convenção das afiliadas da rede.

Na verdade, fiz a maluquice de aceitar o convite e falar depois do Silvio Santos, que falou na abertura, o que é um gesto tão suicida quanto fazer um show de música pop depois do Lulu Santos.

Diz o bom senso que não se deve falar depois do Santos, o Silvio, nem cantar depois do Santos, o Lulu. Mas eu resolvi encarar e acabei me dando bem, porque abri minha palestra com a frase: "Depois do animador, o desanimador."

A partir daí a coisa fluiu e comentei sem nenhum pudor que o SBT estava melhorando a programação, mas não estava comunicando isso corretamente.

O pessoal gostou do que eu falei, o Silvio Santos abençoou a ideia de ter a W/GGK como agência e começamos o trabalho.

Claro que tanto nós quanto o pessoal da emissora tínhamos consciência de que a distância que separava o SBT da Globo era enorme, tanto em termos de audiência quanto em termos de qualidade da programação. Mas era aí que residia a oportunidade. O SBT era o segundo colocado em audiência e podia comunicar isso de uma maneira simpática, sem se propor alcançar a Globo, mas se distanciando das outras emissoras, como a Bandeirantes, a Record e a Manchete. Assim surgiu o tema: "SBT. Liderança absoluta do segundo lugar."

Esse tema gerou uma série de anúncios divertidos que veiculávamos nos principais jornais e revistas, buscando os formadores de opinião, enquanto o SBT melhorava o nível da programação contratando profissionais como Jô Soares, Lillian Witte Fibe e Boris Casoy.

Propositalmente, não fizemos nenhum comercial de televisão, até porque, se tivesse televisão, o Silvio Santos ia querer fazer ele mesmo e a nossa estratégia de atingir os formadores de opinião iria para o brejo.

Como o SBT tinha um volume muito grande de permutas com os jornais e as revistas, tínhamos anúncios diferentes quase que todos os dias, com abordagens bem-humoradas e anti-heroicas, sempre com a assinatura "Liderança absoluta do segundo lugar" ou a variação "Liderança absoluta da vice-liderança".

Os anúncios do SBT eram esperados e comentados por publicitários, anunciantes e pela imprensa. Ganharam todos os prêmios e a campanha durou alguns bons anos com a mesma vitalidade.

Fora tudo isso, mereceu uma frase inesquecível do Boni, que numa entrevista para a *Veja*, quando perguntado sobre o que achava da campanha do SBT, respondeu: "O Washington conseguiu fazer do SBT a televisão mais lida do país."

■ ■ ■

NO CAPÍTULO 19 CONTEI as porradas que tomei de pessoas que nem sequer tinham lido ou no mínimo tinham lido mal uma entrevista que dei para a BBC. E reconheci que apesar de editada num tom sensacionalista, particularmente na titulagem, a matéria não distorcia o que eu tinha dito.

Mas não comentei que o acontecimento não me surpreendeu, até porque tenho consciência de que reações descabidas e um alto índice de hidrofobia per capita são características das redes sociais.

A única coisa que me surpreendeu foi constatar que algumas pessoas que eu já sabia que não sabiam escrever também não sabiam ler.

■ ■ ■

NO CAPÍTULO 20 COMENTEI a decisão tomada desde a fundação da W/GGK de transformar minhas agências em grifes. Mas não contei que tudo começou com uma simples camiseta cinza, coisa que ninguém fazia naquela época. Cinza não era a cor da moda e muito menos de camiseta.

Aquela primeira camiseta cinza, com a marca W/GGK impressa em preto, produzida pelo pessoal do Grupo São Paulo de Moda, virou o sonho de consumo de uma porção de gente.

Foi a partir da camiseta cinza da W/GGK de 1986 que começaram a existir as famosas camisetas W/Brasil. Com temas, desenhos e tecidos diferentes, nos tamanhos pequeno, médio e grande, para agradar todo mundo, e com duas um pouco maiores para agradar o Jô Soares e o Fausto Silva.

Fizemos camisetas com o mapa do Brasil, com o brasão da República, com a letra da canção da W/Brasil, com a capa do disco *W/Hits*, com extravagantes tecidos plastificados e perfurados, e até com a impressão do resultado de uma pesquisa que mostrava a W/Brasil como a melhor e mais desejada agência do país.

Pesquisas à parte, mas revelando um dado surpreendente da minha estranha personalidade, eu, que sempre odiei malas, tive que me conformar durante um tempo em viajar carregando caixas e mais caixas de camisetas para presentear os amigos no Festival de Cannes, a ponto de a Eliana Martins Moreira, a Laninha, filha do Marcio Moreira, aos 8 anos de idade, acabar se referindo a mim como aquele "amigo do papai que tem uma fábrica de camisetas".

A propósito, minha fábrica de camisetas durou de 1986 até

2010, quando a Track&Field produziu as discretas e elegantes camisetas que marcaram a inauguração da WMcCann.

Além das camisetas, que com o passar do tempo perderam seu efeito surpresa por terem sido muito imitadas, fizemos nesses anos todos outras peças bastante divertidas com a marca da agência, como os aventais para os chefs e os guarda-chuvas que torciam para que a chuva viesse logo e acabasse com a crise hídrica.

Algumas das nossas peças foram usadas até pelos herdeiros dos nossos concorrentes mais queridos, como o body para recém-nascidos, usado pelo Paulo Serpa, em 2012, e as meias coloridas usadas pela Nina Fernandes, em 2017.

De todas as peças das grifes W/GGK, W/Brasil e WMcann feitas esses anos todos, a que mais deu mão de obra tanto na criação quanto na produção e na distribuição foram os biquínis. A criação da maioria dos biquínis foi feita pela Vivi Pepe, a produção pela Osklen e a distribuição pela Daniela Romano, que montou um mailing especial de mulheres bonitas e inteligentes do Brasil e do mundo.

A maioria das presenteadas adora e muitas delas, como a atriz Luana Piovani, a campeã olímpica Jaqueline Carvalho e a jornalista Bruna Calmon, fizeram questão de manifestar o seu agradecimento postando fotos e comentários no Facebook e no Instagram.

Mas existe também quem enjoou do presente.

Em agosto de 2017, algumas meninas da agência vieram me contar preocupadas que a Cleo Pires estava vendendo no "enjoei.com.br" o biquíni que ela havia ganho em agosto de 2016.

Respondi que, em vez de preocupadas, elas deveriam se sentir lisonjeadas. Se o biquíni depois de um ano de uso ainda podia ser vendido, era porque tinha se transformado em algo realmente valioso.

■ ■ ■

NO CAPÍTULO 21 CONTEI e comentei a minha paixão pela leitura e pela escrita.

Agora só falta dizer que desejo que você, que me leu até agora, viva mais de 100 anos. E que a sua última leitura na vida seja algo que eu tenha acabado de escrever.

ESTAÇÃO
BRASIL

Estação Brasil é o ponto de encontro dos leitores que desejam redescobrir o Brasil. Queremos revisitar e revisar a história, discutir ideias, revelar as nossas belezas e denunciar as nossas misérias. Os livros da *Estação Brasil* misturam-se com o corpo e a alma de nosso país, e apontam para o futuro. E o nosso futuro será tanto melhor quanto mais e melhor conhecermos o nosso passado e a nós mesmos.

8.

QUANDO SAÍ DA DPZ, no dia 8 de julho de 1986, para montar a W/GGK, todo mundo dizia que Itaú, Bombril, Grendene e Sadia me acompanhariam.

Isso realmente aconteceu com a Bombril e a Grendene, que me procuraram assim que souberam que eu tinha montado a minha própria agência.

A Bombril era quase vizinha da W/GGK, na avenida Doutor Cardoso de Melo. Fui até a esquina e voltei com a conta. Já a Grendene ficava um pouquinho mais longe, em Farroupilha, no Rio Grande do Sul. Tomei um avião para Porto Alegre. Estava tão ansioso para atender o chamado do Alexandre e do Pedro que no aeroporto peguei o primeiro fusca amarelo de frota que passou na minha frente e mandei: "Toca pra Farroupilha!"

Voltei a Porto Alegre no mesmo dia, mas cheguei tarde ao aeroporto e perdi o voo de volta.

Uma tragédia, porque eu tinha uma reunião importante em São Paulo na manhã seguinte.

Só consegui voltar naquela mesma noite porque cavei uma carona com os pilotos do avião do Correio Aéreo Nacional. Voltei com eles, uma montanha de cartas e a conta da Grendene.

Ao contrário das previsões do mercado, Itaú e Sadia não me procuraram imediatamente. Preferiram esperar mais um pouquinho, talvez para ter certeza de que a agência ia dar mesmo certo.

Foi nesse intervalo que o Unibanco acabou me procurando. O convite foi feito pelo Israel Vaimboin, que pediu que eu fizesse uma apresentação da agência ao doutor Walther Moreira Salles, seus filhos – Fernando e Pedro – e a diretoria do banco.

Escolhi fazer uma apresentação com uma estrutura de palestra e ganhamos a conta.

Naquele momento, o Unibanco queria ser visto como um banco com menos agências e um serviço mais personalizado do que o dos seus concorrentes – que eram maiores em tamanho.

Já estávamos trabalhando havia alguns dias nessa ideia quando, num belo fim de tarde, depois de uma reunião com um prospect no Rio de Janeiro, Gabriel Zellmeister e eu fomos tomar um drinque no bar do Copacabana Palace. Começamos a conversar sobre o que fazer para o banco e, olhando a marca Unibanco que ele tinha acabado de desenhar num guardanapo, descobrimos que, tapando "ban", sobrava "Unico".

Tinhamos encontrado o tema: "Unibanco. O Banco Único".

No dia seguinte, de volta a São Paulo, começamos a escrever os roteiros e a criar os anúncios, optando propositalmente por aquele discurso e aquela estética meio yuppie, que fazia sucesso na época e tinha a ver com a postura da instituição e de seus dirigentes.

"Unibanco. O Banco Único" era um belo tema e rendeu uma